D0718391

SCIENCE FICTION

Herausgegeben
von Wolfgang Jeschke

MICHAEL MORGENTAL

GARTEN ZWISCHEN LEBENSBÄUMEN

und elf weitere Schattensprünge

*Science Fiction-
und Fantasy-Erzählungen*

Originalausgabe

WILHELM HEYNE VERLAG
MÜNCHEN

HEYNE-BUCH Nr. 06/4017
im Wilhelm Heyne Verlag, München

Das Umschlagbild schuf J. M. Paillé
Die Illustrationen im Text sind von Atsuko Kato,
J. Siegfried Reinert, Ursula Olga Rinne
und Wolfgang Zeilinger

Redaktion: Wolfgang Jeschke
Copyright © 1983 by Wilhelm Heyne Verlag
GmbH & Co. KG, München
(Einzelrechte siehe Anhang)
Umschlaggestaltung: Atelier Heinrichs & Schütz, München
Printed in Germany 1983
Satz: Schaber, Wels/Österreich
Druck:
Elsnerdruck GmbH, Berlin

ISBN 3-453-30956-1

Für
jene Zauberin,
von der zu lernen ich
Am Dicken Turm 4
begann.

M. M.
(5. 12. 67 – 13. 1. 83)

Von den Schattensprüngen

Schüler: »Und worin besteht die Kunst der Dämmerung?«

Meister: »Darin, in die Schatten zu springen.«

Schüler: »Und worin noch?«

Meister: »Darin, aus den Schatten zu springen.«

Schüler: »Ist diese Kunst leicht oder schwer?«

Meister: »Sie ist schwer, denn die Schatten springen. Und sie ist leicht: denn die Schatten haben Sprünge.«

(5. Beispiel aus *Hômoku-mikkyô*, dem »Geheimen Buch vom Auge des Phönix«.
Ins Deutsche übertragen von Dr. Zephyrius Windbaum.)

INHALT

INHALT

III
Quatre Préludes

I

Divertimento
in F-Dur

Archivdienst

Da der Verwaltungsangestellte Rainer Mirzer – obwohl mit Hochschulreife ausgestattet – weder über nennenswerte Fähigkeiten zu verfügen schien, noch jemals mehr als nur durchschnittlichen Arbeitseifer an den Tag gelegt hatte und überdies nie Unzufriedenheit mit seiner Stellung erkennen ließ, war er im Archiv des Staatsinstituts für Überwachung von Systementwicklungen (SÜS) nun schon seit Jahren mit einer Tätigkeit beschäftigt, die eine angelernte Hilfskraft hätte genausogut erledigen können.

Zwar gab Mirzer, ein schmaler, leiser, unauffälliger Mann so um die fünfunddreißig, nie Anlaß zu Beanstandung oder Klage: die ihm übertragenen Aufgaben führte er immer korrekt, gewissenhaft und pünktlich aus; jedoch erschien es seinem Vorgesetzten, dem Leitenden Verwaltungsdirektor im Archivdienst Markus Hartmoffky, irgendwie bedenklich, daß Mirzer jeglichen Ehrgeiz vermissen ließ, sich auf der vorgegebenen Stufenleiter der Institutshierarchie nach oben zu arbeiten. Ein geistig und moralisch gesunder Büroangestellter im Archiv des Staatsinstituts für Überwachung von Systementwicklungen müßte (jedenfalls nach Überzeugung des Archivdirektors) doch bestrebt sein, sich zu ›profilieren‹ (wie er das nannte) durch bereitwillige Übernahme besonders anspruchsvoller Aufgaben, freiwillige und chronische Ableistung von Überstunden, sowie offenkundige Bereitschaft zur beruflichen Weiterbildung in der Freizeit.

Keines dieser Symptome war je an Mirzer zu beobachten – im Gegenteil! Allem Anschein nach hegte er nie auch nur für Augenblicke den Wunsch, seine völlig unbedeutende Stellung durch Aufstieg zu verlassen und das spartanisch eingerichtete Dienstzimmer eines einfachen Sachbearbeiters mit den durch entsprechende Statussymbole (Teppich, Gardinen, gerahmte Kunstdrucke …) hervorgehobenen Räumlichkeiten eines Projektverantwortlichen, Gruppenführers, Abschnittsleiters oder gar Hilfsreferenten zu tauschen. So stagnierte er, vom Standpunkt der Karriereplanung aus gesehen, phlegmatisch und antriebslos vor sich hin, bis eines Tages ein Ereignis eintrat, das nicht nur die Laufbahn des Sachbearbeiters Mirzer, sondern sogar die Karriere des Leitenden Verwaltungsdirektors Hartmoffky nachhaltig und unwiderruflich veränderte.

Der Angestellte Mirzer saß gerade an seinem schäbigen verkratzten Schreibtisch und füllte bedächtig mit seiner genauen, wie kalligraphisch gestochenen Schrift die Etiketten neuer Aktenordner aus, als eine telefonische Anforderung des Archivleiters ihn aus dieser von ihm so geschätzten (weil rein mechanisch-manuellen) Tätigkeit riß.

»Herr Mirzer, in einer Viertelstunde beginnt die Konferenz über die Datenschutzproblematik des ›Systems für Präventive Studentenbeobachtung‹, an der ich als Stellvertreter von Herrn Oberdirektor Scharfer teilnehmen soll. Dazu bräuchte ich noch die Akte SPS-PE-IV-b5-11. Sie wissen doch, die Stellungnahmen zu Pressekritiken über das Vorhaben der Präventiven Beobachtung. Bitte, bringen Sie mir diese Akte sofort in mein Vorzimmer.«

Nachdem Mirzer den Hörer aufgelegt hatte, wandte er sich aufstehend zu der Reihe breiter Aktenschränke, die hinter seinem Schreibtisch die Breitseite des Zimmers füllten. Eine leichte Aufgabe! Hatte er doch die Schlüsselnummern aller Akten, deren Verwaltung ihm in seinem Zimmer oblag, im Kopf; er hätte auch im Dunkeln, ja sogar im Schlaf die gewünschte Einhängemappe mit sicherem Handgriff herausgefunden.

»Wenn's weiter nichts ist!« murmelte er und schob den oberen Rolladen des ganz linken Registerschranks hoch. Er war gerade dabei, automatisch nach der Stelle zu greifen, an der die Akten über das SPS hingen, da stutzte er:

Statt des vertrauten Rostrots der Aktenordner leuchtete ihm Grün entgegen – nicht das abgegriffene, verblassende Grün von Archivmappen, sondern die kräftige, satte Farbe großer Blätter: sanft schwankendes Laub offensichtlich exotischer Gewächse. Solch bizarre Blattformen, wie sie ihm da aus dem Schrank entgegenzitterten, hatte Mirzer noch nie gesehen. Unwillkürlich, wie in einem Reflex, zog er den Rolladen wieder herunter und holte tief Atem.

Einerseits: was er da eben wahrgenommen hatte, war eindeutig und klar. Andrerseits: das durfte einfach nicht sein – es war völlig unmöglich, ganz und gar undenkbar! Oder: hatte vielleicht jemand ohne sein Wissen an den Platz der rostroten Akten andere, eben grüne, gehängt und ihn somit der Anblick der an dieser Stelle ungewohnten Farbe verwirrt?

Langsam öffnete er wieder den Rolladen, Zentimeter um Zentimeter, und ebenso langsam, Zentimeter um Zentimeter, quoll ihm aufs neue tropische Blätterpracht entgegen. »Das gibt's doch nicht!« stöhnte er und faßte nach einem Blatt: es fühlte sich richtig wie ein dickes, saftiges Baumblatt an, keineswegs wie alter, abgegriffener Aktenkarton. Mirzers Hand zuckte zurück: entweder war dies doch keine optische Täuschung, oder ... – war am Ende seine Tastwahrnehmung ebenfalls gestört?

Er lief vom Registerschrank weg zum einzigen Fenster seines Zimmers und riß es auf: er mußte frische Luft schnappen. Der Raum lag im Hochkeller; der Blick aus dem Fenster ging genau in Augenhöhe auf den Rasen an der Rückseite des Instituts; jenseits der Grasfläche erhob sich das Casino, in dem die höheren Beamten zu speisen pflegten; davor perlte ein kleiner Springbrunnen unermüdlich sein Wasser gen Himmel.

Mirzer wandte sich langsam um und blickte zum Schrank. Er hoffte, ihm wäre jetzt besser und der vertraute Anblick von Hängeordnern würde sich endlich einstellen. Jedoch vergebens! Auch vom Fenster her gab es keinen Zweifel: Die obere Hälfte des ganz linken Registerschranks zeigte einen Ausschnitt vom Blätterdach eines tropischen Dschungels.

Ich bin wohl nicht gesund im Kopf! dachte er. Das kann doch nicht sein! Das darf nicht sein! Habe ich Halluzinationen? Aber warum, warum bloß? Mirzer gehörte zu den Menschen, die nie an Überarbeitung leiden; Alkohol trank er so gut wie gar nicht, und seine Phantasie war so unfruchtbar wie ein Stück betonierte Autobahn. Wie konnte er sich nur so etwas wie diese Urwaldvegetation einbilden?

Er schloß die Augen und begann, sich beschwörend zuzuflüstern: Ruhe bewahren! Ruhe bewahren! Ruhe bewahren! Hatte vielleicht ein unbekannter Attentäter in der Kantine irgendwelche Drogen in den Linseneintopf gemischt? Oder war er, ohne es zu merken, das unschuldige Opfer eines gerissenen Hypnotiseurs geworden? Oder hatten ihn schelmische Kollegen durch hinterhältige Irreführung in ein ganz anderes, entsprechend präpariertes Zimmer gelockt und weideten sich jetzt heimlich an seiner Verwirrung?

All diese Erklärungsversuche waren letztlich genauso absurd wie das, was er da gesehen hatte. Solche Dinge kommen im Staatsinstitut für Überwachung von Systementwicklungen doch überhaupt nicht vor! Und so sicher wie jeden Morgen die Sonne aufgeht und jeden Abend Dunkelheit von der Erde Besitz ergreift, so sicher ist, daß in einem Registerschrank keine Dschungelbäume wachsen können!

Aus der Richtung des bewußten Schrankes kam das Krächzen eines Vogels, und Mirzer vermeinte, fernes Rauschen wie von einem Wasserfall zu hören. Er riß die Augen wieder auf, stürzte sich auf den Schrank und zog in panischer Angst den Rolladen wieder zu. Das hätte noch gefehlt, daß irgendwelches Getier aus diesem Schrank in sein friedliches Sachbearbeiterzimmer geflogen oder gekrochen kam oder daß das Wasser tropischer Flüsse auf den blankgescheuerten Parkettfußboden spritzte! Er setzte sich wieder an den Schreibtisch, stützte den Kopf auf die Arme und versuchte, einen klaren Gedanken zu fassen.

Dieser Versuch wurde vereitelt durch das Schrillen des Telefons – der Direktor am Apparat: »Herr Mirzer, in fünf Minuten muß ich zu der Konferenz gehen. Ich brauche die Akte. Bringen Sie sie mir doch umgehend vorbei!«

Mirzer räusperte sich: »Herr Direktor, ich kann die Akte nicht bringen. Ich ... ich ... ich kann sie nicht finden.« Beim Eingeständnis seiner Unfähigkeit, die gewünschte Akte herbeizuschaffen, nahm seine Stimme einen kläglichen Ton an.

Der Vorgesetzte bemühte sich, beruhigend und fordernd zugleich zu wirken: »Mirzer, das gibt es doch bei Ihnen nicht. Bei Ihrer Ordnung ist das doch unmöglich! Sie müssen das Stück doch mit einem Griff finden. Was ist denn mit Ihnen los?«

Mirzers Herz klopfte bis in den Hals: »Herr Direktor, die Akten sind verschwunden. In dem Schrank sind ... ist ... sind keine Akten mehr, sondern ... sondern Dschungelzweige, Dschungellaub.«

Eine Schrecksekunde lang antwortete ihm Schweigen. Dann erklang betont langsam und eindringlich die Stimme des Direktors aus der Muschel des Telefonhörers: »Mirzer, Ihnen ist wohl nicht gut. Bleiben Sie sitzen! Auf dem Weg zur Konferenz komme ich an Ihrem Zimmer vorbei und hole mir den Ordner.«

Wie kann ein so nüchterner Mann wie Mirzer durchdrehen?

dachte Hartmoffky auf dem Weg durch den langen Korridor. Und als er die letzte Tür auf der rechten Seite öffnete, nahm er sich vor, Mirzer gleich anschließend zum Dienstarzt zu schicken, damit er dort ein Beruhigungsmittel bekäme.

Der Sachbearbeiter saß mit gequältem Gesichtsausdruck an seinem wie immer ordentlich aufgeräumten Schreibtisch, Schweißperlen auf der Stirn, die bebenden Hände um einen Bleistift gekrampft.

»So, jetzt zeigen Sie mir mal den Schrank, in dem sich die SPS-Dokumente befinden!« bat der Direktor mit bewußt sanfter Stimme, als spräche er zu einem verängstigten kleinen Kind. Mirzer winkte mit schlaffer Hand in die linke Ecke.

Energisch aufgerichtet und mit gerafftem Oberkörper schritt der Direktor zum Registerschrank, schob den Rolladen hoch, blickte über die Schulter zu seinem Untergebenen zurück und fragte: »Welche ist denn diese Akte, die ich haben will?«

»Die dreizehnte, von rechts her gezählt«, stammelte Mirzer. Der Direktor begann die Blätter abzutasten, als seien sie tatsächlich grüne Aktenordner, und Mirzer fragte sich, ob man ihn nach diesem Vorfall wohl zu einer psychiatrischen Untersuchung schicken würde.

Da gewahrte er plötzlich einen kräftigen, stark behaarten rotbraunen Arm, der sich zwischen den Blättern aus dem Schrank hervorschob, der Arm vielleicht eines Gorillas, eines Orang-Utans, oder aber sogar eines Yetis, der Größe nach zu schließen. Direktor Hartmoffky schien den Arm nicht zu bemerken: er fingerte weiter an den Akten, beziehungsweise vielmehr: an den Blättern herum.

Der Warnschrei blieb Mirzer im Hals stecken: Jetzt ergriff die gewaltige Hand den erhobenen rechten Arm des Direktors und zog den großen, schweren Mann mit einem einzigen Ruck durch das Blätterdach in den Schrank – so wie ein kleines Kind mit einem einzigen Ruck seine Puppe oder seinen Teddy durch die Gitterstäbe seines Laufställchens reißt.

Mirzer stürzte in fassungslosem Schrecken zum Schrank und rief gellend zwischen die Zweige: »Herr Direktor, Herr Direktor!« Jedoch: nur Vogelkrächzen und fernes Wasserrauschen antworteten ihm, von seinem Vorgesetzten war nichts zu hören. Da schlug er mit Getöse den Rolladen zu, sperrte den Schrank ab und versteckte den Schlüssel mit zitternden Händen in der untersten Schublade seines Schreibtisches.

Was er gerade erlebt hatte, entsetzte ihn zutiefst, aber er war nicht der Mann, der es gewagt hätte, in den Schrank zu klettern und in einem unbekannten Urwald nach dem Archivleiter Hartmoffky zu suchen. Er stützte seine Ellbogen auf der Schreibtischplatte auf, barg seinen Kopf in den Händen und murmelte unaufhörlich, wie ein Stoßgebet: »Schicksal, Schicksal, Schicksal ...«

Nach kurzer Zeit wurde natürlich im Staatsinstitut das Fehlen des Archivdirektors bemerkt. Hartmoffkys Vorzimmerdame rief bei Mirzer an, ob ihr Chef wie beabsichtigt bei ihm vorbeigekommen sei. Er bejahte diese Frage und fügte vorsichtig, jedoch wahrheitsgemäß hinzu: »Aber wo er sich jetzt befindet, weiß ich wirklich nicht.«

Eine andere Auskunft wollte er dem Beauftragten für Amtsschutz und später den Kriminalpolizisten, die das plötzliche Verschwinden des Leitenden Verwaltungsdirektors im Archivdienst Hartmoffky aufklären sollten, auch nicht geben. Natürlich enthielt er sich jeglichen Hinweises auf den mysteriösen Schrank. Niemand hätte ihm ja geglaubt; fürchterlicher Verdacht wäre auf ihn gefallen.

Der Fall Hartmoffky wurde nie gelöst. Nach der gesetzlich vorgeschriebenen Frist wurde der Archivdirektor für verschollen erklärt.

Die obere Hälfte des ganz linken Registerschranks öffnete Mirzer nie mehr. Dieses Vorgehen zwang ihn zu äußerst kreativen Maßnahmen, wenn Akten aus diesem Schrank verlangt wurden: einen Teil der Dokumente konnte er aus dem Gedächtnis rekonstruieren, einen weiteren Teil durch ähnliche Unterlagen, die er leicht abänderte, ersetzen. Vor allem entwickelte er große Findigkeit und Phantasie, den fordernden Stellen andere als die gewünschten Akten zuzusenden und ihnen dann zu beweisen, daß diese Schriftstücke für den betreffenden Vorgang viel besser geeignet seien als die zuvor angeforderten.

Man wurde auf Mirzer aufmerksam: er profilierte sich durch Einsatzbereitschaft, Überstunden und sinnvolle Vorschläge, die man höheren Ortes zu schätzen wußte.

Durch Direktor Hartmoffkys Verschwinden war eine wichtige Planstelle frei geworden, und das zog eine ganze Kettenreaktion von Beförderungen nach sich, die auch bewirkte, daß der Sachbearbeiter Mirzer eine erste Stufe auf der Karriereleiter aufsteigen mußte.

Er wehrte sich nicht mehr dagegen, denn dadurch wurde er auch in ein anderes Zimmer versetzt, weg von dem unheilvollen Schrank, und er war dann auch einverstanden, auf die Verwaltungshochschule geschickt und durch Verbeamtung in den höheren Dienst eingegliedert zu werden. Rainer Mirzer war bald als fähiger Mann erkannt; sein Aufstieg im Archiv des Staatsinstituts für Überwachung von Systementwicklungen ging reibungslos vonstatten.

Ungefähr ein Jahrzehnt nach Hartmoffkys ungeklärtem Abgang war Mirzer selbst Leitender Verwaltungsdirektor geworden; jetzt lenkte er die Arbeit des Archivs vom gleichen Chefbüro aus, das damals Direktor Hartmoffky zu seinem letzten Gang verlassen hatte. Den damaligen Vorfall hatte Mirzer schon fast aus seiner Erinnerung getilgt; nur ein- bis zweimal im Jahr träumte er von sanft sich wiegenden Blätterkronen exotischer Regenwälder – und erwachte dann schweißgebadet ...

Jetzt stand die jährliche Konferenz der Abteilungsleiter zum Thema ›Systeme für Curriculare Planung in Kindergärten‹ (SCPK) bevor. Direktor Mirzer sollte dort kurz über die historische Entwicklung dieser Systeme referieren. Bei der Vorbereitung seines Beitrags bemerkte er, daß ihm noch die Akte SCPK-4-III-25 fehlte, in der die Parlamentsbeschlüsse aufgezeichnet waren, die zur SCPK-Entwicklung geführt hatten.

Mit einem kurzen Telefongespräch konnte er diese Akte aus jenem Zimmer anfordern, in dem er noch vor zehn Jahren Dienst getan hatte. Dort wirkte jetzt ein junger Mann namens Reigenziel, der nach abgebrochenem Indologie-Studium hier Unterschlupf gefunden hatte: ein gewissenhafter, korrekter Mensch, nur ohne jeden Ehrgeiz, zu antriebslos, zu schicksalsergeben.

Nachdem er eine halbe Stunde vergeblich auf die angeforderte Akte gewartet hatte, wurde Mirzer ungeduldig und entschloß sich zu einer telefonischen Mahnung. Reigenziels völlig verstörte Stimme antwortete ihm stotternd: »Ich – ich kann die Akte ni ... nicht finden, Herr Direktor!« Auf Mirzers barsche Frage: »Warum denn nicht, zum Donnerwetter, was ist denn mit Ihnen los?«

erklärte der junge Büroangestellte: »Herr Direktor, in – in – in dem Schrank sind keine Akten mehr, sondern da ist jetzt – ein – ein ... dichter Wald von lauter Nadelbäumen.«

Wie ein elektrischer Schlag durchzuckte es den Archivleiter. Mechanisch, wie ein gut programmierter sprechender Computer redete er beschwörend in die Telefonmuschel: »Reigenziel, Ihnen ist nicht gut. Bleiben Sie sitzen! Auf dem Weg zur Konferenz komme ich an Ihrem Zimmer vorbei und hole mir den Ordner.«

Als der Leitende Verwaltungsdirektor im Archivdienst Rainer Mirzer mit energisch scheinendem Schritt auf den Korridor trat und sich anschickte, zu dem entfernt liegenden Zimmer des Angestellten Reigenziel zu gehen, spürte er plötzlich, wie seine Hände zu zittern begannen.

Er holte tief Luft und ging entschlossen weiter, auf das Ende des langen Gangs zu.

Illustriert von Atsuko Kato

Parteiverkehr

Am Morgen dieses 1. Februar fühlte Haberzettl sich wieder einmal nicht gut. Kein Wunder: es war ja Freitag! Der Donnerstagabendstammtisch hatte wieder bis in die frühen Morgenstunden gedauert, wieder hatte er Bier und Schnaps allzu wahl- und sorglos in sich hineingeschüttet, und am Freitagmorgen konnte er sich ja nie ausschlafen, denn da begann die Kernzeit im Amt nicht erst um neun Uhr, wie an den übrigen Arbeitstagen, sondern schon um acht.

Haberzettl nutzte den Vorteil des späten Dienstbeginns immer voll aus, den die großzügige Gleitzeitregelung in seiner Behörde ihm und den anderen Beamten einräumte, aber da man das Amt am Freitag schon um ein Uhr verlassen durfte, galt freitags dieser frühe (nach Haberzettls Auffassung: unmenschlich frühe) Dienstbeginn. Mehrfach hatte er versucht, die Stammtischgenossen zu überreden, ihr wöchentliches Treffen auf Freitagabend zu verlegen: dann hätte er am Samstag immer in Ruhe ausschlafen können. Leider war er aber der einzige Junggeselle in diesem Kreis, und alle anderen beteuerten immer wieder, sie müßten den Freitagabend ihren Familien widmen; einige von ihnen fuhren ja sogar schon am Freitagnachmittag mit Kind und Kegel ins Wochenende. Also hatte Haberzettl sich resignierend an die freitagmorgendliche Malaise gewöhnt; aufrecht hielt ihn immer der tröstliche Gedanke, daß er Punkt 13.00 aus dem Amtsgebäude heimwärts fliehen durfte.

Heute brummte jedoch sein Kopf viel stärker als gewöhnlich; unter dem Scheitel, und hinter der Stirn schien sich ein unsichtbarer Quälgeist abwechselnd mit einer Säge und einem Bohrer am Schädelknochen zu schaffen zu machen; der Magen – mit einem flauen Gefühl ständig unangenehm spürbar – zog sich dann und wann krampfhaft zusammen, wobei ein bitterer Geschmack in Haberzettls Kehle aufzusteigen begann.

In solch qualvollem Zustand fand Haberzettl seine Stütze darin, daß er sich mit eiserner Disziplin Gewohnheiten anerzogen hatte, die ihm halfen, seine Freitagmorgenverfassung vor den Mitmenschen zu verheimlichen: er verzichtete aufs Frühstück (zumal er sowieso kaum einen Bissen heruntergebracht hätte); in der dadurch gewonnenen Zeit rasierte er sich besonders gründlich, rieb sein schlaffes, bleiches Gesicht sorgfältig mit einem dezent duftenden, aber dennoch männlich kraftvollen und vor allem erfrischend aufmunternden Rasierwasser ein, holte ein blütenweißes frisches Hemd aus dem Schrank, zog einen von seinen besten, durch und durch solide und seriös wirkenden Anzügen an – selbstverständlich mit Weste und dazu passender Krawatte – und fuhr schließlich mit einem Taxi ins Amt, um nicht etwa in der Straßenbahn, im Gewühl der anderen, der gewöhnlichen Menschen, schon seinen geringen Vorrat an Selbstbeherrschung aufzubrauchen.

Schließlich war er Oberamtmann und wußte genau, was er seiner Stellung im Amt schuldig war. Die Stammtischabende mit ihrer lärmenden, ungezügelten, geradezu atavistischen Männerfröhlichkeit waren ein wichtiger Teil seines Junggesellendaseins, aber sein Ansehen im Amt und besonders die Wertschätzung, die er beim Dienststellenleiter, Verwaltungsoberrat Oelwein, genoß, sollten durch sein Privatleben nicht in Mitleidenschaft gezogen werden.

So saß er denn am Freitagmorgen immer schon korrekt gekleidet und mit dienstlich ernster Miene an seinem Schreibtisch und bemühte sich, konzentriert auf die vor ihm liegenden Schriftstücke zu blicken, wenn die Bürokraft Wokurka einige Minuten vor acht ins Dienstzimmer gehuscht kam und atemlos ihren Mantel abstreifte, um ihn in den gemeinsamen Kleiderspind zu hängen. Frl. Wokurka – obwohl sie schon um die Vierzig war, legte sie Wert darauf, als *Fräulein* Wokurka angeredet zu werden – wohnte nicht in der Stadt, sondern in einem weiter entfernten Vorort; deshalb traf sie, vom Pendlerzug abhängig, jeden Tag kurz vor acht Uhr im Amt ein.

Sie arbeitete schon sieben Jahre in diesem Zimmer mit Oberamtmann Haberzettl zusammen, seit er als frischgebackener Amtmann auf diese Planstelle berufen und mit dieser wichtigen, ihm Tag um Tag verantwortungsvolle Ermessensentscheidungen abverlangenden Aufgabe betraut worden war. Sie hatte sich ganz und gar auf diesen ihren Vorgesetzten eingestellt und war bemüht, ihm seine Wünsche von den Augen abzulesen. Diese Wünsche waren bisher leider immer nur dienstlicher, nie privater Natur gewesen, aber Frl. Wokurka nährte im stillen die Hoffnung, daß Herr Oberamtmann Haberzettl eines Tages doch noch erkennen würde, daß sie mehr war als nur eine äußerst pflichtbewußte, korrekte und diensteifrige Bürokraft.

Zwar hatte Frl. Wokurka keine Ahnung von den donnerstagabendlichen Männerrunden in der »Kornblume«, aber sie wußte, daß ihr Vorgesetzter am Freitag wie ein rohes Ei zu behandeln war. Sie schrieb das einfach dem für ihn ja ungewohnt frühen Dienstbeginn zu und war bemüht, am Freitagvormittag alle ärgerlichen und störenden Vorfälle von Oberamtmann Haberzettl fernzuhalten. Freitags erzählte sie ihm nichts von dem Amtsklatsch, den sie ihm an den übrigen Tagen reichlich berichtete – so seine wichtigste innerdienstliche Informationsquelle darstellend –, sie nahm immer eilfertig das Telefon ab und versuchte, die Angelegenheit direkt mit dem Anrufer zu regeln, ohne ihren Vorgesetzten damit zu behelligen. Und wenn irgend möglich fertigte sie auch die Leute ab, die im Parteiverkehr zwischen 9 und 11 Uhr unvermeidlicherweise Unruhe in das sonst so friedliche Dienstzimmer trugen. Meistens gelang es ihr, in den Papieren und Formularen, welche die Ratsuchenden vorzuzeigen hatten, irgendwelche Mängel oder Lücken zu entdecken, die sie dann als Vorwand nahm, um die Leute wieder wegzuschicken mit der Anweisung, sie sollten Anfang der kommenden Woche mit den vollständigen Unterlagen wieder vorsprechen. Dann, so ihre Absicht, war der Oberamtmann in einer Verfassung, in der man ihm zumuten konnte, sich höchstselbst mit diesen Fällen zu befassen.

Jetzt hatte Frl. Wokurka schon beim Betreten des Zimmers erkannt, daß Herr Haberzettl diese ihre fürsorgliche Verteidigung heute besonders nötig haben würde. Ihre erste Amtshandlung an diesem Morgen war das Kochen eines besonders starken Kaffees in der kleinen Teeküche, die am Ende des Korridors gegenüber den Toiletten lag. Das Einnehmen von Getränken in den Dienstzimmern während der Dienstzeiten war von der Behördenleitung mit Rücksicht auf den Parteiverkehr untersagt worden: man wollte den Leuten, die mit ihren Anliegen in dieses Amt kamen, keinen Anhaltspunkt für Kritik oder Vorwürfe über mangelnden Arbeitseifer der Beamten liefern. Aber die Bediensteten des Amtes durften sich zum Tee- oder Kaffeetrinken ab und zu in die als Erfrischungsräume bezeichneten Küchen zurückziehen (deren es zwei auf jeder Etage gab) – vorausgesetzt, es blieb wenigstens eine Person im Dienstzimmer zurück, um eventuelle Besucher mit der Auskunft zu vertrösten, der Kollege bzw. die Kollegin sei gerade in einer Besprechung und käme bald wieder; man möge sich doch bitte noch einen Moment gedulden.

In der Etagenküche 2. Stock links hatte das Dienstzimmer 224 (also der Oberamtmann Haberzettl und die Verwaltungsangestellte Wokurka) eine eigene Kaffeemaschine und – im Gegensatz zu den anderen Dienstzimmern – sogar eine eigene Thermosflasche (ein Geschenk von Frl. Wokurka zu Haberzettls 45. Geburtstag), die sicherstellte, daß der Oberamtmann sich jederzeit einen guten heißen Kaffee gönnen konnte – eine Einrichtung, die für ihn als Morgenmuffel eine beträchtliche Erleichterung des dienstlichen Alltags bedeutete.

An diesem Freitag kurz vor 9 Uhr riß sie ihn aus seiner Versunkenheit (die scheinbar einer Akte auf dem Schreibtisch, tatsächlich aber den immer bedrohlicheren Signalen seines Magens galt) mit den besorgten Worten: »Herr Oberamtmann, ich hab jetzt nochmal Kaffee gemacht, die Thermosflasche ist wieder ganz voll. Wollen's nicht noch eine Tasse trinken, bevor der Parteiverkehr losgeht?«

Haberzettl nickte dankbar über ihre Aufmerksamkeit, obwohl er jetzt einen Magenbitter nötiger hatte als einen Kaffee. Ihm fiel ein, daß in der Küche noch eine angebrochene Flasche Kognak stehen mußte, von der Beförderungsfeier letzte Woche im Nachbarzimmer. Er würde sich einen Schluck genehmigen oder zumindest einen Schuß in den Kaffee tun; das brächte ihn sicher über die erste Runde des Parteiverkehrs.

Als er den Korridor hinabging, versuchte er, durch betont aufrechte Haltung seinen Zustand für etwa entgegenkommende Kollegen zu verbergen, aber auf halbem Wege begann wieder dieser bittere Geschmack in seinem Hals heraufzuquellen. Von plötzlicher Panik gepackt, stürzte er in die Herrentoilette anstatt in die Küche und war heilfroh, daß gleich die erste Kabine frei war und er sich über dem WC-Becken röchelnd und würgend übergeben konnte. Während er sich über die Kloschüssel beugte und in den Magen hinunterlauschte, ob der noch eine Ladung dieses eklig bitteren, scharf stinkenden Zeugs heraufschicken wollte, schwor er, in Zukunft nicht mehr solche Exzesse wie beim

Stammtisch gestern abend zu begehen und seinen Alkoholkonsum drastisch einzuschränken.

Als er sich aufrichtete, mit dem Taschentuch den Mund abwischte und seinen teuren Anzug untersuchte, ob der hoffentlich von dem Malheur verschont geblieben war, schwindelte ihm, die Knie begannen zu zittern, und als er bemerkte, daß er unterlassen hatte, die Kabinentür hinter sich zu schließen, schlug ihm das Herz bis zum Hals, das Blut schoß ihm heiß in den Kopf: nicht auszudenken, was gewesen wäre, wenn jetzt ein Kollege oder gar Verwaltungsoberrat Oelwein in den Toilettenvorraum gekommen und ihn, den so überaus korrekten Haberzettl, da über dem Klo gekrümmt gesehen hätte!

Fahrig betätigte er die Spülung und wankte dann langsam zum Waschbecken. Sein Blick war getrübt, wie dünner Nebel vor den Augen oder als sei der Spiegel beschlagen, in dem er seinen Kopf nur undeutlich als grauen Fleck wahrnahm. Tastend suchte er nach dem Wasserhahn, drehte ihn voll auf und spritzte sich, ohne an sein frisches Hemd und die teure Krawatte zu denken, Wasser ins Gesicht, damit er wieder klar sehen konnte. Der gewünschte Erfolg stellte sich zwar nicht auf der Stelle ein, aber das kalte Naß wirkte auf ihn immerhin erfrischend, belebend.

Während er sich mit einem seiner Taschentücher (als vorsichtiger Mensch trug er immer deren mehrere in seinen Anzugtaschen mit sich) sorgfältig das Gesicht trocknete und die Augen bei geschlossenen Lidern massierte, beschloß er, heute trotz seines elenden Zustandes bis 13 Uhr durchzuhalten und nicht vorher mit der Begründung des Unwohlseins den Dienst zu verlassen. Schließlich hatte er in den sieben Jahren, die er jetzt schon in dieser Dienststelle arbeitete, noch nie wegen Krankheit oder Unpäßlichkeit den Dienst versäumt – diese Tradition, die ihn mit Stolz und Befriedigung erfüllte, wollte er gerade auch heute, an diesem Tiefpunkt seines Befindens, fortsetzen, denn das Bewußtsein der eigenen Korrektheit und der unwandelbaren Zuverlässigkeit hob Haberzettl in seiner Weltsicht weit über die gewöhnlichen Menschen, die sich bei jeder Gelegenheit gehen ließen und ohne Disziplin und innere Ordnung im Leben dahintrieben.

Die herzhafte Bitterkeit des Kaffees, gemischt mit dem Aroma des Kognaks, spülte den ganz anders bitteren Geschmack von

vorhin aus Mund und Kehle; zum Schluß nahm er noch einen Schluck Kognak pur aus der Flasche, schüttelte sich prustend und fühlte eine angenehme Wärme das flaue Gefühl in der Magengegend vertreiben. Leider gab es in der Küche keinen Spiegel; er hätte jetzt, da er wieder klar sah, gern noch einmal sein Aussehen kontrolliert.

Zurück in die Toilette wollte er nicht gehen, denn durch den Spalt der angelehnten Küchentür hatte er gehört, wie zwei Kollegen heiter plaudernd dort hineingegangen waren; die Stimme des einen hatte er erkannt, es war Oberinspektor Schwablmaier, ein junger, ehrgeiziger Beamter, der, wie er vermutete, beim Dienststellenleiter gegen ihn intrigierte. Ihm wollte er das Schauspiel eines sich auf sein korrektes Aussehen überprüfenden Haberzettl nicht bieten. Tief aufschnaufend verließ der Oberamtmann die fensterlose Küche und ging gemessenen Schrittes zu seinem Dienstzimmer zurück.

Ich muß ja heute nur den Parteiverkehr durchstehen, dachte er, dann ist der Tag für mich gelaufen. Und ein zweites Mal soll das nicht vorkommen, daß es mich so arg herumbeutelt!

Als er das Zimmer betrat, mußte er überrascht feststellen, daß da schon ein lästiger Antragsteller auf ihn wartete, von dem er zunächst nur den gewölbten Rücken in einer dunkelblauen Anzugsjacke sehen konnte, denn der Mann beugte sich, hinter dem Schreibtisch des Oberamtmanns stehend, über die Kakteen auf dem Fensterbrett. Er war offensichtlich, wie Haberzettl mit wachsender Erregung erkannte, in aller Selbstverständlichkeit damit beschäftigt, die stacheligen Pflanzen zu gießen. Der Oberamtmann konnte nicht begreifen, daß Frl. Wokurka, die seelenruhig auf ihrer Schreibmaschine klapperte, den Unbekannten gewähren ließ, denn diese Tätigkeit hatte er sich doch immer ihr gegenüber ausdrücklich vorbehalten, da er allein wußte, wie man solche empfindlichen Gewächse wie Mammillaria pilispina, Turbinicarpus lophophoroides oder Neochilenia nigriscoparia behandeln mußte, damit sie nicht Schaden nahmen.

Haberzettl trat energisch zum Schreibtisch, faßte den Unbekannten mit nur mühsam gebändigtem Zorn an der Schulter und setzte an, ihn zur Rede zu stellen:

»Sie da! Was fällt Ihnen eigentlich ein, da an meinen Kakteen herumzu...«, doch das Wort blieb ihm im Halse stecken, als sich der andere zur vollen Größe aufrichtete, sich blitzschnell umwandte und ihn empört anblickte. Die ersten Worte, die sein Gegenüber ihm entgegenschleuderte, bekam Haberzettl gar nicht mit, so starr war er vor Bestürzung, denn – er blickte in sein eigenes Gesicht. Tatsächlich, der Fremde sah aus wie eine getreue Kopie seiner selbst und war sogar wie Haberzettl gekleidet: in den gleichen Anzug, mit gleicher Weste und Krawatte.

So etwas von Doppelgänger! schoß es dem Oberamtmann durch den Kopf, und er wollte mit irgendeiner humorvollen Bemerkung dem Zusammenstoß eine versöhnliche Wendung geben, als er begriff, daß der andere ihn beschimpfte:

»Lassen Sie gefälligst Ihre Finger von mir, Sie ungehobelter Mensch! Und klopfen Sie nächstes Mal an, bevor Sie unaufgefordert ein Dienstzimmer betreten. Und im übrigen sind das meine Kakteen, die gehn Sie gar nichts an!«

Was will dieser seltsame Mensch nur von mir? dachte Haberzettl und wandte sich hilfesuchend an Frl. Wokurka, die jetzt von der Schreibmaschine aufgestanden war und ihn mit äußerst ungehaltenem Gesichtsausdruck anstarrte.

»Bitte, Frl. Wokurka, klären Sie diesen Irrtum auf! Der Herr da hat sich wohl in der Zimmernummer getäuscht!«

Aber Frl. Wokurka reagierte ganz unerwartet: sie stemmte die Fäuste in die Hüften und schimpfte erregt auf ihn ein:

»Also so was ist mir noch nicht vorgekommen! Wie Sie sich hier aufführen! Sie wissen wohl nicht, wo Sie sind! Sie können doch nicht einfach hier hereinplatzen und in einem solchen Ton mit Herrn Oberamtmann Haberzettl sprechen!«

Die weiteren Sätze aus dem Munde der Angestellten rauschten unverstanden an Haberzettls Ohren vorbei; er war grenzenlos verblüfft darüber, daß sich sein Doppelgänger wie selbstverständlich an den Schreibtisch setzte und mit verdrießlicher Miene in den Aktenordnern zu blättern begann, als ob die Sache für ihn erledigt sei und es Frl. Wokurka überlasse, den Störenfried abzufertigen.

Haberzettl hob beschwörend die Hände, um Frl. Wokurkas Wortschwall zu stoppen und sagte langsam, deutlich und so sanft, wie er nur konnte: »Aber Frl. Wokurka, was wird denn hier gespielt? Der Oberamtmann Haberzettl bin doch ich! Und dieser Herr dort ist höchstens ein Doppelgänger von mir!«

Er blickte seine langjährige Mitarbeiterin eindringlich an und legte in einer beteuernden Geste die Hände auf seine Brust. Aber dies alles schien auf das resolute Fräulein nicht den geringsten Eindruck zu machen. Im Gegenteil! Sie ging nur dazu über, ihn noch lauter und schriller anzuschreien:

»Also, Sie sind wohl nicht ganz bei Trost! Was wollen Sie denn eigentlich hier? Was soll denn Ihr ganzes Theater bezwecken? Ich werde doch wohl noch wissen, wer hier der Oberamtmann Haberzettl ist. Ich habe doch schließlich schon über sieben Jahre mit ihm zusammengearbeitet!«

Sie warf dem am Schreibtisch Sitzenden einen bewundernden Blick zu, und der nickte bestätigend. Dann trat sie einen Schritt auf Haberzettl zu und fauchte ihn an:

»Damit Sie es wissen, mit solchen Methoden erreichen Sie bei einer Behörde nichts, gar nichts! Gehen Sie und lassen Sie uns gefälligst in Ruhe!«

Der bis auf den Grund seiner Seele aufgewühlte Haberzettl wollte antworten, er werde sich kurzerhand an Verwaltungsoberrat Oelwein wenden, der müsse dann diesem seltsamen Possenspiel ein Ende setzen, da öffnete sich die Tür und Oelwein kam herein, gefolgt von Oberinspektor Schwablmaier. Das waren also die beiden, deren Stimmen er durch die Tür der Teeküche gehört hatte. Beide blickten ihn kühl und abschätzig an, und dann fragte der Dienststellenleiter, was denn dieser Lärm zu bedeuten habe, den man bis auf den Korridor hinaus hörte. Bevor Haberzettl ein Wort herausbringen konnte, war schon Frl. Wokurka an die beiden Herren herangetreten und sagte: »Also Herr Verwaltungsoberrat, dieser unmögliche Mensch hier, der kommt gerade vor ein paar Minuten zu uns herein, spielt sich hier weiß Gott wie auf und behauptet, der Oberamtmann Haberzettl zu sein. Das ist doch Unsinn! Der Mann muß verrückt sein!«

»Aber ich bin doch Haberzettl!« schrie dieser jetzt in einem Anfall von Verzweiflung und deutete mit zitternder Hand auf sich. Herr Oelwein trat vor, legte Haberzettl die Hand begütigend auf die Schulter und sprach besänftigend, wie zu einem Gemeingefährlichen, den man durch ruhigen Ton von einer Irrsinnstat abhalten müßte:

»Guter Mann, es ist durchaus möglich, daß auch Sie Haberzettl heißen, obwohl ich das nicht glauben kann. Aber unser

Oberamtmann Haberzettl sind Sie nicht! Ich kenne doch meinen bewährten Mitarbeiter!«

Damit wies er auf den Fremden, der sich hinter dem Schreibtisch erhoben hatte und den Dienststellenleiter mit dankbarer Miene anblickte.

»Ich meine«, fuhr Oelwein fort, »Ihnen würde frische Luft gut tun. Gehen Sie nach Hause, beruhigen Sie sich, und wenn Sie wissen, was Sie wirklich von uns hier wollen, dann kommen Sie wieder ins Amt! Aber ...« – jetzt hob sich Oelweins Stimme ein wenig an, und unterschwellig begann in ihr Schärfe mitzuklingen – »machen Sie bitte hier in meiner Dienststelle nicht noch einmal eine solche Szene, sonst werde ich mich das nächste Mal genötigt sehen, die Polizei einzuschalten und Sie möglicherweise wegen Ruhestörung, Hausfriedensbruch und Beamtenbeleidigung anzuzeigen.«

Mit einer Handbewegung, die bedeuten sollte: ›Dies ist mein letztes Wort!‹, wies Herr Oelwein zur Tür. Haberzettl blickte sich noch einmal um, aber die Gesichter der vier anderen waren so abweisend und kühl, daß er den Mut verlor, noch einmal mit der Beteuerung zu beginnen, daß er doch Haberzettl sei und er dies doch am besten wissen müsse.

Vielleicht wirkt doch noch mein Rausch von gestern abend nach! dachte er. Es ist besser, ich geh heim und ruh mich aus, anstatt am Schluß hier im Amt noch irgend etwas anzustellen, das meinem Ansehen und meiner Karriere schaden könnte! Resigniert zuckte er mit den Schultern und ging hinaus. Langsam stieg er die Treppe hinab und grüßte mit freundlichem Nicken den Pförtner am Haupteingang, aber auch der schien ihn nicht zu erkennen und blickte durch ihn hindurch wie durch einen x-beliebigen Besucher des Amtes.

Am Petersplatz zögerte Haberzettl: Sollte er mit der Straßenbahn nach Hause fahren oder wie heute morgen mit dem Taxi? Diesmal siegte die Sparsamkeit über die Abneigung gegen die widerwärtigen anderen Fahrgäste; schließlich waren ja jetzt, auf 10 Uhr zu, die Tramwagen nicht so dicht gefüllt, daß die Sonderausgabe für eine Taxifahrt gerechtfertigt wäre.

Eine seltsame Art von Rausch, dachte der Oberamtmann, als er gelangweilt die Reklameaufkleber auf den gegenüberliegenden

Wagenfenstern studierte, ich seh doch alles klar und deutlich, und doch muß ich irgend etwas falsch gemacht oder mich daneben benommen haben, daß die im Amt sich so komisch aufführen. Und während er sich aufs neue fest vornahm, nie wieder Anlaß zu seinem solchen Auftritt zu geben, prägte sich seinem Hirn der Spruch ein, mit dem eine Babyausstattungsfirma an den Fenstern der Straßenbahn für ihren Service warb:

Wenn Sie in anderen Umständen
sind – denken Sie daran:
Wir tun alles, damit Ihr Glück über das
freudige Ereignis vollkommen wird!

Als die Tram auf den Tunnel neben dem Hauptbahnhof zufuhr, bemerkte Haberzettl, daß an der letzten Haltestelle ein Kontrolleur der Verkehrsbetriebe zugestiegen war und sich, Fahrausweise prüfend, auf ihn zubewegte. Mit einer automatischen Bewegung wollte der Oberamtmann in die Mantelinnentasche nach seiner Dauerkarte greifen und – griff erschrocken ins Leere.

Er hatte seinen Mantel gar nicht angezogen, als er das Amt verlassen hatte. Und seltsamerweise hatte er vorhin auf der Straße auch nicht gefroren und deshalb sein Versehen nicht bemerkt. Angstschweiß trat perlend auf seine Stirn, als sich auch der Griff in die Jackentasche als vergeblich erwies: sie war leer. Hatte er sein Portemonnaie und seine Brieftasche auch im Amt gelassen? Oder etwa gar heute morgen im Taxi vergessen?

Der Kontrolleur war jetzt nur noch zwei Sitzreihen entfernt; glücklicherweise – für Haberzettl – hatte er an dem Fahrschein eines langhaarigen Lederjackenträgers etwas auszusetzen, und es gab da einen lauten Disput, eine Galgenfrist für den Oberamtmann, der fassungslos in seinen Jackentaschen herumfingerte und sich schon als Schwarzfahrer an den Pranger gestellt sah – das hätte nach dem heutigen Vorfall im Amt das Kraut noch fett gemacht. ›Benützung der öffentlichen Verkehrsmittel ohne gültigen Fahrausweis‹ – das war ein Delikt, das sich ein Beamter in seiner Position keinesfalls erlauben durfte.

Als das mürrische Gesicht des Kontrollschaffners auf Haberzettl herunterblickte und dieser schon ein Geständnis ablegen wollte (in seinem Hinterkopf hatte sich gerade eine verführerische und boshafte Stimme gemeldet: da er ja auch seine Personalpapiere nicht bei sich hatte, könnte er doch einfach eine falsche Adresse angeben, oder?), hatten seine Finger plötzlich eine mehrfach gefaltete Streifenkarte in den Tiefen der rechten Jackentasche ertastet; er hielt sie mit zitternder Hand dem mißgelaunten Straßenbahner hin, der sie mit ärgerlichem Stirnrunzeln in die Länge zog, einige Herzschläge lang prüfend beguckte und dann wortlos an den verblüfften und erleichterten Haberzettl zurückreichte, um dann zum nächsten Fahrgast weiterzustapfen.

Haberzettl heftete nun seinerseits den Blick auf die Streifenkarte und stellte fest, daß sie korrekt mit heutigem Datum entwertet worden war, an der Bushaltestelle einer Vorortanschlußlinie. Die aufgestempelte Uhrzeit stimmte mit der Fahrtdauer (einschließlich Umsteigen) in etwa überein, als sei der Inhaber dieser Fahrkarte nicht schon seit 7.50 Uhr im Amt gewesen, sondern um 8.15 Uhr draußen in der Schlafstadt Kieselbühl in Richtung Stadtzentrum losgefahren.

Es gibt schon Zufälle, dachte der erleichtert aufatmende Oberamtmann, irgendwann vor Monaten hat da mal ein Entwerter gesponnen und mir diese verrückte Zeit aufgedruckt, und dieser Fehler hat mich heute vor einer Blamage bewahrt. Haberzettl fühlte sich so befreit, daß er, der ständige Benutzer von Monatskarten, gar nicht nachdachte, wann er denn zum letzten Mal eine Steifenkarte benutzt hatte. Dafür malte er sich aus, in welche Klemme er geraten wäre, wenn er ein Taxi genommen hätte – ohne Bargeld in der Tasche. Das wäre in einen Skandal ausgeartet!

Als er an dem Wohlhabenheit ausstrahlenden, gutbürgerlichen alten Haus mit der Jugendstilfassade angekommen war, in dem er fünf schöne große Zimmer (eine ganze Etage!) bewohnte, stellte er irritiert fest, daß in seinen Jackentaschen nicht nur die Geldbörse, die Ausweise und die Fahrkarten, sondern auch die Hausschlüssel fehlten. Das aber war kein Malheur, er würde bei der alten Frau Fuchsgruber im Parterre läuten, einer pensionierten Kassiererin des Städtischen Hallenbades, die in diesem Haus nebenbei die Hausmeisterei besorgte. Ihr hatte er einen Schlüssel seiner Wohnung zur Verwahrung gegeben – für Notfälle, wie er damals gesagt hatte. Heute war also ein solcher Notfall eingetreten.

Nach den verwirrenden Vorfällen dieses Vormittags war das Summen des Türöffners ein geradezu anheimelndes Geräusch. Und als die alte grauhaarige Frau in ihrer geblümten Kittelschürze ihm auf dem Treppenabsatz entgegentrat, begann er mit aller Freundlichkeit und Nettigkeit, deren er fähig war, sein Anliegen vorzubringen: Er habe heute morgen offenbar seine Schlüssel nicht in den Dienst mitgenommen; jetzt sei er heimgekommen, weil ihn im Amt eine plötzliche Unpäßlichkeit überfallen habe, und er bitte sie nun, so lieb zu sein, ihm seinen Wohnungsschlüssel, den er bei ihr deponiert hatte, auszuhändigen.

Doch der herzliche Ton seiner Bitte fand auf dem alten runzeligen Gesicht kein Echo. Im Gegenteil! Frau Fuchsgruber kniff die Augen zusammen, als müsse sie sich anstrengen, ihn zu sehen, und sagte langsam, laut und mißtrauisch in ihrer dialektgefärbten Redeweise: »Was woll'n denn Sie von mir? An Schlüssel? Ich kenn Sie ja gar net. Sie wohnen doch überhaupts net in unserm Haus hier!«

Haberzettl fühlte einen Stich in der Brust. Geht das schon wieder los! Ich bin doch jetzt nüchtern! Jetzt kann ich doch keinen Rausch mehr haben! dachte er, atmete tief durch und erklärte geduldig, als handle es sich um einen äußerst komplizierten Sachverhalt:

»Aber Frau Fuchsgruber, Sie kennen mich doch! Ich bin doch der Oberamtmann Haberzettl vom 3. Stock. Und Sie haben doch meinen Schlüssel, den mit dem roten Anhänger. Da steht doch mein Name drauf!«

Die alte Frau machte einige Schritte zurück bis zur Schwelle ihrer Tür und stemmte die Fäuste in die Hüfte:

»Also da hört sich doch alles auf! Wie kommen Sie denn dazu mir einzureden, daß Sie der Herr Oberamtmann Haberzettl sind. Sie glaub'n wohl, den kenn ich net? Da ham Sie sich aber getäuscht! Der wohnt schon sieben Jahr hier im Haus, und den kenn ich gut, den seh ich ja jeden Tag; und ich weiß net, wer Sie sind, aber Sie können mir nie einreden, daß Sie der Herr Haberzettl sind, Sie Schwindler! Schaun's daß Sie fortkommen und belästigen's mich nimmer!«

Damit wandte sie sich um und verschwand in der Wohnung. Das Dröhnen der ins Schloß fallenden Tür weckte Haberzettl aus seiner Erstarrung, und er rief in gequältem Ton: »Aber Frau Fuchsgruber, was ist denn los?«

Da öffnete sich in der Glasfensterrahmung der Tür eine kleine Luke, und Frau Fuchsgruber äugte heraus, jetzt in schon schrillem Ton keifend:

»Wenn Sie nicht sofort das Haus verlassen, Sie Betrüger, Sie Hallodri, Sie Gauner, Sie – Sie . . ., dann ruf ich die Polizei! Die wird Sie schon wegschaffen, Sie Gesindel, Sie!«

Damit klappte auch das kleine Fensterchen zu und Haberzettl hörte sie den Flur entlanghatschen. Die ist tatsächlich imstande und ruft die Polizei an! dachte der verstörte Oberamtmann, und deshalb zog er es vor, doch das Haus zu verlassen, um jeden Aufruhr zu vermeiden. Er würde drüben im Rosental-Park spazieren gehen, und dann sollte ihm schon etwas einfallen. Als er das Haus verließ und sich auf den Weg in Richtung Park machte, sah er durch die Augenwinkel, wie Frau Fuchsgruber die Gardinen eines ihrer Fenster etwas zur Seite schob und argwöhnisch seinen Abgang verfolgte.

Ein paar Häuser weiter, kurz vor der Einmündung in den Park, kam Haberzettl an dem Antiquitätengeschäft vorbei, in dem er einen großen Teil seiner wertvollen Stilmöbel gekauft hatte. In alter Gewohnheit hielt er an, um zu sehen, was an neu restaurierten Möbelstücken da im Schaufenster ausgestellt war. Aber sein Blick fiel nicht auf die Barockstühle oder das Empire-Sofa, sondern auf sein eigenes Spiegelbild in der großen, makellos sauberen Fensterscheibe. Und jetzt drohte zum ersten Mal an diesem seltsamen Tag sein Herz vor Schreck und Überraschung stehen zu bleiben:

Ihm blickte ein ganz anderer Mensch entgegen als der, den er in jahrelangem Spiegelschauen als sein »Ich« zu bezeichnen gelernt hatte. Nicht der zur Fülligkeit neigende Leib in einem teuren Maßanzug mit eleganter Krawatte, sondern eine hagere Gestalt in Kordhosen und einer Segeltuchjacke; nicht das runde Gesicht mit dem Hauch von Doppelkinn, dem wässerig-blauen distanzierten Blick, der sich beharrlich ausbreitenden Stirnglatze und dem schütteren Kranz seidig-dünner Haare, sondern ein schmales, um zehn bis fünfzehn Jahre jüngeres, lebenshungriges Gesicht mit dunkelbraunen Augen und schwarzen Wuschellocken.

Das soll ich sein? fragte sich der Oberamtmann und wandte

sich suchend um, aber er stand ganz allein auf dem Gehsteig vor der unbestechlichen Schaufensterscheibe, und dieses Spiegelbild vollführte genau dieselben Bewegungen wie der in seiner Verwirrung sich unschlüssig hin- und herwendende Haberzettl.

Ein beklemmendes, alptraumhaftes Gefühl beschlich ihn, als sei er eine winzige irdische Marionette, die irgendein riesengroßer unnahbarer Puppenspieler an unsichtbaren Fäden herumtapsen lasse – als habe er sich den Haberzettl bisher nur im dunklen Puppenkasten geträumt und sei jetzt zu seiner wahren Marionettenexistenz erwacht, ohne zu wissen, welches Spiel der Drahtzieher vorhabe.

Ein Lieferwagen fuhr brummend vorüber, hinter einer Hausecke kläffte aufgeregt irgendein Hund, aus dem nahen Park klang das Geschrei kleiner Jungen, die dort Indianer und Cowboy spielten: »Paff, paff, paff! Du mußt umfallen! Du bist jetzt tot!«

Der Mann in den Kordhosen und der Segeltuchjacke vor dem Geschäft mit der Aufschrift »Carlo Dalladio – Wertvolle alte Möbel« lauschte diesen Geräuschen, als höre er solche Klänge zum ersten Mal in seinem Leben. Bin ich damit gemeint? Bin ich tot? Bin ich irgendwo umgefallen?

Aber er fiel nicht um, er atmete – zum ersten Mal an diesem Tage machte die frische Winterluft ihn frösteln, als er sie ganz tief und langsam durch den weit geöffneten Mund in die Lungen holte. Dann hauchte er den warmen Ausatem in die kalten Hände und vergrub sie tief in den Hosentaschen. Er ging langsam auf den Park zu. Er wollte sich auf eine Bank setzen, dem Spiel der Wintersonnenstrahlen auf dem welken Laub zwischen den Büschen zuschauen und herausfinden, warum in seinem Innern ein anderer Mann namens Haberzettl so tieftraurig war, weil er nie wieder die altfränkisch eingerichtete Wohnung in jenem Jugendstilhaus betreten würde, jene stille Oase eines Junggesellen mit geregelten Lebensgewohnheiten, in der die vielen Kakteen auf ihn warteten, die Skalare in dem grünlich beleuchteten Aquarium, die silbergeschmiedeten Schachfiguren auf dem Brett aus Elfenbein und Ebenholz, die Merianschen Kupferstiche an den Wänden, und die gut bestückte Hausbar in der Barockkonsole.

Der Mann, der an diesem 1. Februar als Oberamtmann Haberzettl mit schmerzlich dröhnendem Kopf erwacht war (jetzt war von dem Schmerz nichts mehr übriggeblieben in diesem Kopf), suchte in seinen Taschen nach einem Taschentuch, das er auf der Parkbank als Unterlage ausbreiten wollte, um seine Hosen nicht zu beschmutzen – noch war diese Gewohnheit in ihm lebendig, noch hatte er sich nicht an die Kordhosen gewöhnt, noch bedeutete ›Hose‹ für ihn ein teures, maßgeschneidertes Kleidungsstück aus bestem Tuch.

Doch ein Taschentuch fand er nicht – auch dies ein bestürzendes Indiz für das Herausfallen aus dem bisher unwandelbar gewohnten Leben. Dafür einen zerknitterten Briefumschlag, mit einer aufgedruckten Absenderadresse, die das Amt bezeichnete, an das sich im Halbdunkel seines Bewußtseins der dort noch verweilende Schatten von Haberzettl als seine Dienststelle erinnerte.

Langsam holte er das ebenfalls zerknitterte Schreiben aus dem Kuvert: eine vorgedruckte Vorladung, sich spätestens am 31. Januar um 9 Uhr in einer bestimmten (durch Aktenzeichen näher definierten) Angelegenheit im Zimmer 224 dieses Amtes einzufinden und die notwendigen Unterlagen mitzubringen; gestempelt mit Dienstsiegel, unterzeichnet »i. A. Wokurka, Verw. Angest.«.

Der Mann las aufmerksam die mit schon altersschwacher Schreibmaschine getippte Anschrift:

André Janusz
Galvanistr. 7/VI.

Das war dort draußen, im Vorort Kieselbühl, wo die Streifenkarte gestempelt worden war, die sich immer noch in der Jackentasche befand. Der Mann griff nach dem Fahrschein, um sich von dieser Übereinstimmung zu überzeugen. Ein Feld auf der Karte war noch nicht entwertet: Eine Fahrt war noch frei.

Galvanistraße ist Haltepunkt, mit Straßenbahn und Bus vom Rosental-Park aus in knapp anderthalb Stunden zu erreichen – die Zeit für das Umsteigen an der Graf-Bollstädt-Anlage miteingerechnet. Galvanistr. 7 ist einer der neun 15stöckigen Wohntürme, die unmittelbar neben der Schrebergartenkolonie Kieselbühl aufragen. Fünf Wohnungen auf jeder Etage, ein bis drei Zimmer groß ...

Der Mann, der immer noch glaubte, einmal Haberzettl geheißen zu haben, stand vor dem hohen Gebäude und suchte auf der Glockentafel den Namen, der auf dem Briefkuvert geschrieben war. Da, im 6. Stock ganz links: »A. Janusz«. Daneben »Z. Wokurka«. Er stutzte: dieser Name bedeutete doch auch etwas in seiner Erinnerung. Was nur? Ach ja, die Unterschrift auf dieser Vorladung. Welch ein Zufall! Er fixierte den Namen auf dem Glockenbrett noch einmal – ha, er hatte sich verlesen. Das hieß doch in Wirklichkeit »Z. Workolka«. Aber links davon stand immer noch »A. Janusz«.

Der Druck auf den Klingelknopf wurde durch kein türöffnendes Summen beantwortet. Der Mann läutete mehrmals vergeblich. Unschlüssig blickte er an dem riesigen Haus empor und schlenderte dann auf die Baracke zu, die sich – auf dem Dach ein Schild mit dem knallroten Emblem einer Cola-Marke – in einer Ecke des großen freien Platzes auf der anderen Straßenseite, wie eingeschüchtert durch die ragende Palisade der Wohnsilos, zwischen zwei unkrautüberwachsene Erdhaufen duckte. Hier hatte sich früher einmal eine blühende Wiese von der Westseite der Gartenkolonie bis zu dem Ackerland erstreckt; die Äcker waren inzwischen dem Kanal und der Umgehungsschnellstraße gewichen, die ehemalige Wiese von den Reifen der Baufahrzeuge zerpflügt und aufgefurcht.

In der Baracke ließ er sich an einem kleinen Tisch nieder, ohne zu wissen, worauf er wartete, und ohne daran zu denken, wovon er das Getränk zahlen sollte, das er hier trinken würde. Ein fülliger Mann mit einer gewaltigen Knollennase über dem tiefschwarzen buschigen Schnauzbart und ebenso schwarzen drahtähnlichen Bartstoppeln um das schwabbelige Kinn trat an seinen Tisch – durch die grüne Schürze über dem faßrunden Bauch als Schankwirt ausgewiesen –, wischte nachlässig Aschenreste von der zerkratzten Resopalfläche und brummte gutmütig:

»Gutt gutt, du wieder da, André. Eine Spezi-Mix, wie immer, ja? Wie geht? Nicht mehr mach solche Sach, ja? Gabriela gewesen serr traurig, gemacht viel Sorgen um dir.«

Der herbe Geschmack des bräunlichen Getränks erfrischt. Was soll er nicht mehr machen? Er weiß ja gar nicht, was er überhaupt tun soll. Wie soll es weitergehen? Die Vergangenheit kringelt sich zusammen wie ein mürbes welkes Blatt und zerbröselt. Eine Zukunft gibt es nicht mehr. Nur noch Gegenwart, herbe, klare, auf der Haut spürbare Gegenwart.

Nur noch Wahrnehmung, Atem, Herzschlag, von einem Augenblick zum anderen. Die Welt, die einfach so ist und keine Erklärungen gibt. Die man nur sehen muß, nicht begreifen, nur hören, nicht festhalten; riechen, schmecken, fühlen, nicht bedenken oder verstehen; Augenblicke kristallklarer, unmittelbarer Wahrnehmung: Die Wirklichkeit in dem Tropfen Mixgetränk auf der glänzenden Kunststoffplatte des Tisches, in dem bizarren Riß in der Tapete an der Wand der Bude, in dem fleckigen Stein, der verloren zwischen den Glasscherben am Straßenrand ausharrt.

Als das zweite Glas geleert ist, kommt drüben an der Haltestelle wieder ein Bus an aus der Stadt: nur ein paar Leute steigen aus. Es ist Mittag. Der Wirt tritt wieder her und deutet mit seinen dicken Fingern auf eine der Gestalten an der Bushaltestelle: »Da, schau, ist gekommen Gabriela. Geh hin und sag sie was Gutes!«

Gabriela – ein Name wie eine Verkündigung. Der Mann springt auf, greift nach der Geldbörse – und stutzt. Aber der Wirt will kein Geld:

»Ich nochmal schreib auf, wie immer, ja?«

Der Mann läuft über die Straße, auf die junge Frau zu, die der Wirt gezeigt hat. Sie schleppt mit jeder Hand eine prallgefüllte Plastiktüte. Als sie die Schritte des laufenden Mannes hört, wendet sie sich schnell um; die langen, rötlich-blonden Haare, die bis zum Gürtel des blauen Mantels reichen, werden von einem Windstoß aufgewirbelt.

»André, André, wie gut, daß du wieder da bist!« Sie lächelt ihn an und hält den Kopf, als erwarte sie einen Kuß auf die linke Wange. Der Mann, der sich noch nicht erinnern kann, je eine Frau geküßt zu haben, berührt zaghaft mit seinen trockenen Lippen die warme Haut, die sich über ihrem Backenknochen spannt. Er nimmt ihr schweigend die schweren Tüten ab und geht neben ihr her. Sie schließt die Haustür auf und fragt: »Hast du absichtlich die Schlüssel dagelassen? Als ich die Schlüssel fand, hab ich mir Sorgen gemacht. Ich konnte fast die ganze Nacht nicht schlafen. Aber ...« – sie stockt – »das macht jetzt nichts mehr aus.« Wieder lächelt sie ihn ermutigend an. Er legt den Kopf etwas schief und versucht, zurückzulächeln, sich für etwas entschuldigend, wovon er nichts weiß.

Im Aufzug, der schrecklich langsam emporkriecht, blickt sie ihn unverwandt an. Er weicht ihrem Blick nicht mehr aus – auch das ist Gegenwart, nur Gegenwart. Etwas so weit Entferntes wie Zukunft gibt es nicht mehr.

Im engen Flur der Einzimmerwohnung im 6. Stock wartet Gabriela kaum ab, daß die Wohnungstür sich schließt und er die Plastiktüten abstellt. Noch im Mantel fällt sie ihm um den Hals und küßt ihn eindringlich auf den Mund. Sie flüstert ihm ins Ohr:

»Bitte, sei nicht mehr böse! Geh nicht mehr weg; bleib da! Es war dumm von mir, daß ich mich so aufgeregt habe, weil du die Sache mit dem blöden Amt verpaßt hast. Aber das ist doch nicht soo wichtig, nicht wahr? Und stell dir vor, ich war heute nochmal bei Dr. Wohlherr. Er nimmt mich wirklich. Ab nächste Woche! Das reicht doch dann vorerst für uns beide, und das komische Amt kann dir gestohlen bleiben. Bleib halt daheim und mach hier an deinen Übersetzungen weiter. Damit wird es irgendwann schon klappen, das glaub ich fest. Ich will, daß wir jetzt all die dummen Sachen vergessen, die wir uns gestern abend an den Kopf geworfen haben. Komm, laß uns neu anfangen!«

Während er ihren nächsten Kuß erwidert, einen der ersten Küsse der Welt, denkt er: Ja, ich habe alles vergessen. Und ich will neu anfangen – mit dir. Dann halten seine Gedanken inne, und eine unsichere Stimme aus dem Halbdunkel der Gefühle fragt: Und was ist, wenn der andere kommt, André, der richtige André? Was machst du dann?

»Ich bin André!« antwortet er entschlossen. »Ich bin jetzt der Richtige! Ich bleibe jetzt immer hier!« Die letzten Worte hat er offenbar laut ausgesprochen, denn Gabriela lacht leise auf, mit tränenfeuchten Augen: »Ja, du, bitte bleib da, mein richtiger André! Und wir machen alles neu!«

In dem Zimmer herrscht noch morgendliche Unordnung. Die Doppelbettcouch ist noch nicht zusammengeschoben, am Boden liegt ein zerknitterter Pyjama. Die linke Bettdecke ist noch gefaltet, die auf der anderen Seite zusammengeknäult, das Laken zerwühlt.

Gabriela läßt ihren Mantel achtlos auf einen Sessel fallen, streift die Schuhe ab, und während sie mit der rechten Hand ihre

Bluse aufknöpft, zieht sie mit der linken die Gardinen wieder zu. Das Zimmer ist jetzt wieder in sanftes Dämmerlicht gehüllt, wie der Wald zwischen den Welten vor Beginn der Zeit.

Nachher dann, als beide, warm und entspannt, noch eng aneinandergeschmiegt beisammenliegen, sagt sie leise: »Spürst du nicht auch, daß wir mit allem fertig werden, André, wenn wir nur immer zusammenbleiben?«

»Ja, Gabriela«, sagt der Mann, der sich jetzt daran erinnert hat, daß er in dieser unaufhörlichen Gegenwart André Janusz sein wird, »ich fühle, daß alles gut geworden ist.«

Illustriert von Wolfgang Zeilinger

Bundesbehörde, 12. Stock

Natürlich macht man *mich* jetzt für das verantwortlich, was da mit Zwogeling geschehen ist: ich bin vom Dienst suspendiert, die Kriminalpolizei ermittelt, und Direktor Schnapper erzählt jedem, der es nur hören will, es wäre des Referatsleiters – also meine – Aufgabe gewesen, »den verhängnisvollen Schritt seines Untergebenen zu verhindern«.

Aber – hätte ich das ›Verhängnis‹ tatsächlich verhindern können? Liegt es wirklich an mir, daß es soweit kommen konnte? Trage ich wahrhaftig Mitschuld an dem, was die Lokalpresse »ein mysteriöses Geschehen«, die Polizei »einen merkwürdigen Fall von ungeklärtem Verschwinden« und der Direktor »eine in der Geschichte unserer Behörde einmalige Tragödie« nennt?

»Eine einmalige Tragödie« – dieser Wichtigtuer von Abteilungsleiter liebt nun mal maßlose Übertreibungen, doch Zwogeling selbst, könnte man ihn noch fragen, würde das, was sich mit ihm zugetragen hat, ganz gewiß nicht als Tragödie bezeichnen. Zugegeben, einmalig war dieses Ereignis schon, das wie ein Blitz in unseren Verwaltungsalltag einschlug, einmalig und unbegreiflich, und wir alle, vom einfachen Sachbearbeiter bis hinauf zum Präsidenten unserer Anstalt, werden lange nicht darüber hinwegkommen, ich am allerwenigsten, denn ich weiß als einziger, was wirklich geschah, das heißt: was *zuallerletzt* geschehen ist. Doch *wie* das vor sich ging, wie es überhaupt dazu kommen konnte und wie man es hätte verhindern sollen – das weiß selbst ich noch nicht, soviel ich auch darüber nachdenke. Und unablässig stelle ich mir die Frage, wodurch ich zu dem Ganzen beigetragen haben mag oder wodurch ich mich einer Unterlassung ›schuldig gemacht‹ haben könnte.

Etwa schon dadurch, daß ich Zwogeling, als er zu uns kam, Dienstzimmer 1225 zuwies, wo er allein sitzen mußte? Doch etwas anderes blieb mir ja gar nicht übrig: im Bereich meines Referats war überhaupt nur noch dies eine Zimmer frei, die Schreibtische in allen anderen Räumen waren schon besetzt, und da kurz nach Zwogelings Dienstantritt ein Einstellungsstopp über unsere Behörde verhängt wurde, hätte ich in absehbarer Zeit sowieso keinen weiteren Mitarbeiter zugeteilt bekommen, den ich hätte an den anderen Tisch von 1225 setzen können.

Daß er als einziger der Sachbearbeiter meines Referats allein in einem Zimmer sitzen mußte, schien Zwogeling nichts auszumachen. Im Gegenteil! Er war wohl sogar froh darüber, denn an seinem ersten Tag erzählte er mir, wie schrecklich sein vorheriger Arbeitsplatz bei der Orthanc Versicherungen AG gewesen sei: zehn Jahre lang habe er dort mit vier anderen Angestellten zusammen in einem engen Zimmer sitzen müssen, noch dazu im Souterrain, »das heißt auf gut deutsch: im Keller«, sagte er, »ohne einen richtigen Blick durch das Fenster nach draußen«. Keinen Baum habe er dort sehen können, nicht einmal ein klitzekleines Stück Himmel, nur die Füße vorübereilender Passanten, die Reifen und Auspuffwolken vorbeifahrender Autos, die graue Mauer des gegenüberliegenden Bahnhofsgebäudes. Daß er jetzt im 12. Stock unseres Hochhauses zu sitzen kam und von seinem neuen Arbeitsplatz über die Dächer der Stadt bis hin zum Burgberg schauen konnte – mit viel Baumkronen im Blick und noch mehr Himmel –, schien Zwogeling das Bemerkenswerteste an seiner neuen Stellung zu sein, viel wichtiger als die Tatsache, daß es ihm in einer Zeit schwieriger Arbeitsmarktverhältnisse gelungen war, aus der sogenannten ›freien Wirtschaft‹ in die Sicherheit des öffentlichen Dienstes überzuwechseln.

Staunend stand er damals (es ist jetzt anderthalb Jahre her) vor dem großen, bläulich getönten Fenster, und in seiner etwas krächzenden Stimme schwang mühsam verhaltene Begeisterung: »Nein, was für ein herrliches Panorama! Von hier aus kann man ja meilenweit schauen! Und sehen Sie nur – der Vogelschwarm dort über dem Stadtzentrum: das sind doch die Tauben vom Hauptmarkt. Die kann man also wirklich von hier aus beobachten!«

Ich zuckte nur die Achseln: die Vögel, die aus dieser Höhe selbstverständlich zu sehen waren, hatten meine Aufmerksamkeit nie angezogen, waren mir immer höchst gleichgültig gewesen. Hätte ich jedoch damals schon auch nur die geringste Ahnung davon gehabt, worum Zwogelings Gedanken insgeheim kreisten, so hätte ich allerdings hellhörig werden müssen, als er mit bedauerndem Ton bemerkte: »Nur schade, daß man das Fenster hier nicht öffnen kann.«

Natürlich kann man in unserem riesigen, 17 Stockwerke hohen Verwaltungsgebäude, einer architektonischen Sehenswürdigkeit aus Beton, Stahl und Glas, kein einziges Fenster öffnen – wo kämen wir da auch hin, bei den Statikproblemen durch Winddruck! Darein müßten wir uns eben fügen, sagte ich zu Zwogeling, selbstverständlich wüßte auch ich etwas Angenehmeres als die schale Luft aus der Klimaanlage, aber das sei eben der Preis, den die platzsparende Bauweise erfordere. Er nickte nachdenklich, als stimme er mir zu, und murmelte nur: »Aber immerhin – hier sieht man wenigstens die Stadt von oben, und die Vögel, und den Himmel ...«

Einen seltsamen Vogel hat die Personalabteilung mir da eingestellt, dachte ich damals und musterte verstohlen meinen neuen Mitarbeiter, der gerade begann, seine Utensilien in den Schreibtisch einzuräumen: ein kleines Männlein, bei weitem der Kleinste jetzt im Referat (er maß bestimmt nur wenig mehr als eineinhalb Meter), knochig und dürr, mit hängenden Schultern, den Rücken leicht gebeugt – nein, er war wirklich keine Schönheit, und die riesige Hakennase, die scharf wie ein Schnabel aus der Mitte seines schmalen, hageren Gesichtes ragte, stand in einem befremdlichen Kontrast zu seinen großen, ängstlichen und überaus kindlich wirkenden Augen. Kein Wunder, daß der noch Junggeselle ist, dachte ich, welche Frau fände schon eine solche Jammergestalt anziehend, noch dazu in einem so unmöglich altmodischen Anzug von graubrauner Farbe.

Wahrlich, Zwogelings Erscheinung und Verhalten wirkten recht merkwürdig, dafür war er aber – wie sich bald herausstellte – eine Art mathematisches Genie und für mein Referat (STATISTIK & DOKUMENTATION) echt ein Gewinn. Seine Aufgaben erledigte er bemerkenswert schnell, war viel eher damit fertig als meine anderen Leute, und trotz seiner Schnelligkeit unterliefen ihm dabei nur höchst selten einmal Fehler. Bald hatte ich allerdings den Eindruck, daß er durch die prompte Erledigung seiner Arbeit Zeit gewinnen wollte, Zeit für das, was wir anderen dann ›Zwogelings Hobby‹ nannten: Kam man einmal unangekündigt in sein Zimmer, so saß er oft stumm und reglos da, auf seinem Stuhl zusammengekauert wie ein alter Rabe auf einem Felsblock, und meist starrte er dabei unbeweglich zum Fenster hinaus. »Zwogeling meditiert wieder«, hieß es dann unter den anderen im Referat, und man lächelte sich verständnisvoll zu in sanftem Spott.

Gab ich ihm daraufhin noch mehr Arbeit, so schien ihm das nichts auszumachen: im Handumdrehen hatte er auch das neue Pensum geschafft, und bald fand er wieder Zeit für sein seltsam stilles Dahocken. Versuche, ihn durch gezielte Fragen nach Details seiner Arbeit aus der Ruhe zu bringen, verfingen nicht: er schien die von ihm betreuten oder entwickelten Programme lückkenlos auswendig zu wissen; ging es etwa um irgendwelche schnell durchzuführende Änderungen in unseren Rechenverfahren, so mußte er nicht erst lange in Lochkarten oder Programmlisten nachschauen wie seine Kollegen, sondern er gab ohne das geringste Zögern sofort aus dem Kopf die entsprechende Anweisung über Telefon ans Rechenzentrum durch.

Nein, so absonderlich Zwogeling auch sein mochte – ich hatte keinerlei Grund, mich über ihn zu beschweren, denn er leistete weit mehr als das übliche Quantum an Arbeit, trotz dieser Phasen reglosen Starrens, die bei uns seine ›Meditationen‹ hießen. Er machte auch unablässig Überstunden, die er nur sehr selten in seine Zeitabrechnungskarte eintrug: Früh war er meistens als erster da, kurz nach sieben schon (in unserer Behörde gibt es Gleitzeit), und abends ging er oft erst heim, wenn schon die Putzkolonne des Reinigungsdienstes in den Räumen unseres Referats auftauchte. Manchmal fragte ich mich, ob er das aus echter Freude an der Arbeit täte. Oder bloß wegen der Faszination, die für ihn von dem Panoramablick ausging, den das Fenster seines Dienstzimmers ihm gewährte? Oder war er, so überlegte ich, einfach froh, nicht zu Hause sein zu müssen, wo er unverheiratet unter dem Pantoffel einer ältlichen Verwandten (Tante oder Großtante) lebte?

Wir hatten uns damit abgefunden, daß Zwogeling ein Eigenbrötler war. Anfangs klopften wir noch – entsprechend dem in unserem Referat üblichen Ritual – jeden Mittag einladend an seiner Tür, wenn wir uns gemeinsam auf den Weg zur Kantine machten; wir gaben das aber bald auf, denn er ging fast nie mit, und wenn, dann offensichtlich ungern, mit innerem Widerstreben. Auf meine Aufforderung: »Na, Herr Zwogeling, packen wir's?« antwortete er meist: nein, er habe heute keinen Appetit, und auf dem Weg nach unten sagten wir dann grinsend: »Nun ja, er meditiert sich satt.« Gelegentlich kam es vor, daß er uns bis zum Aufzug begleitete, dann aber nicht mit uns nach unten fuhr, sondern einen nach oben fahrenden Lift wählte, hinauf zum 17. Stock, zur Aussichtsplattform. Aus Neugierde, was er dort wohl treibe, ließ ich einmal nach dem Essen den obligatorischen Rundgang mit meinen Leuten um das Verwaltungsgebäude ausfallen und fuhr statt dessen selber in den 17. Stock: Dort stand Zwogeling, wie ein Kind das Gesicht an die Scheibe gepreßt, und beobachtete gebannt einen Wildentenschwarm, der auf dem Weg von der Pegnitz zum Dutzendteich in Höhe der Aussichtsplattform vorbeiflog.

Diese Beobachtung gab mir eine Idee ein, die mir heute als schwerwiegender Fehler erscheinen müßte, wenn ich Direktor Schnappers Standpunkt teilte: Als Zwogelings Geburtstag näherrückte, ließ ich im Referat sammeln, legte noch eine erkleckliche Summe aus der eigenen Tasche drauf und kaufte dann den prächtig ausgestatteten Bildband »Vogelflug«. Als wir ihm bei der referatsinternen Geburtstagsfeier das Buch überreichten, leuchteten seine Augen in kindlich-ehrlicher Freude auf, und er bedankte sich überschwenglich, wie genau wir doch seine Interessen getroffen hätten. Und während wir dann bei Kaffee und Kuchen eng gedrängt in Zimmer 1225 beisammensaßen (auch dies eines der Rituale, mit dem wir uns den Büroalltag ab und zu auf angenehme Weise unterbrechen), wurde unser ›seltsamer Vogel‹ ganz ungewohnt gesprächig, wie wir ihn noch nie zuvor erlebt hatten: Mit einem vor Begeisterung geröteten Gesicht und glänzenden Pupillen berichtete er uns überaus detailliert von einem Film über »Das Geheimnis des Vogelflugs«, den er vor kurzem im Fernsehen verfolgt und am liebsten mit einem Videorekorder (wenn er einen besäße) aufgezeichnet hätte. Nach Ende dieser Kaffeestunde, als alle anderen schon wieder an ihre Arbeitsplätze zurückgekehrt waren und auch ich mich schon zum Verlassen von 1225 anschickte, sah ich noch, wie Zwogeling das neue Buch in den Schrank stellte, und dabei bemerkte ich, daß er neben seinen dienstlichen Aktenordnern noch eine Reihe offenbar privater Bücher dort stehen hatte; ein paar der Titel konnte ich flüchtig lesen, sie hatten nicht das geringste mit Statistik, Programmierung oder Dokumentation zu tun: »Rettet die Vögel – wir brauchen sie«, »Transmutatio Magna Salomonis Trismosini«, »Readers' Digest Buch der Vogelwelt«, »I Ging – Das Buch der Wandlungen«, »The Voyage to the Planet of the Bird People« …

Irgendwie war ich schon irritiert von Zwogelings kurioser Privatbibliothek, aber natürlich sah ich darin keinen Anlaß, mir Sorgen zu machen, denn jeder Bedienstete hat das Recht, Gegenstände seines persönlichen Interesses in seinem Aktenschrank aufzubewahren, nun ja, beim einen ist es ein Stapel »Playboy«-Hefte, beim anderen eine Flasche Doornkaat, und bei Zwogeling eben …

Doch dann war da eine Begebenheit, bei der meine Irritation aufs neue erwachte, und zwar im Zusammenhang mit einer Beförderungsfeier im Nachbarreferat (ein Projektleiter namens Schröbl war von Gehaltsstufe IVa zu Gruppe III aufgestiegen): Die versammelten Beamten und Angestellten der Abteilung hatten das obligatorische Bierfaß noch nicht einmal zur Hälfte geleert, im großen Weidenkorb waren noch jede Menge Salzbrezen und Roggenbrötchen übrig, und die übliche hemdsärmelige Fröhlichkeit hatte noch längst nicht ihren lautstarken Höhepunkt erreicht, da fiel mein Blick auf Zwogeling, der stumm in einer Ecke in der Nähe der Tür hockte: je ausgelassener die allgemeine Stimmung wurde, desto mehr verkroch er sich in sich selbst, mit einem völlig unbeteiligten, desinteressierten Gesichtsausdruck, und als gerade alle nach irgendeinem blöden Witz in hemmungslos wieherndes Gelächter ausbrachen, stand er wie ein Nachtwandler auf und schlüpfte – von den anderen unbemerkt – zur Tür hinaus.

Die Schnäpse, die ich noch mit dem Beförderten, dem Direktor und meinen Referentenkollegen leeren mußte, goß ich ziemlich hastig hinunter, und sobald ich es mir erlauben konnte, ohne daß man mich als ›Spielverderber‹ angepflaumt hätte, verließ auch ich den Raum, um nach Zwogeling zu schauen, denn sein tranceähnliches Gebaren beunruhigte mich. Als ich in Zimmer 1225 lugte, saß er zusammengesunken auf dem vor dem großen Fenster postierten Bürostuhl, noch kleiner und mickriger als sonst: in diesem Augenblick schien es mir fast, als sei er in der letzten Zeit noch geschrumpft. Er saß wie eine leblose Statue und starrte unentwegt zum Fenster hinaus, und ich hatte das Gefühl, als sei er in eine Wolke von Enttäuschung und Einsamkeit gehüllt. Ach, zu jenem Zeitpunkt interpretierte ich sein Verhalten völlig falsch: ich dachte, es hätte irgend etwas mit der Tatsache zu tun, daß er jetzt schon mehr als einenviertel Jahre bei uns war und man ihn noch nicht, wie eigentlich üblich, um eine Gehaltsstufe befördert hatte (schuld daran waren die unserer Anstalt von der Regierung auferlegten Sparmaßnahmen).

»Seien Sie nicht enttäuscht, Herr Zwogeling«, versuchte ich ihn zu trösten, »auch Sie kommen über kurz oder lang dran. Sie dürfen nicht glauben, daß Sie für ewig auf der Stufe IVb bleiben!«

Er wandte mir langsam, unendlich langsam, sein Gesicht zu, mit einem Ausdruck, der verriet, daß er meine Worte gar nicht aufgenommen hatte. Zwogeling sah nicht bedrückt oder deprimiert aus, nein, es war, als habe die frühabendliche Herbstsonne in seinen Augen ein sanftes Leuchten entzündet: »Schauen Sie doch, Herr Taubitzer, dort über dem Turm der Peterskirche«, seine Hand wies wie beiläufig über die Dächer nach Westen, »das müssen doch Dohlen sein, nicht wahr. Und da hinten oben, die kleinen schwarzen Punkte vor den weißen Wolken, das sind Schwalben. Haben Sie schon einmal davon geträumt, was für ein Gefühl das wäre, genauso dort oben dahinzufliegen?«

Ich wußte nicht, was ich Zwogeling antworten sollte, denn zu sagen, ich hätte in meiner Funktion als Referatsleiter für Statistik und Dokumentation ganz andere Dinge im Kopf als Dohlen und Schwalben und Wolken – das schien mir in diesem Augenblick nicht angebracht, und ich muß ehrlich gestehen, in diesem Moment, unter Zwogelings seltsam bezwingendem Einfluß, hätte ich fast selber begonnen zu glauben, ich hätte schon einmal von freiem Flug über die Wolken geträumt. Doch zog ich es vor, mich zu verabschieden, ich müsse noch einmal zu der Feier zurück, das sei mir zwar lästig, aber schließlich hätte ich als Referent sozusagen gewisse unausweichliche Verpflichtungen ...

Wenige Wochen nach diesem Gespräch trat jenes Ereignis ein, um dessen Aufklärung jetzt jeder auf seine Weise bemüht ist.

Wir wurden durch die Alarmsirene des Verwaltungsgebäudes aus unserer Arbeit gerissen; über die Flurlautsprecher kam die Durchsage, wir sollten das Gebäude entsprechend der Feuerschutzordnung räumen, da eine anonyme Bombendrohung eingegangen sei. Wie wir schon in diesem Augenblick vermuteten und sich später bestätigte, handelte es sich dabei nur um eine unangekündigte Katastrophenschutzübung, wie sie zweimal im Jahr in unserem Hochhaus abgehalten werden muß. Aber natürlich strömten alle in größter Eile über die Nottreppenhäuser ins Freie – wer freut sich nicht, auf diese Weise von der Arbeit wegzukommen!

Meiner Pflicht als Referatsleiter folgend hatte ich noch alle Dienstzimmer meines Bereichs zu kontrollieren, ob niemand zurückgeblieben sei. Auf dem Weg zur Treppe wollte ich einen kurzen Blick in Zimmer 1225 werfen, doch was ich dort sah, ließ mich für Sekunden erstarren: Da stand Zwogeling auf der von der Klimaanlage gebildeten Konsole vor dem Fenster und hieb mit einem harten Gegenstand (der sich später als großer Schraubenschlüssel herausstellte) gegen die Scheibe, die schon von großen Sprüngen durchzogen war und gerade splitternd nachgab – es klaffte ein Loch von etwas weniger als einem Meter Durchmesser.

In meiner Überraschung fiel mir nichts Sinnvolleres ein als zu rufen: »Aber Herr Zwogeling, was machen Sie denn da? Was wollen Sie denn bloß?«

Nur ganz kurz wandte er sein Gesicht mit den großen dunklen Augen und der riesigen Hakennase über die Schulter und sagte heiser: »In die Freiheit, Herr Taubitzer, in die Freiheit!«

Das waren die letzten Worte, die ich von meinem Mitarbeiter Zwogeling hörte, seine letzten menschlichen Laute, dann zwängte er sich durch das Loch (er schien noch kleiner geworden zu sein als er ohnehin schon war, noch schmäler, noch verduckter) und hockte sich auf den Rost vor der Außenwand, der zugleich als Sonnenblende und als Stütze für die Fensterputzer diente.

Über das, was dann geschah, widersprechen sich bekanntlich die Zeugenaussagen – und es gab sehr viele Zeugen, denn drunten auf dem Platz vor dem Verwaltungsgebäude standen ja Hunderte und Aberhunderte von Bediensteten unserer Behörde. Es gibt Leute, die behaupten, Zwogeling habe sich nach einigem Zögern fallen lassen und sei in eine der Lichtgruben vor den Fenstern des Archivkellers gestürzt, andere sagten aus, er sei auf dem Rost nach links gekrochen und habe sich dann auf das kiesbestreute Flachdach des niedrigeren Westflügels fallen lassen (in dem das Staatsinstitut zur Überwachung von Systementwicklungen untergebracht ist), dritte gar wollen gesehen haben, wie Zwogelings Körper kurz nach dem Absprung in einer stichflammenartigen Explosion zerfetzt worden sei, und wie ich gehört habe, hat die Kriminalpolizei noch fast ein Dutzend weiterer Versionen bei ihren Zeugenbefragungen notiert. Alle diese angeblichen Beobachtungen haben einen einzigen, gemeinsamen und höchst mysteriösen Haken: bis zur Stunde ... – es ist schon eine Woche vergangen seit jenem Ereignis – bis zur Stunde wurde auch nicht die geringste Spur von Zwogelings ›sterblichen Überresten‹ gefunden.

Ich allein weiß die Wahrheit, aber mit Rücksicht auf die Einschätzung meines Geisteszustandes muß ich schweigen und kann meine Wahrnehmung nur dem Papier anvertrauen: Als Zwogeling auf dem Rost hockte, bin ich, meine Erstarrung abschüttelnd, zum Fenster geeilt und habe dann mit eigenen Augen gesehen, wie er auf einmal zu schrumpfen begann, immer kleiner und gedrungener wurde, wie sein Mund sich zu einer seltsamen Schnute vorstülpte und dann mit der Hakennase zu einem Schnabel verschmolz, wie ein Zittern durch den graubraunen Anzugstoff lief und er mit einem Mal zu einem seidig glänzenden schwarz-braun-grünen Federkleid wurde, wie also – kurz gesagt – Zwogeling sich da, knapp zwei Meter von mir entfernt, in eine ausgewachsene Stockente verwandelte. Bevor ich noch meiner grenzenlosen Verwunderung Herr werden konnte, breitete der Wilderpel auf dem Rost (oder soll ich sagen: »breitete Zwogeling ...«?) seine Flügel aus, flog mit einem freudig erregten Schnattern hinaus über den Platz vor dem Verwaltungsgebäude und nahm dann, in einer eleganten Kurve nach rechts, die Richtung auf den Dutzendteich.

Das Problem, vor dem die Kriminalpolizisten und meine Vorgesetzten (als da sind: Direktor, Oberdirektor, Vizepräsident und Präsident) jetzt stehen, lautet: Wieso gibt es nicht die geringste Spur von dem vor aller Augen aus dem Fenster hervorgekrochenen Zwogeling? Wohin – um alles in der Welt! – ist er verschwunden?

Mein Problem ist keineswegs das Disziplinarverfahren, das mir zur Klärung meiner Verantwortung noch bevorsteht, sondern die schlichte und einfache Frage: Wenn ich die Wildenten in ihren

Schwärmen über die Stadt fliegen sehe, wenn ich sie beobachte, wie sie auf dem Dutzendteich landen, und wenn ich ihnen zuschaue beim Gründeln im braungrünen Fluß – ist Zwogeling unter ihnen? Woran könnte ich ihn erkennen? Und was könnte er mir erzählen, wenn ich ihn verstünde?

Illustriert von Wolfgang Zeilinger

Späte La-Tène-Zeit

›Es gibt Tausende verschiedener Zeiten. Es
gibt eine Geographie der Zeit, wie es eine des
Ortes gibt. ... Können Sie sich vorstellen, daß durch eine komplizierte Verände-
rung ..., etwa der menschlichen Seele, ganz
unglaubliche Zeitverschiebungen eintreten
können?‹

(Isabella in Mirandolinas Geschichte in
Herbert Rosendorfers »Ruinenbaumeister«)

Warum ich jetzt so vor mich hinbrüte und grüble und geistesab-
wesend bis verwirrt in die Welt blicke, willst du wissen? Nun,
daran ist mein Freund Charly schuld, genauer gesagt: Charly mit
seinem Dolch.

Charly (schon auf der Schule nannten wir Karl Kellner so) war
der Bohemien und Künstlertyp in unserer Klasse; ein Jahr vor
dem Abitur war er der ganzen Büffelei überdrüssig, verließ la-
chend das Gymnasium und wurde Maler. Zur großen Enttäuschung unserer früheren Lehrer kann Charly offenbar von seiner
Kunst leben (vielleicht nicht so sicher und bequem wie ein Ober-
studienrat, aber immerhin ...), und zu meinem großen Trost
nimmt er es mir nicht übel, daß ich unsere jugendlichen Träumereien verriet: damals wollte ich Dichter werden, Schriftsteller,
Geschichtenerfinder – doch nach erlangtem Reifezeugnis und
abgeleistetem Vaterlandsverteidigungsdienst wurde ich Versi-
cherungskaufmann; jetzt bin ich spezialisiert auf Reise- und
Transportversicherungen. Und wenn mein grauer Büroalltag mir
dann und wann zu öde wird, flüchte ich eben zu Charly und tanke
bei ihm auf – obwohl er bisher noch nie eine Versicherung bei mir
abschloß: er verreist immer unversichert, besonders gern in die
Mittelmeerländer und in den Vorderen Orient, und sein Gepäck
ist dabei sowieso minimal, wenigstens auf der Hinreise; zurück
bringt er ja meist allerhand Trödel mit.

Seine Mansardenwohnung in der Findelkindergasse sieht fast

aus wie ein Antiquitätenladen: Berberteppiche, eine große türkische Wasserpfeife, altgriechische Amphoren, maurische Handtrommeln, eine uralte silberbeschlagene Beduinenflinte ...

Na ja, auf jeden Fall fühle ich mich bei Charly dem faden Alltag so schön entrückt, vor allem wenn wir dann aus syrischen Mokkaschälchen Kardamomkaffee schlürfen oder einige gute Flaschen Retsina von Kreta leeren. Und im Hintergrund dazu vom Tonband arabische Flötenmusik oder aromunische Hochzeitstänze aus Mazedonien (von Charly auf seinen Reisen selbst aufgenommen) ...

Vor einer Woche war ich das letzte Mal bei ihm. Ich hatte mich gerade auf meinem Lieblingskissen niedergelassen, und er rumorte auf der Suche nach zwei sauberen Weingläsern in der Küche herum, da fiel mein Blick auf eine auffällig leere Stelle an der Wand über dem alten Diwan, zwischen den Farbdrucken eines tibetischen Mandalas und des Gemäldes »Shin« von Ernst Fuchs, dort unter der alten griechischen Landkarte des Kaiserreichs von Trapezunt.

Tatsächlich: da fehlte der lange, schmale, leicht gekrümmte Dolch, der als die bedeutendste Trophäe von Charlys abenteuerlicher Reise zum Berg Ararat dort gehangen hatte: eine feine orientalische Arbeit nicht näher bestimmbaren Alters, der Griff mit einigen kleinen, goldgefaßten Smaragden und Amethysten geschmückt, die Klinge noch makellos rein und glänzend, verziert mit ineinanderverschlungenen Pflanzenmotiven und kleinen, kaum lesbaren Zeichen einer uns unbekannten Schrift, weder Griechisch noch Arabisch.

Charly war stolz auf den Erwerb dieser Waffe gewesen: hatte er sie doch nach langem Feilschen für einen trotzdem noch happigen Preis einem alten Kurden am Ufer des Van-Sees im Osten der Türkei abgekauft. Einmal, nach etlichen Gläsern Anisschnaps, phantasierte er, der Dolch stamme gewiß aus dem Kronschatz des Kalifen Harun-al-Raschid. Deshalb fragte ich mich verwundert, warum er dieses kostbare, ihm liebe und teure Stück offenbar aus der Hand gegeben hatte.

Als er jetzt mit Gläsern und Weinflasche ins Zimmer getapst kam, konnte ich meine Neugier nicht bremsen: »Bist du schon so abgebrannt, altes Haus, daß du deinen alten Kalifendolch ins Pfandhaus gebracht hast?«

Charly blieb irritiert stehen und schaute wortlos auf den leeren Platz an der Wand, danach setzte er die Gläser übertrieben langsam und vorsichtig auf dem niedrigen Tischchen in der Zimmermitte ab, stellte die Retsina-Flasche auf den Boden und ließ sich ächzend auf den Diwan sinken. Erst schnaufte er einige Male tief, dann kratzte er sich umständlich mit der linken Hand hinter dem rechten Ohr, während er mit den Fingern der anderen Hand behutsam an seinem üppigen Vollbart herumzwirbelte.

»Oje, das is a G'schicht! Wenn ich dir die erzähl, die glaubst du mir bestimmt net. Pfandhaus? Naa – viel schlimmer, viel schlimmer!« Dann schwieg er wieder; zum ersten Mal, seit ich Charly kenne (das sind jetzt immerhin schon bald an die fünfzehn Jahre!), schien er mir verlegen, der richtigen Worte nicht mächtig.

»Hast du ihn irgendwo verloren?«

Charly schüttelte stumm sein Künstlerhaupt.

»Hat ihn dir einer geklaut?«

Charlys Mundwinkel zuckten gequält ob solch simpler Deutung des Dolchverschwindens.

»Oder«, ich erinnerte mich an manch feucht-fröhliche Atelierparty mit entsprechenden Folgen, »hast du ihn etwa gar im Suff verschenkt?«

Charly lachte bitter auf: »Du meinst wohl, das sieht mir ähnlich?« Dann nickte er nachdenklich vor sich hin, mit gespitzten Lippen und gerunzelter Stirn. Schließlich meinte er: »Verloren ... hm ja, vielleicht kann man doch sagen: verloren. Oder auch einfach: liegengelassen ...«

»Na, und wo hast du ihn dann liegengelassen?«

Charly holte hörbar Atem: »In der Vergangenheit.«

»Nein, ich meine nicht, *wann*, sondern *wo*. Also, sag schon, wohin hast du denn das wertvolle Stück mitgenommen?«

»Ja, eben in die Vergangenheit – sozusagen.«

Charly sieht, daß sich auf meinem Gesicht blanke Verständnislosigkeit abzeichnet. Er räuspert sich einige Male bedächtig, dann beginnt er zu erzählen (und ich übertrage es im folgenden in halbwegs akzeptables Hochdeutsch):

»Also, vor ungefähr einem Monat, da saßen wir mal abends im Bürgerspital. Wir, das waren Dagmar, Thomas, Hans, Ria und natürlich ich. Ria ist jetzt Hilfsassistentin am Englischen Seminar und schreibt an einer Dissertation über ›Das Motiv der Zeitreise in der englischen und amerikanischen Literatur des 19. Jahrhunderts‹. An jenem Abend erzählte sie uns von dieser Arbeit und sprach über einige Werke, die sie da untersuchen soll, zum Beispiel ›Looking Backward‹ von Edward Bellamy, ›News from Nowhere‹ von William Morris, ›Erewhon‹ von Samuel Butler, und selbstverständlich auch ›The Time Machine‹ von H. G. Wells.

Irgendwie hat uns das alles ziemlich fasziniert, und wir begannen zu diskutieren, in welche Zeit wir am liebsten reisen wollten und was wir dabei wohl erleben könnten.

Allmählich begannen, auch unter dem Einfluß des Weins, den wir dabei reichlich tranken, unsere Erörterungen ins Alberne abzugleiten, da erhob sich am Nebentisch ein stämmiger, bärtiger Mann und trat zu uns. Anscheinend hatte er unserem Gespräch schon längere Zeit gelauscht; jetzt fragte er, ob er sich an unseren Tisch setzen dürfe.

In unserer heiteren, gelösten Stimmung waren wir damit einverstanden und wollten auch für ihn einen Schoppen bestellen. Er aber winkte ab und begann halblaut, fast flüsternd, auf uns einzureden, wobei er uns abwechselnd mit seinen funkelnden Augen fixierte:

›Ich hab gehört, worüber ihr euch unterhalten habt. Das bringt doch nichts, was ihr hier macht: bloßes Theoretisieren. Praxis, Praxis! Darauf kommt es an! Unternehmt erst einmal eine Reise durch die Zeit, dann könnt ihr euch wieder zusammensetzen und klug darüber schwatzen. Sonst wißt ihr doch nicht, wovon ihr redet.‹

In unserer Weinlaune brauchten wir einige Augenblicke, bis wir begiffen, daß es dem Unbekannten Ernst mit seiner Aufforderung war. Unseren Protest, dies sei doch unmöglich, wischte er vom Tisch, und bei Rias Bemerkung, ›Zeitreise‹ wäre doch nur ein literarischer Kunstgriff, um der Gegenwart positive oder negative utopische Visionen gegenüberzustellen, verzog er seinen Mund zu einem spöttischen Lächeln:

›Ach ja, die Akademiker und die Gelehrten! Nichts praktisch ausprobieren, aber für alles eine gute theoretische Erklärung parat haben. Kathederweisheit, Buchwissen, leeres Geschwätz ist das, sonst nichts – das sag ich euch!‹

Dann legte er beide Handflächen auf den Tisch, straffte seinen Oberkörper und sah uns beschwörend an:

›Ich kann euch beweisen, daß hinter dem Wort *Zeitreise* mehr steckt als nur Gedankenspielereien müßiger Poeten. Wenn ihr euch davon überzeugen wollt, dann kommt doch morgen abend mit! Ich werd euch zeigen, was wirklich ist und was nur ausgedacht.‹

Diese Einladung kam für uns so überraschend, daß wir verwirrt schwiegen. Der massige Mann erhob sich und sagte langsam und eindringlich: ›Also, wenn ihr den Mut habt: morgen abend um die achte Stunde an der Alten Steinbrücke, und zwar an der Statue des Albertus Magnus, dort trefft ihr mich!‹ Dann klopfte er leicht auf den Tisch, wandte sich um und enteilte in Richtung Ausgang.

Einige Zeit blieben wir noch stumm, ziemlich verdutzt, dann begann eine erregte Diskussion: sollten wir auf das Angebot des Fremden eingehen? Hans meinte, der Kerl da sei sicher bloß irgendein armer Spinner oder Wichtigtuer; er für sein Teil jedenfalls wolle seine Zeit nicht damit vergeuden, solchen Hirngespinsten nachzujagen. Ria hinwiederum schien Angst zu haben, sie könnte etwas erleben, was sie zum Umschreiben ihrer Dissertation zwingen würde; deshalb beharrte sie darauf, ›Zeitreise‹ sei einfach nur ein literarischer Topos ohne realen Hintergrund.

Somit trafen sich also am nächsten Abend auf der Alten Steinbrücke nur Dagmar, die Mutige, Thomas, der Neugierige, und ich, der ich ja auch gern meine Nase in alle ungewöhnlichen und geheimnisvollen Dinge stecke.

Wenn man von der Domstraße herkommt, ist Albertus Magnus der letzte der Brückenheiligen auf der linken, der Südseite, fast schon am anderen Ufer, unterhalb der Festung.

Während Dagmar und Thomas sich mit gedämpften Stimmen unterhielten, betrachtete ich nachdenklich die hohe Barockfigur des gelehrten Bischofs. Welches Buch mochte er, den man den Doctor Universalis nannte, da wohl aufgeschlagen im Arm halten, mit dem riesigen steinernen Zeigefinger auf eine Seite deutend? War es seine ›Metaphysica‹? ›De caelo et mundo‹? Oder etwa gar der ‹Libellus de Alchemia‹?

Weit kam ich nicht mit meinen Überlegungen, denn genau als die Kirchenturmuhren zu den acht Schlägen ansetzten, trat der große stämmige Mann zu uns, so als habe er sich bisher hinter der

Statue verborgen gehalten, grüßte kurz und forderte uns auf, ihm zu folgen.

Er führte uns etwa hundert Meter am linken Flußufer entlang und strebte dann auf ein hohes Gebäude zu, ein modernes Apartmenthochhaus, das zwischen der Uferstraße und der Schottenkirche aufragt und dort die Gleichförmigkeit der niedrigeren Dächer der übrigen Häuser durchbricht. Hier schloß er, der sich bisher immer noch nicht vorgestellt hatte, die Haustür auf, ging uns über die Treppe in den ersten Stock voraus und öffnete die dritte Tür auf der linken Seite des langen Korridors. Da ich als letzter ging, hatte ich die Gelegenheit, kurz einen Bick auf das Namensschild unterhalb des Klingelknopfes zu werfen und bemühte mich, mir den Namen einzuprägen, den ich da las: ›Trittenheim‹.

Ach ja, ich darf nicht vergessen zu erwähnen, daß ich meinen Kurdendolch bei mir hatte, unter meinem Pullover versteckt. Deshalb erzähl ich ja überhaupt die ganze Geschichte! Ich war nämlich doch ein bißchen mißtrauisch (oder, ehrlicher ausgedrückt, vorsichtig – wenn nicht gar furchtsam!) gewesen: Wer weiß, worauf wir uns da überhaupt einlassen und was einem auf so einer Zeitreise – wenn sie tatsächlich zustande kommt! – passieren kann ... Vielleicht wäre es besser, bewaffnet zu sein. Und da der Dolch ja meine einzige Waffe war, hatte ich mich heimlich mit ihm ausgerüstet.

Beim Betreten der Einzimmerwohnung überfiel mich Enttäuschung: Als Ausgangsort einer Zeitreise hätte ich mir etwa das dunkle Kellergewölbe eines mittelalterlichen Patrizierhauses, die mit Sarkophagen gesäumte Krypta einer Kathedrale oder die schaurige Ruine einer Raubritterburg vorgestellt. Oder vielleicht noch die mit verstaubten Folianten vollgestopfte Bibliothek eines alten, verlassenen Klosters. Aber eine kleine Wohnung in einem ziemlich neuen Apartmenthochhaus? Wie ernüchternd, wie prosaisch!

Als ich das Zimmer betrat, begann der Mann gerade, vor die Fensterfront, die den Blick auf den Fluß und die türmereiche Stadtsilhouette des gegenüberliegenden Ufers freigab, einen dunkelblauen Vorhang zu ziehen. Außer zwei Regalen, die an den beiden Seitenwänden mit Büchern dicht gefüllt bis zur Decke reichten, gab es in dem Raum keine Möbel.

Ich hätte gern die Buchrücken angeschaut, um den einen oder

anderen Titel zu entziffern, aber dazu reichte die einzige Lichtquelle des Raumes kaum aus: ein fünfarmiger Leuchter, der in der Mitte auf dem Boden stand, und außerdem forderte uns unser Gastgeber auf, wir sollten uns auf den runden tiefroten Teppich setzen, der den Zimmerboden fast ganz bedeckte.

Wir ließen uns im Schneidersitz nieder, links von mir Dagmar, die ihr langes schwarzes Haar mit einer energischen Kopfbewegung zurückwarf und den seltsamen Herrn Trittenheim mit ihren funkelnden Amselaugen musterte, rechts von mir Thomas, der mit schwärmerisch-versunkenem Gesicht in die Kerzenflammen starrte. Ich setzte mich mit dem Rücken zur Tür, unserem selbsternannten Reiseführer gegenüber, der vor sich noch einige Utensilien ausbreitete, die offensichtlich für sein Vorhaben gebraucht wurden:

Ein kleines Feuerbecken (ähnlich einem Thuribulum aus der katholischen Liturgie), einen Packen kurzer runder Holzkohlen, ein Ledersäckchen mit bislang noch unbekanntem Inhalt, einen becherförmigen Bronzegong auf einem winzigen, rotblau bestickten Brokatkissen und daneben ein dünnes Messingstäbchen, das im Kerzenlicht gelblich schimmerte.

Er erklärte uns, wir sollten uns entspannen und dazu entweder die Augen schließen oder den Blick unverwandt auf die Kerzen richten. Dann entzündete er an einer der Kerzen einige Holzkohlen und legte die glimmenden Stückchen in das Becken. Aus dem Lederbeutel holte er große, harzige Weihrauchkörner und streute sie auf die Glut. Im Nu war die Luft erfüllt von einem kräftigen, würzigen Duft.

Beim Einatmen war mir, als ströme in meine Lungen eine Substanz, die gleicherweise erfrischend und lähmend auf meinen Leib wirkte: ich fühlte meinen Geist ungeheuer klar und aufnahmefähig werden, andrerseits empfand ich eine Trennung von meinem Körper, als sitze der hier wie eine Statue und könne keineswegs mehr durch Befehle meines Willens bewegt werden. Später fiel mir auch auf, daß ich keinen Schmerz in meinen Beinen spürte, obwohl ich es eigentlich nicht lange aushalte, im Schneidersitz zu hocken.

Selbst wenn meine Nackenmuskeln mir gehorcht hätten, hätte ich nicht gewagt, mich zu Dagmar oder Thomas zu wenden, um zu sehen, wie es ihnen erging. Denn jetzt begann unser Gast geber, auf dessen Hände ich durch das Kerzenflackern hindurch blickte, mit dem Messingstab dem Gong Klänge zu entlocken.

Zunächst schlug er den Becher nur leicht an: ein heller, metallischer Ton schwebte durch das Zimmer; das ungewohnt lange Nachhallen des Gongschlags machte mich staunen. Beim zweiten Mal traf der Stab schon fester auf: der Ton zitterte sanft vibrierend viele Atemzüge lang, ohne wesentlich an Intensität zu verlieren. Plötzlich überkam mich die Empfindung, als dringe der Klang nicht durch die Ohren in meinen Kopf, sondern auf irgendeine geheimnisvolle Weise geradewegs in den Bauch und erzeuge dort ein Echo, das meinen ganzen Unterleib vibrieren lasse.

Da der jeweils nächste Gongschlag erfolgte, bevor der letzte verhallt war, erfüllten den Raum ununterbrochene Schallwellen, die allmählich eine feste Konsistenz anzunehmen schienen. Auf einmal konnte ich auch nicht mehr unterscheiden, ob ich die Gongschläge roch und den Weihrauchduft hörte. Ich suchte krampfhaft in meinem Gedächtnis nach dem Fachwort für diese Umkehrung der Sinneswahrnehmung, und als mir endlich einfiel, man nenne das wohl Synästhesie, begann der Mann mit tiefer dunkler Stimme monoton vor sich hinzusingen.

Ich schloß die Augen, um mich ganz auf den Klang seiner Stimme zu konzentrieren und so vielleicht einzelne Worte aus dem Singsang verstehen zu können. Aber die Laute gingen so fugenlos ineinander über, daß ich keine unterscheidbaren Silben heraushören konnte. Am häufigsten vernahm ich ein langgedehntes O in verschiedenen Modulationen, bei denen es mir vorkam, als höben sie mich vom Boden ab und ließen mich schweben. Dann kam immer wieder ein anhaltendes M, dessen Summen und Brummen in mir die Empfindung des Untertauchens erzeugte. Plötzlich glaubte ich ein Wort klar erkannt zu haben, ohne allerdings etwas von seiner Bedeutung zu wissen: ›Kalamani‹.

Als ich die Augen öffnete, um meine Mitreisenden Dagmar und Thomas anzublicken, ob sie auch dieses Wort verstanden hätten, bemerkte ich, daß der Gongklang verebbte, daß die Kerzen erloschen waren und im Feuerbecken nur noch ein winziger Rest von Holzkohle glomm. Gleichzeitig spürte ich einen stechenden Schmerz in den Beinen: meine eingeschlafenen Füße meldeten sich.

Herr Trittenheim war aufgestanden und öffnete den blauen

Vorhang: Morgensonne drang durchs Fenster. Also waren wir die ganze Nacht hindurch hier am Boden gesessen bei dieser sogenannten Zeitreise.

Und außer diesen seltsamen Veränderungen meiner Wahrnehmung hat sich nichts ereignet! dachte ich, halb enttäuscht, halb erleichtert. Wie die beiden anderen erhob ich mich, um mir die Beine zu vertreten, da fiel mein Blick auf das Fenster, und ich erstarrte:

Dort draußen war nicht mehr das Panorama, das ich erwartet hatte, nämlich die Stadt mit den Türmen von Dom, Neumünster und Marienkirche, der Alte Kran und die Weinberge unterhalb der Steinburg.

Statt der engen Häuserzeilen nur Wald, dichter, üppiger Laubwald, fast bis zum Flußufer reichend. Ja, der Fluß war noch da, aber heller, gischtender, schneller als gewohnt, ohne die Lastkähne, die ihn als Wasserstraße zu benutzen pflegen. Und auf den sonnenbeglänzten Hügeln keine Weinberge, sondern Buschwerk und Gestrüpp. Von der Stadt, in der wir lebten, keine Spur. Und auf den ersten Blick nichts, überhaupt nichts, was man als Anzeichen für menschliche Besiedelung und Betriebsamkeit hätte deuten können.

Dagmar und Thomas waren – ihren Mienen nach zu schließen – ähnlich überrascht wie ich. Nur Herr Trittenheim schien nicht im geringsten erstaunt zu sein; er öffnete die Balkontür und sagte: ›Wir sind angekommen. Bitte folgt mir!‹

Durch die Tür schreitend stellten wir fest, daß gar kein Balkon mehr da war: unmittelbar an der Schwelle begann ein Abhang, der sanft hinab zum Fluß führte. Folgsam wie Schafe trotteten wir hinter unserem ›Reiseführer‹ her, in einem seltsamen Zustand verwirrter Wachheit und Aufmerksamkeit.

Nachdem wir etwa hundert Schritte über den grasbewachsenen Boden getan hatten, wandte ich mich um: Hinter uns ragte keineswegs das Apartmenthochhaus empor, in das wir am Abend zuvor gegangen waren; dort stand nur eine kleine Holzhütte – gerade groß genug, um den Hohlraum einer Apartmentwohnung zu umschließen. Ich zwickte mich in den Arm, wachte jedoch nicht auf: ich war also hellwach. Somit war das kein Traum – nein, das war Realität!

Trittenheim folgend, gingen wir langsam flußaufwärts, zwischen Weiden und Erlen hindurch. Dort, wo sich heute Autos im Schrittempo über die Alte Steinbrücke quälen, waren Stromschnellen im Fluß; aufspritzendes Wasser schäumte um mächtige Felsbrocken, die vom Flußbett aufragten. Auf dem gegenüberliegenden Ufer, wo eigentlich die Innenstadt geschäftiges Treiben beherbergt, wuchs strotzender Auenwald; seine Wipfel schwankten leicht im sanften Südwind.

Wir drei waren stumm vor Staunen und wechselten nur verwunderte Blicke, während unser Führer triumphierend lächelte, so als wolle er fragen: ›Na, was sagt ihr jetzt?‹

Nachdem wir noch eine kurze Strecke weiter gegangen waren, gelangten wir zu einer kleinen Einbuchtung des Ufers, wo der Fluß am Rand ziemlich seicht wird; ich vermute, daß dies die Stelle war, wo heute die Bootshäuser der verschiedenen Ruder- und Segelklubs stehen. Hier hielt Herr Trittenheim an und wies mit der Hand in Richtung des Hügelrückens hinter dem Auenwald am jenseitigen Ufer.

Dort, wo heute die Autobahn, nachdem sie das Flußtal auf der großen, häßlichen Brücke überquert hat, in einem Einschnitt zwischen den Weinbergen nach Osten verschwindet, stieg ein dünner Rauchfaden sich langsam windend in die klare Morgenluft.

›Es ist besser, wir gehen nicht mehr weiter. Da ihr noch nicht über viel Erfahrung mit dem Reisen quer durch die Zeit verfügt, ist es besser, wir meiden menschliche Ansiedlungen, um keine gefährlichen Vorfälle zu provozieren, die für euch bedrohlich werden könnten. Ich glaube auch, euch hinreichend bewiesen zu haben, daß es möglich ist, zurückzureisen in eine Epoche, als diese Welt noch schöner war, weil sich die Menschen noch nicht so schmarotzerhaft in ihr breitmachten.‹

Diese Worte sprach unser Führer so streng und kategorisch, daß keiner von uns wagte, Fragen an ihn zu richten, auch nicht die eigentlich naheliegende, um wieviele Jahrhunderte oder gar Jahrtausende er uns da zurückgeschleust hatte. Schließlich waren wir ja auf ihn angewiesen, wenn wir wieder in unsere gewohnte Welt zurückkehren wollten. Daher hielten wir in stummer Übereinstimmung es für besser, nicht durch vorlaute Fragen oder Wünsche seinen Unmut zu erregen.

Seinem Beispiel folgend setzten wir uns am Fluß nieder, zogen

Schuhe und Strümpfe aus, streckten die Füße ins Wasser und ließen sie von der kühlen und erfrischenden Flut umspielen. Ruhe und Stille erfüllten fast greifbar die Luft; das Rauschen des Wassers, das Säuseln der Bäume und gelegentliche Rufe von Vögeln im hinter uns sich erstreckenden Wald verstärkten das Gefühl des Friedens, nur noch ganz schwach erinnerte ich mich an den Verkehrslärm, den wir sonst von den Uferstraßen an dieser Stelle gewohnt sind. Außer der in der Ferne kaum noch sichtbaren kleinen Hütte, aus der wir gekommen waren, war kein Gebäude zu sehen.

Fast hätten wir uns auf der üppigen Uferwiese ausgestreckt und uns dem Schlaf hingegeben, als ein leiser Ruf unseres Führers uns aufmerken ließ: Am anderen Ufer, ein gutes Stück stromauf, waren menschliche Gestalten aus dem Wald getreten und machten sich am Wasser zu schaffen. Trittenheim bedeutete uns mit einem Zeichen, wir sollten uns ruhig verhalten und nicht bewegen. Hätten wir den Schutz der Bäume hinter uns gesucht, so hätten die Menschen dort drüben die Bewegung sofort wahrgenommen. Deshalb war Bewegungslosigkeit unser bester Schutz.

Gebannt äugten wir über den Fluß hinüber. Offensichtlich handelte es sich um Frauen, die zum Fluß gekommen waren, um Wasser zu holen (ja, das Wasser sah wirklich so aus, als könne man es trinken – schwer vorstellbar für jemanden, der den Fluß jetzt nur noch als schmutzig-braune Brühe kennt). Sie breiteten auch Tücher und Kleidungsstücke, die sie anscheinend zum Waschen mitgebracht hatten, am Ufer aus. Einige von ihnen legten überdies ihre eigenen Kleider ab, stiegen in den Fluß und schwammen darin umher; fröhliche Rufe erklangen, und die Schwimmerinnen versuchten immer wieder, die am Ufer Zurückgebliebenen vollzuspritzen, was – dem unbekümmerten Gelächter nach zu schließen – beiden Seiten großen Spaß zu bereiten schien.

Einige Zeit konnten wir unerkannt dem idyllischen Treiben zuschauen, aber plötzlich ertönte ein hoher, schriller, angstvoller Schrei, der die Menschen auf beiden Ufern gleicherweise aufschreckte: eine junge Frau, fast noch ein Mädchen, war bis in die Mitte des Flusses gekommen und hatte uns dann auf einmal entdeckt. Jetzt schwamm sie eilends zurück und alarmierte schreiend ihre Gefährtinnen. Die begannen hastig ihre Sachen aufzuraffen und in den Wald zu flüchten, so schnell es die schweren Wasserkrüge erlaubten. Als letzte rannte die Frau, die Alarm geschlagen hatte, notdürftig bekleidet und furchtsame Blicke zu uns zurückwerfend.

›Jetzt heißt es, auf der Hut sein, damit wir keinen Ärger bekommen!‹ murmelte unser Führer. Seinem Beispiel folgend, standen wir auf und bereiteten unsrerseits den Rückzug vor.

Nach wenigen Augenblicken schon sahen wir die Wirkung des Alarms: vom Oberlauf des Flusses, hart am jenseitigen Ufer, kam ein Boot gefahren: darin saßen mehrere Gestalten mit langem, wehendem Haar.

Als sie unser gewahr wurden, richteten sie sich im Boot auf: fünf hochgewachsene Männer; zu unserer Bestürzung hoben sie große Bögen hoch und legten lange Pfeile an die Sehnen. Von jenseits des Wassers kam ein für uns unverständlicher Ruf; als wir nicht in der scheinbar erwarteten Weise antworteten, zischten die ersten Pfeile an uns vorbei – bedenklich nah. Als könnte das was helfen, griff ich nach meinem Dolch.

Trittenheim trat ans Wasser, schrie ebenfalls etwas hinüber (anscheinend in der gleichen uns unbekannten Sprache), nahm einen kleinen runden Gegenstand aus seiner Jackentasche und warf ihn auf die Wasserfläche.

Eine helle Stichflamme loderte auf, dann erhob sich eine grünblaue Rauchwolke und entzog das Boot für nicht wenige Sekunden unserem Blick. Schließlich sahen wir, daß die Fremden am anderen Ufer angelegt hatten und an Land gesprungen waren. Einer von ihnen führte ein Horn an den Mund und entlockte ihm einen langgezogenen, dumpfen, sehr bedrohlich klingenden Ton.

›Wir müssen zurück!‹ sagte unser Führer. ›Es gibt jetzt Schwierigkeiten, es wird zu gefährlich.‹ Er ließ uns keine Zeit, unsere Fußbekleidung wieder anzuziehen, statt dessen mußten wir die Sachen in die Hände nehmen, und ich steckte meinen Dolch wieder brav unter den Pullover. Jetzt hieß es, im Hasengalopp zurückzurennen, erst flußabwärts, dann den Abhang hinauf zu der kleinen Hütte. Vom Ufersaum stoben erschreckte Wasservögel auf; Stockenten quakten mißbilligend, Bläßhühner warnten gell. Im Laufen fragte ich mich, welchen Schreck unser Auftauchen wohl diesen Flußmenschen zugefügt haben mochte: würden wir jetzt in irgendeiner Heldensage auftauchen, vielleicht als Götter, Geister, Gespenster?

Als wir das Innere betreten hatten – es war das gleiche Apartmentzimmer wie zuvor –, schloß Trittenheim die ›Balkontür‹ und zog den blauen Vorhang vor. Während wir uns dann erschöpft um Atem ringend auf den Boden legten, begann er wieder, mit Weihrauch, Gongklang und monotonem Singsang diese unwirkliche Stimmung zu erzeugen wie in der Nacht zuvor. Ich weiß nicht, wie lang das wirklich dauerte, ob Minuten, Stunden, oder einen ganzen Tag.

Schließlich brach er ab, erhob sich und öffnete den Vorhang. Auch wir traten ans Fenster und sahen –: wieder die vertraute Silhouette der Stadt mit ihren Türmen und alten Bauwerken, von der Morgensonne überglänzt ...

›Das war's, das reicht für's erste. Jetzt wißt ihr wenigstens, was eine Reise durch die Zeit ist‹, verkündete unser ›Gastgeber‹ – in einem schroffen Ton, der uns nicht ermutigte, noch irgendwelche Fragen zu stellen. Ein andermal würde ich ihn gehörig ausfragen, nahm ich mir vor, aber jetzt hielten wir es für besser, uns zu verabschieden und die Wohnung zu verlassen.

Auf der Straße vor dem Haus stehend (ich prägte mir noch die Adresse ein: Am dicken Turm 4), tauschten wir unsere Eindrücke aus und fragten uns, ob wir wohl alle das Gleiche geträumt hatten oder derselben ungeheuer real wirkenden Halluzination erlegen waren. Mit einem Blick auf seine Datumsuhr stellte Thomas fest, daß jetzt schon der nächste Tag war, kurz vor sechs Uhr morgens; wir hatten also eine ganze Nacht in der Wohnung des seltsamen Herrn Trittenheim zugebracht. Gleich darauf begannen die verschiedenen Kirchenglocken von den Türmen ihr vielstimmiges Frühgeläute. Unsere Welt hatte uns wieder.

Erst als ich hier in der Findelkindergasse ankam, merkte ich, daß ich meinen orientalischen Dolch nicht mehr bei mir hatte; er war wohl bei unserem hastigen Abschied in Trittenheims Wohnung liegengeblieben. Doch das schien mir nicht so schlimm: sobald ich ausgeruht wäre, so dachte ich, könnte ich ihn mir ja wieder holen. Ich streckte mich also zuerst einmal auf dem Diwan aus – und war gleich eingedöst. Nach mehreren Stunden unruhigen, traumdurchschreckten Schlafes rappelte ich mich auf und wanderte erneut zu dem Haus unterhalb der Schottenkirche.

Kannst du dir vorstellen, wie verdutzt ich war, als ich unter den 101 Namen auf dem Glockenbrett *Trittenheim* nicht finden konnte – soviel ich auch suchte. Für die Wohnung, in der wir die Nacht verbracht haben mußten (1. Stock links, 3. Tür), lautete das Schild: *A. v. Löffelholz-Nettesheym.* Hatte ich mich am Abend zuvor verlesen? Jetzt fiel mir auf, daß der Unbekannte nie seinen Namen erwähnt hatte, aber ich war mir sicher, daß hier auf diesem Schildchen vor weniger als zwanzig Stunden noch »Trittenheim« gestanden hatte, und zwar in anderen, stärkeren Schrifttypen, ja noch dazu ganz in Großbuchstaben! Ungläubig starrte ich eine Weile auf den zierlich eingravierten Schriftzug mit dem fremden Namen. Dann gab ich mir einen Ruck und schellte doch.

Oben an der Wohnungstür empfing mich eine freundliche weiß-haarige Dame. Auf meine Frage antwortete sie, sie lebe schon immer hier, das heiße: seit das Haus gebaut worden war, also schon gut fünfzehn Jahre. Ein Herr Trittenheim sei ihr unbe-kannt und gehöre ganz gewißlich nicht zu ihrem Freundeskreis.

Sie bat mich sogar kurz in ihre Wohnung, und ich konnte mich überzeugen, daß diese – zumindest der Ausstattung nach – nichts mit dem Zimmer der letzten Nacht zu tun hatte: Blümchenta-peten, ein runder Tisch mit Spitzendecke, altmodische Polster-möbel, ein ebenso altmodischer Büffetschrank, und an den Wän-den Kupferstiche: der Kölner Dom, die Porta Nigra in Trier, Notre Dame zu Paris …

Anschließend ging ich noch zum Hausmeister, einem gewissen Eltzner, der im Souterrain (in der 101. Wohnung) hauste. Er wußte über Trittenheim ebenfalls nichts: ein Mann dieses Na-mens habe nie hier gewohnt, das fragliche Apartment gehöre Frau Agrippina von Löffelholz-Nettesheym tatsächlich schon seit Errichtung des Gebäudes. Wohlweislich verschwieg ich dem Hauswirt den tieferen Grund meiner Neugier; er wirkte so schon mißtrauisch genug ob meiner Fragerei.

In größter Verwirrung trottete ich nach Hause. Und seitdem ist also mein alter Dolch verschwunden. Wirklich spurlos im wahrsten Sinne des Wortes.«

So weit Charlys Geschichte. – Ob ich das alles glaube? Ob ich das damals glaubte, müßtest du eigentlich fragen. Ich halte ja Charly schon aus Prinzip für absolut vertrauenswürdig, und während seiner Erzählung blieb sein Gesicht immer ganz ernst: kein ironisches Lächeln umspielte seine Lippen, kein verschmitztes Zwinkern zuckte um seine Augen. Ich empfand durchaus nicht, daß er mich veralbern wollte, aber trotzdem konnte ich da noch nicht den Eindruck loswerden, er habe sich das alles nur ausgedacht. Am Tag darauf traf ich jedoch Dagmar: sie erzählte mir, stockend und schluckend, eine sehr ähnliche Geschichte – in der allerdings Charlys Dolch keine Rolle spielte, aber darauf käme es auch nicht mehr an, meinte ich ...

Ob Charly, Dagmar und Thomas sich verabredet haben, andere Leute mit dieser Story zu verulken? Aber was hätten sie denn davon? Nein, nein! Ganz anders! Hör zu!:

Gestern war ich im Altfränkischen Museum, um mir die neue archäologische Ausstellung »Die Golzhausener Grabfunde aus der späten La-Tène-Zeit« anzuschauen. Äußerst interessante Sachen, diese bronzenen Schnabelkannen, goldenen Armreife, gläsernen Halsperlen, geometrisch verzierten Keramikschüsseln und keltischen Silbermünzen.

Aber als ich an die Vitrine am hinteren Ende der Ausstellungshalle kam, stand mir das Herz fast still, und ich konnte meinen Augen nicht trauen – da drinnen lag Charlys orientalischer Dolch auf einem grünen Filztuch, neben sich ein in feiner Museumsschönschrift abgefaßtes Täfelchen mit der Aufschrift:

»Schmuckdolch aus den Werkstätten
des armenischen Königs
Tigran II. des Großen
(94–56 v. Christus)
in Tigranakert am Van-See.
Beispiel für die frühen Handelsbeziehungen
zwischen unserer Heimat
und dem Vorderen Orient.«

Als ich mich halbwegs aus meiner Versteinerung gelöst hatte, kam Oberkonservator Dr. Binsenstroh vorbei, den ich vom Heimatgeschichtlichen Verein her kenne. Er interpretierte meinen perplexen Gesichtsausdruck in seinem Sinne:

»Nicht wahr, da staunen Sie! Dieses Stück ist wirklich eine

Sensation! Wir fanden es in einem keltischen Häuptlingsgrab in der Vierecksschanze von Golzhausen. Dieser Fund eröffnet uns ganz neue frühgeschichtliche Perspektiven. Hier haben wir einen Beweis für meine schon lang gehegte Vermutung, daß aus unserer Heimat ein Handelsweg über Illyrien, Thrazien und Galatien bis an die Grenzen des Partherreiches führte.

Ja, da werden die Herren Professoren an der Universität aufhorchen, wenn meine Monographie über diesen Fund erscheint! Jetzt werde ich doch Chancen haben, mich mit meiner Arbeit ›Keltischer Handel vom Atlantik bis zum Kaukasus‹ zu habilitieren!«

Mir blieb nichts anderes übrig, als Dr. Binsenstroh zu seiner epochalen Entdeckung zu gratulieren. Von Charly und seinem Dolch, von dem alten Kurden vom Van-See und von Herrn Trittenheim sagte ich allerdings kein Sterbenswörtchen.

Dafür werde ich, wenn die Monographie erschienen ist, Charly ein Exemplar schenken, zum Trost – und du kannst auch eins haben, wenn du willst.

Illustriert von Atsuko Kato

Golden Delicious

Ein Blick auf den Wecker: erst fünf vorbei. Zwar würde der Sonnenaufgang noch eine Weile auf sich warten lassen, aber draußen war es schon hell. Ich hielt es nicht mehr aus im Bett und stand auf. Komisch, sonst hatte ich immer große Schwierigkeiten, aus den Federn zu finden, aber seit ich mich auf dem Land aufhielt, hier in Triesdorf, war ich zu einem regelrechten Frühaufsteher geworden. Was mochte die Ursache sein? Das Krähen der Hähne und das Muhen der Rinder, das schon am frühen Morgen von den Stallungen der landwirtschaftlichen Lehranstalten jenseits der Straße drang? Die frische Landluft, die schon leicht herbstlich kühl durch den offenen Fensterspalt kam? Oder die Umstellung auf einen ganz anderen Lebensrhythmus, verglichen mit meinem hektischen Alltag in der Stadt?

Wahrscheinlich war es einfach die Freude an meiner Arbeit, um derentwillen ich mich hierher zurückgezogen hatte. Es war eine gute Idee gewesen, dafür in Klausur zu gehen, und ich war meinem Freund Paul dankbar, daß er mir sein Zimmer im Studienheim der Fachhochschule für Landwirtschaft überlassen hatte, solange er noch auf seinem Praktikum in den USA war. In meiner Bude in der Wohngemeinschaft in Erlangen wäre ich nicht so schnell vorangekommen, denn da gab's tagtäglich zig Störungen durch Freunde und Mitbewohner, und noch dazu lockten die sonstigen Ablenkungen und Zerstreuungen: Kneipe, Kino, Konzert ... Doch gerade von dieser Aufgabe, die Professor Mitterer mir übertragen hatte, hing ein Großteil meiner zukünftigen akademischen Karriere ab!

Prof. Mitterer ist Herausgeber der Publikationsreihe »Quellentexte zur fränkischen Landesgeschichte des 18. Jahrhunderts«, und da er in mir einen seiner hoffnungsvollsten Schüler sah, hatte er mir eine besonders interessante Edition anvertraut: die Tagebücher der Apollonia Edlen von Herrleinsdorf, die von 1771 bis 1791 als Hofdame im Dienst des letzten Markgrafen von Ansbach, Carl Friedrich Alexander, stand. Angeregt durch einen Freund, den anakreontischen Rokoko-Dichter Johann Peter Uz, den Verfasser eines »Versuchs über die Kunst stets fröhlich zu seyn«, begann die gescheite und mit wachem Blick begabte Dame alles aufzuzeichnen, was immer sie am Hof des Markgrafen erlebte und beobachtete, drinnen in der Residenz in Ansbach und auch hier draußen in Triesdorf, wo die Markgrafen ihr Jagd- und Lust-schloß hatten, ihren Sommersitz, der heute das Landwirtschaft-liche Bildungszentrum des Regierungsbezirks Mittelfranken be-herbergt. Zwanzig Bände in Quartformat, fein in blauen Mus-selin gebunden, hat die aufmerksame Apollonia mit ihrer zierlich fließenden Schrift gefüllt, ein Büchlein für jedes Jahr ihres Dien-stes, bis 1791, als Carl Friedrich Alexander abdankte, sein Für-stentum Ansbach-Bayreuth an die preußischen Verwandten ab-trat und mit seiner Favoritin, der ebenso kapriziösen wie eman-zipierten Lady Craven, in deren englische Heimat übersiedel-te.

Erst vor kurzem war der allzeit rührige Professor bei der Ver-steigerung eines Nachlasses auf die hölzerne Kassette gestoßen, die die Tagebücher der Edlen von Herrleinsdorf barg. Mit Recht hielt er diesen Zufallsfund für eine besondere Fügung des Glücks, denn die Niederschriften der mitteilsamen Hofdame erwiesen sich als ein wichtiges Dokument, voll von unschätzbaren Infor-mationen über die Gesellschaft im Zeitalter der Aufklärung, über die Atmosphäre an einem deutschen Duodezfürstenhof in den Jahren vor und während der Französischen Revolution, aber auch über das Leben und Treiben der Bürger und Bauern jener Epoche: Apollonia von Herrleinsdorf hatte ohne Dünkel und Vorurteile alles vermerkt, was ihr vom Alltag der ›niederen Stände‹ zu Gesicht und Gehör kam.

Es ehrte und beflügelte mich ungemein, daß Prof. Mitterer mir den Löwenanteil an der Herausgabe dieser Aufzeichnungen zu-geteilt hatte, und wenn ich diese Arbeit zügig und zugleich zu-verlässig abwickelte, dann wäre mir die Assistentenstelle so gut wie sicher, die im nächsten Sommersemester frei würde, und dann ...

Seit ich hier in Triesdorf war und immer so früh aufstand, hatte ich mir angewöhnt, noch vor dem Frühstück mir auf einem Mor-genspaziergang etwas Bewegung zu verschaffen, denn ich hatte festgestellt, daß es mir dann ziemlich leicht fiel, bis in den Nach-mittag hinein an meiner Reiseschreibmaschine an Pauls kleinem

Schreibtisch zu sitzen und die schwungvollen Tagebucheintragungen der Rokoko-Dame Seite um Seite in eine Manuskriptform zu tippen, mit der die Setzer in der Druckerei etwas anfangen konnten. Jetzt war ich gerade am 6. Quartband; wenn ich dieses Tempo durchhielt, würde ich noch vor Ende Herbst mit der Transskription fertig und konnte mich dann im Wintersemester voll der Abfassung des ganzen umfangreichen editorischen Kommentarapparats widmen.

Gut gelaunt schlenderte ich die Markgrafenstraße hinunter, am liebsten hätte ich fröhlich vor mich hingepfiffen, denn bei mir lief ja alles wie am Schnürchen!

Um diese Zeit war noch keine Menschenseele auf der Straße. Das Echo meiner Schritte hallte von den Gebäuden wider: vom Roten Schloß, wo die Markgrafen früher ihre Falkenmeisterei hatten, vom Reithaus mit seiner mächtigen Giebelfassade, das nun den Lehranstalten als Aula diente, von der ehemaligen Meierei, wo jetzt die Fachhochschule untergebracht war. Immer wenn ich hier frühmorgens dahinspazierte, machte es mir Spaß, mir vorzustellen, wie alles ausgesehen haben mochte, als dies noch markgräfliche Sommerresidenz gewesen war. Es amüsierte mich, daß ich jetzt auf den gleichen Pfaden wandelte wie die Dame, deren eifriges Tagebuchschreiben nach zwei Jahrhunderten zur Grundlage für die wissenschaftliche Karriere eines jungen Historikers geworden war.

O Apollonia Edle von Herrleinsdorf, wenn du das geahnt hättest! Wenn es dir vergönnt gewesen wäre, in die Zukunft zu blicken! dachte ich. Könnte ich dir begegnen jenseits der Abgründe der Zeit, ich würde dir mit tiefem Kratzfuß und ehrerbietigen Handküssen danken für deine unermüdliche Berichtsamkeit, die mir als Ausgangspunkt für meine Laufbahn dient!

Jetzt mischte sich wirklich mein übermütiges Pfeifen in den frechen Spatzenlärm, der aus den Baumkronen der Schloßallee schallte, in die ich gerade einbog. Das temperamentvolle Getschilpe war das einzige Geräusch hier auf dem Weg zum Weißen Schloß, das zwischen den großen Fischweihern schon hell durch die Baumreihen schimmerte. Wäre nicht dann und wann drüben hinter dem Wäldchen ein Auto auf der Bundesstraße 13 vorbeigebrummt – man hätte wirklich meinen können, die Zeit sei stehengeblieben seit den Tagen, da hier Damen im Reifrock und

Herren mit Perücke und Degen unter den Platanen lustwandelten, zum Beispiel wie ...

Heh, was war das? Da vorne unter den Apfelbäumen vor dem Schloßgarten bewegten sich ein paar junge Burschen – gab es außer mir noch andere Frühaufsteher hier? Was machten die denn da? Steckten tatsächlich in Rokoko-Kleidung: einer Art Dienerlivree wohl, lindgrün, mit Kniebundhosen und Schnallenschuhen, die Haare im Nacken zu einem kurzen Zopf gebunden. Wurde hier ein Film gedreht? Ach nein, das waren wohl Schüler von der Fachhochschule – die übten sicher für ein Theaterstück. Ich hatte doch etwas läuten hören von einem Jubiläum, das heuer noch gefeiert werden sollte: war nicht vor dreihundert Jahren mit dem Bau des Weißen Schlosses begonnen worden? Eifrig, eifrig, die Leute – übten schon in aller Herrgottsfrühe!

Übten? Im Augenblick waren sie mit etwas ganz anderem beschäftigt: Sie holten sich Äpfel von den niedrigeren Zweigen der reichbeladenen Bäume. Nun ja, die mußten wohl wissen, was sie da taten, kannten sie doch die hier geltenden Regeln besser als ich.

Werde sie mal fragen, ob sie mir nicht einen Apfel abtreten, oder auch zwei, dachte ich; für ein solches Vorfrühstück wäre mein leerer Magen dankbar.

Als ich den Parkplatz am Ende der Schloßallee erreichte, vor den Apfelbaumreihen, schauten die Apfelpflücker zu mir herüber: mein Auftauchen schien sie zu überraschen. Sie waren zu fünft: alle so etwa um zwanzig oder zweiundzwanzig, den Gesichtszügen nach biedere fränkische Bauernsöhne. Der große Korb, der neben ihnen stand, war erst halb gefüllt. Sie blickten mich an, als hätte ich sie bei verbotenem Tun ertappt.

»Keine Angst, ich werd' euch nicht verpetzen!« wollte ich ihnen schon zurufen, da kam auf dem schmalen Damm, der vom Ostende des Schloßgartens zwischen den Weihern hindurch zum alten Küchengarten führt, ein älterer Herr gegangen, der auch zu der Gruppe zu gehören schien, denn er war ebenfalls in ein Rokoko-Kostüm gekleidet: Rock und Weste scharlachrot, mit Goldborten gesäumt, Spitzenrüschen um die Handgelenke, ein schneeweißes Spitzenjabot am Halsausschnitt der Weste, eine große schwarze Seidenschleife am Zopf der eleganten, silbrig schimmernden, gewellten Perücke. Zur linken baumelte ein schmaler Degen mit golden glänzendem Knauf, unter dem rechten Arm trug er einen Zweispitz aus dem gleichen scharlachroten Tuch. Gewiß war das einer der Dozenten der hiesigen Lehranstalten, Spielleiter oder so etwas bei dem Theaterstück, das sie hier wohl proben wollten.

Er trat auf mich zu, verneigte sich gekonnt mit höfischer Verbeugung und sagte: »Gestatten Euer Gnaden: Marquis de Bellamare, zu Euren Diensten!«

Ich mußte lächeln über den konsequenten Ernst, mit dem er seine Rolle fortspann, doch ich ging auf das Spiel des theaterfreudigen Lehrers ein: »Ganz meinerseits, ganz meinerseits: Freiherr von Morgenstund, zu Euren Diensten!« Dabei verbeugte ich mich ebenfalls, eher linkisch allerdings. Wir müssen ein groteskes Bild abgegeben haben: mein Gegenüber im Gewand eines Kavaliers aus dem 18. Jahrhundert, ich in Kordhosen und Wollpullover, beide einander ihre Reverenzen erweisend.

Mein Mitmachen schien ihn zufriedenzustellen; sein Gesicht war jetzt ganz Freundlichkeit, Leutseligkeit: »Pardonnez-moi, Monseigneur, une question, eine Frage: wie nennen sich diese schönen Äpfel hier, von denen meine Lakaien pflücken?«

Ich fand es köstlich, wie er den Unwissenden spielte, wo er doch als Lehrer der Landwirtschaftsschule genau wußte, von welcher Art die Bäume waren. Und köstlich war auch sein Bemühen, seiner Sprechweise einen fremdländischen Akzent zu geben, so einen Hauch von Französisch oder Italienisch. Vielleicht machte das die Sache in seinen Augen noch authentischer? Mich um den Namen dieser Apfelsorte zu fragen hieß jedoch, den Bock zum Gärtner zu machen: ich hatte noch gar nicht die Zeit gehabt, mich für so etwas zu interessieren. Nichtsdestotrotz, ich war gut aufgelegt und durchaus willens, weiter mitzuspielen. Ich blickte zu den Früchten auf, die goldgelb an den Zweigen hingen. Wie mochten wohl die guten Apfelsorten heißen, die man hier in Triesdorf zog? Den ersten besten Namen, der mir einfiel, sprach ich aus: »Golden Delicious«.

Der Herr Dozent blickte mich fragend an, als habe er nicht genau verstanden: »Comment ...?«

»Gouldn dilischeß«, ich übertrieb die Artikulation der beiden Worte, »das ist Englisch und heißt ...«

»Eh bien, gülden und deliziös, n'est-ce pas?«

»Ganz recht, Marquis!« Ich mußte lachen. Mein Gegenüber war wirklich ein geborener Komödiant, und ich hätte gern unser kleines Stegreifspiel mit ihm zusammen noch weiter ausgebaut, doch plötzlich schien er es eilig zu haben.

»Es reicht, es reicht, allons, wir müssen gehen!« rief er zu den verkleideten Schülern, dann wandte er sich wieder mir zu: »Die Obligationen rufen mich zurück. Je vous en remercie cordialement, Monseigneur!« Er verneigte sich aufs neue.

»Mais pas du quoi!« erwiderte ich, ebenfalls mit einer Verneigung. »Au revoir, mon marquis!«

»Au revoir?« Er zuckte leicht die Achseln, als sei er sich gar nicht gewiß, ob er mich je wiedersehen würde – oder wollte.

Dann setzte er seinen Zweispitz auf und ging die Schloßallee hinab, in umgekehrter Richtung, als ich gekommen war. Seine Schauspieler mit dem Korb folgten brav hinterdrein.

Ach, vor lauter Parlieren hatte ich ganz vergessen, sie um einen Apfel zu bitten. Nun, sicher nähme man keinen Anstoß daran, wenn ich mir selber einen von den Zweigen herabholte. Ich suchte, bis ich einen fand, der nicht nur in Reichweite hing, sondern auch schön und wohlschmeckend aussah. Ein herzhafter Biß – und schon floß mir der süße Saft aus den Mundwinkeln.

Während ich an dem Apfelstück kaute, wandte ich mich um, um noch einen Blick von den kostümierten Männern zu erhaschen. Ich stutzte: ich hatte geglaubt, sie würden dort, wo die Schloßallee in die Markgrafenstraße einmündet, nach rechts abbiegen und an der Gastwirtschaft »Zum Adler« vorbei zur breiten Toreinfahrt der Fachhochschule gehen. Statt dessen wandten sie sich nach links und wählten dann die Landstraße, die an Triesdorf vorbei in das Nachbardorf Ornbau führt. Seltsam, seltsam! Wollten die Apfelpflücker ihre Theaterprobe irgendwo auf freiem Feld abhalten? Oder gehörten sie vielleicht überhaupt nicht zu den Triesdorfer Lehranstalten? Mit welchem Recht hatten sie sich dann hier mit Äpfeln eingedeckt?

Die Sache begann mich zu interessieren. Mit einem kräftigen Schwung warf ich den abgenagten Apfelbutzen in den nächsten Weiher, dann machte ich mich auf den Weg, um den Davoneilenden zu folgen, dabei mir immer den Anschein gebend, als spazierte ich ausschließlich zu meinem Vergnügen auf der morgendlichen Landstraße dahin.

Dort, wo die Straße das Südende der kleinen Ortschaft erreicht und eine sanfte Kurve nach Osten macht, befindet sich die Gehölzlehrschau des Bildungszentrums Triesdorf. Der kleine Hain aus den verschiedenartigsten Bäumchen und Sträuchern schien das Ziel der sechs Verkleideten zu sein. Unter der riesigen, knorrigen Eiche, dem markantesten Mitglied dieser Baumversammlung, machten sie halt.

Aha, jetzt begriff ich – oder glaubte wenigstens, zu begreifen: unter den weitausladenden Ästen war eine Art Podest aufgebaut, kreisrund, auf verspielt verschnörkelten Ständern, die wie Füße eines barocken Thronsessels aussahen, und auf diesem Podest würden also die fünf jungen Männer zusammen mit ihrem Mentor ihr Stück proben.

Keine schlechte Idee, am frühen Morgen in der freien Natur zu üben – da waren alle noch bestens in Form! Es war erst wenig nach sechs, die Schauspieler hätten also noch mehr als eine Stunde Zeit, bevor sie zum Unterricht gehen müßten. Und ich würde eben Frühstück und Arbeitsbeginn an Apollonias Tagebuch ein klein wenig verschieben, denn inzwischen war ich doch schon recht neugierig geworden auf das, was da geprobt werden sollte.

Als ich näher an die Eiche herankam, sah ich, daß sich über dem Podest eine große Halbkugel aus Glas befand, wie eine riesige halbe Käseglocke, mit einer faustgroßen goldenen Kugel auf der höchsten Stelle. Wozu sollte das gut sein? Um den frischen Morgenwind abzuhalten, der von Südosten her wehte? Oder damit bei jedem Wetter allseitig sichtbar gespielt werden konnte? Auf jeden Fall eine merkwürdige Vorrichtung, unter der die sechs Männer jetzt Aufstellung nahmen. Den Korb mit den Äpfeln stellten sie in die Mitte der Plattform.

Ich hatte mich der Glasglocke bis auf vielleicht ein Dutzend Schritte genähert, da zog der Mann in dem scharlachroten Kostüm eine zweite Halbkugel wie eine gewölbte Schiebetür vor die bislang offene Seite der vermeintlichen Bühne, so daß jetzt die gesamte Plattform von einer gläsernen Kuppel überdacht war.

Ich hielt staunend inne: was wollte er denn mit solcher Abschließung bezwecken? Die Verwunderung muß auf meinem Gesicht ablesbar gewesen sein, denn der Mann, der von sich behauptet hatte, er heiße Marquis de Bellamare, lächelte mir zu, in einer

Mischung – wie mir schien – aus wohlwollendem Spott und leisem Bedauern, machte noch einmal einen höchst geschmeidigen Kratzfuß in meine Richtung und wies dann mit dem Zweispitz in der Hand nach Osten, dorthin, wo sich der Morgenhimmel schon gluthell gerötet hatte. Ich folgte mit dem Blick der Richtung seiner Geste: über den zart ausgeschnittenen Silhouetten der Tannen und Fichten hinter den Feldern gleißten die ersten Sonnenstrahlen, im nächsten Augenblick erschien das erste winzige Stück der weißgoldenen Scheibe über der dunklen Mauer des Waldes. Ich kniff die Lider zusammen und schaute mit kindlicher Ergriffenheit dem Wachsen des jungen Lichtes zu.

Die Männer unter der Glaskuppel schienen den Sonnenaufgang abgewartet zu haben, um mit ihrer Probe zu beginnen: während der Sonnenball sich ganz langsam in den östlichen Himmel emporschob, intonierten sie einen Gesang, der mir mit seiner altertümlichen Kirchentonart – war's phrygisch oder lydisch? Ich weiß es nicht mehr – und feierlich getragenen Melodie jedoch mehr nach einer Morgenandacht klang als nach einem Schäferlied, das zu einem Rokoko-Historienspiel passen wollte. In welcher Sprache sie sangen, konnte ich nicht verstehen, aber ihr Choral (oder was immer es war) schien mir dem Schauspiel angemessen, das Helios am Firmament aufführte.

Als das Sonnenrund eben vollkommen geworden war und die von ihm ausgehende Lichtfülle zu schmerzen begann, schloß ich die Augen und genoß die purpurleuchtenden Nachbilder auf der Innenseite meiner Augenlider

In diesem Moment ertönte etwas wie ein heller Gong, wie eine Silberglocke, die mit einem silbernen Hämmerchen einmal kräftig angeschlagen wird und dann vibrierend ausklingt. Zugleich mit dem Verklingen des metallischen Tons verebbte auch der Gesang der Männer, wurde leiser, als entfernten sie sich von diesem Platz und als verwehe der Wind den letzten Schall aus ihren Kehlen. Verwundert öffnete ich die Augen wieder und blickte zu der Stelle unter der Eiche: Podest und Glaskuppel waren verschwunden. Von den Männern in der altmodischen Kleidung war nichts mehr zu sehen.

Was sollte das heißen? Ich drehte mich schnell um und schaute suchend um mich: die Straße war in beiden Richtungen völlig leer, niemand war zwischen den Stämmen der Gehölzlehrschau zu sehen, nichts regte sich weit und breit auf den morgendlichen Feldern östlich und westlich des Asphaltbandes.

Was war geschehen? Der glockenähnliche Ton hatte nicht länger angedauert als zwei, drei kurze Atemzüge. In dieser geringen Zeitspanne konnten doch die Männer sich unmöglich aus dem Staub gemacht haben – ohne Fahrzeug, dafür beladen mit dem großen, sperrigen Glasding und überdies dem sicherlich nicht leichten Apfelkorb.

Ich trat zu der Stelle unter der Eiche und untersuchte den Boden: da gab es etliche Vertiefungen in der grasbewachsenen Erde, ich zählte acht, und dieses Oktagon paßte genau zu der kreisförmigen Ausdehnung der Plattform, die noch vor einer Minute hier aufgebaut gewesen war.

Hatten die Laienschauspieler mir einen Streich spielen wollen? Ich lief den ganzen Hain auf und ab und umrundete jeden einzelnen Baumstamm, aber ich erspähte auch nicht den geringsten Zipfel eines lindgrünen oder scharlachroten Rocks. Schließlich kehrte ich keuchend zu dem Platz zurück, wo ohne Zweifel noch vorhin die seltsame Glaskuppel gestanden hatte. Die ganze Sache war mir unerklärlich: es war doch völlig ausgeschlossen, daß ich – munter und ausgeschlafen, wie ich war – einer Halluzination zum Opfer gefallen sein sollte. Und daß sich sechs Männer samt einer Glaskuppelbühne (und einem Korb mit Äpfeln – nicht zu vergessen!) so ohne weiteres in Luft aufgelöst hatten, das konnte es einfach nicht geben!

Jetzt erst sah ich das Täfelchen, das vor dem wetterzerklüfteten Baumgreis an einer Stange im Boden stak und – wie ähnliche Täfelchen jeweils vor den anderen Gehölzschaubäumen – Belehrung für wißbegierige Besucher anbot. Da stand geschrieben, diese alte Eiche werde Napoleonseiche genannt, weil hier die Truppen des Franzosenkaisers Paraden abgehalten hätten, aber schon vorher, während der Markgrafenzeit, habe höfisches Treiben um diesen Baum geherrscht. An den Ziffern, mit denen das Alter der Eiche angegeben wurde, hatte irgend jemand herumgekratzt, so daß die Zahl der Jahre jetzt nicht mehr eindeutig zu lesen war: man konnte sie als »250« auffassen, aber auch als »850«.

Von Osten her kam ein Schwarm Stare geflogen und fiel in die Krone des alten Baumes ein. Das Schwätzen, Zischen und Sirren der Vögel erschien mir wie eine höhnische Parodie auf den menschlichen Gesang, den ich noch vor einer kleinen Weile hier gehört hatte.

Plötzlich überkam mich die Angst, ich könnte meinen Verstand verlieren, wenn ich mich hier noch länger um die Lösung des Rätsels bemühte. Ich wandte mich der Ortschaft zu und trottete los, zu meinem gegenwärtigen Arbeitsplatz in meiner selbstgewählten Klausur.

»Vor allem«, sagte ich mir vor, »darfst du keinem Menschen von diesem Vorfall erzählen! Denn sonst erklären die anderen dich glatt für verrückt!«

Als ich in Gedanken versunken die Treppe im Studienheim hinaufstieg, rief mich einer der Heimbewohner an, der in dieser Woche Pfortendienst hatte: »Heh, Maik, da ist gestern noch ein Brief für dich gekommen! Entschuldige, daß ich vergessen hab', ihn dir sofort zu geben.« Er reichte mir ein Kuvert. Ich schaute nach dem Absender: Prof. Mitterer, Seminar für Fränkische Landesgeschichte, Erlangen.

Ich setzte mich an Pauls Schreibtisch, vor meine vertraute kleine Schreibmaschine, den Stapel mit Apollonias Tagebüchern und den Haufen der Transskriptseiten, die ich in den letzten Tagen getippt hatte. Der Brief meines Doktorvaters war mir willkommen: er würde mich auf andere Gedanken bringen, mich ablenken von dem mysteriösen Geschehen zwischen Schloßpark und Gehölzlehrschau.

Doch so recht konnte ich mich nicht konzentrieren auf die Lektüre; meine Augen huschten einfach über Mitterers energische Schriftzüge dahin, bis sie eine Passage erreichten, die sofort meine Aufmerksamkeit hellwach werden ließ:

Wie gesagt, lieber Zwingel, ich bin mit Ihrer bisherigen Arbeit außerordentlich zufrieden. Ich habe alle Transskripte durchgeschaut und konnte sie ohne wesentliche Änderungen an die Druckerei weiterleiten. Nur ein Punkt war, wo ich korrigierend eingreifen mußte, und da gilt der Satz: »Auch Homer schläft zuweilen« will sagen: selbst einem so gewissenhaften Handschriftenkundler wie Ihnen unterläuft einmal ein lapsus oculi (oder cerebri?). Und zwar handelt es sich um jene Eintragung vom Herbst 1774, wo die Edle von

Herrleinsdorf über das letzte Festmahl berichtet, das der Markgraf in jenem Jahr draußen in Triesdorf hielt, vor der Rückkehr nach Ansbach ins Schloß. Da schreibt die Dame – in Ihrer Transskription –, einer der Gäste des Hofes, ein gewisser Graf Welldone, habe Seiner Markgräflichen Durchlaucht zum Dessert einen Korb mit Äpfeln von ganz besonders feinem Aroma und vorzüglichem Geschmack überreicht, die er von fernher habe kommen lassen und die Golden Delicious gewesen seien.

Nun, mein lieber Zwingel, hier liegt ganz eindeutig ein (vielleicht Freudscher?) Verschreiber Ihrerseits vor; ich bin sicher, es heißt im Original gülden & deliziös. *Denn, wie Sie leicht nachprüfen können, die Apfelsorte* Golden Delicious *gab es im 18. Jahrhundert noch nicht (im Gegensatz etwa zur Goldparmäne, die seit dem späten Mittelalter bekannt war); sie wurde erst 1892 in Amerika entdeckt, in einem Städtchen namens Peru (Ohio), und dann von den Gebrüdern Stark, einer Familie amerikanischer Apfelspezialisten, weitergezüchtet, und in Europa gibt es sie – meines Wissens – erst seit der Zeit nach dem 2. Weltkrieg. Also, daß Markgraf Carl Friedrich Alexander Golden-Delicious-Äpfel gegessen haben soll, ist völlig ausgeschlossen. Sie können ja noch einmal im Original nachschauen, aber ich habe im Skript schon auf* gülden & deliziös *geändert und es so an die Druckerei weitergegeben. Falls eine dritte Formulierung zutrifft, können Sie das ja immer noch auf den Druckfahnen korrigieren.*

Wußten Sie übrigens, daß dieser angebliche Graf Welldone, der die wundervollen Äpfel an den Hof gebracht haben soll, niemand anderer war als jener im späten Rokoko notorische Scharlatan, der unter dem Namen Graf von Saint-Germain *in die Geschichte einging und unter noch vielen anderen Adelstiteln auftrat, Graf Tsarogy z. B., oder Marquis von Montferrat, Graf Surmont, Chevalier Schöning, Marquis de Bellamar, oder eben Graf Welldone? Es ist wirklich amüsant, daß Ihnen Ihr Fehler ausgerechnet bei diesem Halunken unterlaufen ist, von dem Reinhard Federmann (in:* »Die königliche Kunst«*) schrieb:* »Er verstand es meisterhaft, den Historikern Fleißaufgaben zu stellen, denn noch heute ist es unmöglich, aus dem Wulst der Legenden, die sowohl der Meister als auch seine gläubigen Jünger eifrig erfanden, die Wahrheit herauszuschälen. Das einzige, was heute über jeden Zweifel erhaben feststeht, ist, daß er sicherlich einer der vorbildlichsten Hochstapler aller Zeiten* war. *Jede Chance verstand er zu nützen, überall schien er gleichzeitig zu sein.«*

Der Kerl behauptete z. B. allen Ernstes – und viele haben ihm damals geglaubt –, er sei schon Jahrtausende alt und habe als Gast u. a. auch an der Hochzeit von Kana teilgenommen, wo er übrigens dem Apostel Petrus dringend zu Mäßigkeit und Mäßigung geraten habe. Dieser Schwindler, der selbstverständlich auch erzählte, er sei Adept der Hermetischen Kunst und könne Gold machen, wäre natürlich durchaus keck genug gewesen, schrumpelige fränkische Landäpfel in beste Golden Delicious zu verwandeln – hätte man damals diese Sorte schon gekannt. Aber so, mein lieber Zwingel, verdanken wir diese wunderbare Apfelverwandlung wohl eher – nichts für ungut! – einem durchaus verzeihlichen Versehen Ihrerseits ...

Ich las Prof. Mitterers Brief erst später zu Ende. Zuerst noch mußte ich den entsprechenden Band von Apollonias Tagebüchern herholen und, hastig blätternd, die entsprechende Stelle suchen. Da stand, klar und deutlich lesbar, jenseits jeder Möglichkeit zum Zweifel:

... und dise feynen Aepfel, vraiment pommes de gout exquis, so Graf Welldone hat kommenlassen von fernher, seyn gewest Golden Delicious ...

Aber trotzdem hat Prof. Mitterer recht: an dieser Wortwahl in den Tagebüchern der Edlen von Herrleinsdorf bin ganz allein ich schuld. Doch auf den Korrekturfahnen von Band 25 der »Quellentexte zur fränkischen Landesgeschichte des 18. Jahrhunderts« werde ich nichts mehr ändern.

Illustriert von Wolfgang Zeilinger

Die unbekannte Fee

Als Zirgelein an diesem Mittwoch gegen 11 Uhr mit einem kleinen Päckchen unter dem Arm das Institutsgebäude verließ und die Richtung zur Innenstadt einschlug, beglückwünschte er sich wieder einmal insgeheim zu den Vorteilen und Bequemlichkeiten dieser Arbeitsstelle, an der er jetzt seit gut einem halben Jahr tätig war: Da man ihm eine völlig freie Einteilung seiner Arbeitszeit eingeräumt hatte (›absolute Gleitzeit‹ sozusagen) und da das Institut am Rande der Innenstadt lag, konnte er sein Mittagsmahl in einem der guten Speiselokale im Stadtzentrum einnehmen (er verabscheute das Kantinenessen) und in der Mittagspause außerdem nach Herzenslust in den Buchhandlungen herumschnüffeln und schmökern, bis er, an Leib und Geist gleichermaßen gesättigt, wieder geneigt war, an seinen Schreibtisch und damit an seine Forschungsaufgabe zurückzukehren.

In den letzten Wochen hatte sich eine gewisse Routine eingespielt: Vor dem Essen ging er in die Buchhandlung Jacobi & Schratt und durchstöberte, methodisch von Regal zu Regal fortschreitend, gründlich die dort in vier Stockwerken gespeicherten und geduldig auf interessierte Käufer wartenden Bücherschätze. Hatte er dann nach vielleicht viertelstündigem Suchen ein Buch entdeckt, das ihm bibliophilen Lustgewinn versprach, so zog er sich in das nur ein paar Straßenecken entfernte chinesische Restaurant Fu-Lung zurück, in den »Glücksdrachen« also, wie er zu übersetzen wußte: Zirgelein hatte nämlich vor kurzem begonnen, sich in die Geheimnisse der chinesischen Schrift zu vertiefen.

Die Anregung dazu war von der Speisekarte des »Glücksdrachen« ausgegangen, einem stattlichen kulinarischen Nachschlagewerk, das nahezu 200 Gerichte umfaßte und mit seinem roten Saffianeinband – auf der Vorderseite stob ein goldener Drache majestätisch durch die Wolken – einem Zeremonialbuch für esoterische Rituale glich. Darin war neben der Bezeichnung der Speisen in teilweise grotesk-unbeholfenem Deutsch und in ebenfalls mitunter eigenwilligem Englisch eine dritte Kolumne enthalten, die – allerdings nur den Kundigen – in chinesischen Schriftzeichen verkündete, wie die angebotenen Köstlichkeiten wirklich hießen.

Nachdem Zirgelein bei einem seiner mittäglichen Streifzüge durch die Innenstadt dieses Lokal entdeckt hatte und schnell zum Stammgast geworden war, bat er immer wieder die Bedienung (wie er bald erfuhr, handelte es sich bei ihr um die Tochter des Wirtes, der zusammen mit einem Sohn höchstselbst in der Küche wirkte), ihm doch wörtlich zu übersetzen, wie die wohlduftenden, schmackhaften Speisen hießen, die sie ihm da auftrug. Die poetischen Namen, die er dabei erfuhr, faszinierten ihn: »Suppe von Zehnfachem Brokat«, »Nach Westen gekommenes Glück«, »Enterich aus dem Palastschatz«. Und so war schließlich in ihm das Verlangen erwacht, diese geheimnisvollen Schriftzeichen zu erlernen, bis er am Ende in der Lage wäre, selbst alle chinesischen Bezeichnungen unmittelbar zu verstehen und damit in den Rang eines eingeweihten Adepten aufzurücken.

Stammgast im »Glücksdrachen« war er nicht nur wegen der vorzüglichen Küche geworden, sondern auch wegen der kultivierten Atmosphäre des ganzen Restaurants: in der geschmackvollen und unaufdringlichen Ausstattung mit fernöstlichem Kunsthandwerk und altchinesischen Gemälden meinte er einen lebendigen Hauch der jahrtausendealten Kultur des Reiches der Mitte zu verspüren. Sein Stammplatz, den man in der Mittagszeit immer diskret für ihn freihielt, befand sich in einer Ecke im Hintergrund des Lokals. Von dort konnte er in Ruhe alles im Auge behalten, was sich in der Gaststätte abspielte (ein solcher souveräner Überblick erleichterte es ihm, sich sorglos zu entspannen); vor allem aber saß er in der Nähe seines Lieblingsbildes, einer beschaulichen, im Stil taoistischer Landschaftsmalerei auf Seide gebannten Szene aus einem von Pflanzenwachstum schier überquellenden Gebirge: »Gelehrtenklause im Frühlingswäldchen« – die kongeniale Kopie eines Gemäldes des berühmten Malers T'ang Yin aus der Ming-Zeit.

Wenn er in froher Erwartung der ihm bevorstehenden Genüsse harrte, fand er stilles Vergnügen in versonnenem Betrachten dieses Kunstwerks. Auf der linken Seite des Bildes befand sich – von blühenden Pflaumenbäumen überdacht, von einem Bambusdickicht flankiert und durch einen Schilfgürtel von einem vorbeiströmenden Gebirgsfluß abgegrenzt – eine einfache, nach zwei

Seiten offene Hütte mit quadratischem Grundriß, in der ein Mann in altchinesischem Gelehrtenhabit auf einer Matte an einem niederen, mit Schreibutensilien und Büchern bedeckten Tischchen saß.

Der Magister hatte offenbar gerade eine Pause bei seinen Studien eingelegt; er blickte durch die offene Vorderseite seines Gemachs auf das jenseitige Ufer des Wassers, wo sich von knorrigen Kiefern gesäumt, bizarr geformte Felsblöcke zu mächtigen Berggipfeln auftürmten und dann scheinbar mit gigantischen Wolkenmassiven verschmolzen. Zwischen diesen Felsen schoß der starke Strahl einer reichen Quelle hervor und ging schließlich, von Klippe zu Klippe gischtend, in einen machtvollen Wasserfall über, der sich in einer grandiosen Kaskade in das Bergflüßchen ergoß. Hoch auf einem Felsabsatz war auf einer kleinen, üppig blühenden Wiese eine andere Hütte zu sehen, noch bescheidener als die Gelehrtenklause: Nur ein sanft gewölbtes, auf vier Pfosten ruhendes Strohdach – den Boden bildete der blumendurchwirkte Kräuterteppich des winzigen Wiesenstücks. Auf welchem Weg dieser Unterschlupf erreicht werden konnte, war für den Betrachter des Bildes nicht zu ersehen, aber falls ein Mensch überhaupt dort hinaufgelangen konnte, müßte sich ihm von dort ein überwältigender Rundblick über das Ganze des Gebirges auftun.

Strengte man die Augen an und betrachtete man das Gemälde eingehender, so war auf der dem Gelehrten gegenüberliegenden Seite des Flusses, einige Schritte oberhalb des Ufers unweit der Stelle, wo die Fluten des Wasserfalls sich mit der Strömung des Flusses vereinigten, eine weibliche Gestalt auszumachen, deren Füße durch einen Päonienstrauch verdeckt waren und deren leicht wehendes Gewand fast mit dem Blütenflor des Pfirsichbäumchens verschmolz, vor dem sie stand. Ihr schwarzes Haar war über dem Scheitel zu einem kunstvollen Knoten gebauscht, eine darein gesteckte Päonienblüte hing über dem rechten Ohr. Die Frau (oder das Mädchen?) stützte sich mit dem rechten Arm auf einen knotigen Wanderstab, die linke Hand hatte sie zu einer leicht hinweisenden Gebärde erhoben, mit der sie auf den winzigen Pavillon dort oben über dem Felsental zu deuten schien.

Als Zirgelein beim zweiten oder dritten Betrachten des Gemäldes diese Gestalt entdeckte – fast wie in einem Vexierbild verborgen, entging sie einem flüchtigen Blick, der sie nicht von den

Formen der Bäume hätte unterscheiden können –, da war ihm sofort klar, daß sie den vor seinen Büchern hockenden Gelehrten einlud, mit ihr hinauf zu der Felsenwiese zu wandern, aber das Bild gab keinen Hinweis darauf, ob der Mann der Einladung folgen oder sich lieber wieder in die Lektüre der vor ihm liegenden Bände vertiefen würde.

Auf die Frage, ob das die Frau dieses Mannes sei, hatte die Wirtstochter – dabei ob seiner Wißbegier (so schien es Zirgelein zumindest) dankbar lächelnd – geantwortet, nein, das sei eine ... (sie suchte das richtige Wort) eine ... – eine ›Verwandlerin‹! – »Eine Fee«, korrigierte er. Ja, eine Fee, wiederholte sie; in alter Zeit hätten viele Feen in den Hainen und Flußtälern der Gebirge gewohnt, und ihnen habe es großes Vergnügen bereitet, bedächtige Gelehrte zu abenteuerlichen Wanderungen zu verlocken – nur wenige dieser Männer seien wieder in die Menschenwelt zurückgekehrt.

Hier ist noch anzufügen: Grund für Zirgeleins Treue zum »Glücksdrachen« war nicht allein die vorzügliche Qualität der Speisen oder die angenehm beruhigende fernöstliche Atmosphäre, sondern vor allem die Tochter des Wirtes, diese kleine, zierliche, so zerbrechlich erscheinende Person, die gleichwohl flink und energisch ihre Arbeit versah, aufmerksam und zuvorkommend die Bestellungen entgegennahm, auf alle Sonderwünsche und Änderungsvorschläge des Gastes mit unwandelbarer Freundlichkeit einging und eine immer gleich bleibende, lebendige Heiterkeit ausstrahlte, die für ihn jede Mittagspause zu einem Festmahl werden ließ.

Dabei war sie trotz ihrer Tüchtigkeit und Umsicht von einer herzerfrischenden Naivität, die – wenigstens nach Zirgeleins Meinung – im Alter so um die zwanzig vielleicht überhaupt nur noch bei Asiatinnen anzutreffen ist, sofern sie noch nicht von der Desillusioniertheit und Blasiertheit der dekadenten europäischen Kultur angesteckt sind. Sie behandelte ihn, der nur etwa fünfzehn Jahre älter war als sie, wie eine geachtete Respektsperson, nahm dankbar seine Verbesserungen an ihrem noch keineswegs flüssigen Deutsch entgegen und ließ auf ihrem Gesicht ein fast kindliches Staunen erscheinen, als er ihr erzählte, er habe sich entschlossen, die chinesische Schrift zu erlernen. Und als er dann mit großartigem Nachdruck erklärte: »Und ich werde nicht eher mit dem Lernen aufhören, bis ich die großen Dichter und Weisen Ihres Heimatlandes im Original lesen kann, so wie ich deutsche Texte lese!«, da waren ihre Lippen von einem mädchenhaften Lächeln umspielt. Zirgelein deutete es als Zeichen der Dankbarkeit dafür, daß er sich nicht so gedankenlos und oberflächlich benahm wie die übrigen Gäste, denen es doch nur darum ging, sich mit exotischen Speisen den Bauch vollzustopfen: nein, er war auch für die geistigen Werte dieser alten Kultur aufgeschlossen!

Deshalb hatte er sich tags zuvor so unbändig gefreut, als er im dritten Stock der Buchhandlung Jacobi & Schratt, auf einer langen Bücherleiter stehend und in den obersten Regalfächern herumkramend, auf ein Exemplar des Lexikons der chinesischen Wortschriftzeichen von Wernecke und Hartmann gestoßen war. Der happige Preis von 79,— DM tat seiner Entdeckerfreude keinen Abbruch; nur mühsam vermochte er – mit Rücksicht auf die zu Füßen des Regals an ihrem Schreibtisch sitzende ältliche Buchhalterin – sich davon zurückzuhalten, in einen Jubelschrei auszubrechen.

Jetzt endlich konnte er alle Zeichen selber nachschlagen und sich einprägen, und dann der staunenden Wirtstochter seine Kenntnisse vorführen! Bisher hatte er nach dem Buch »Teach Yourself Chinese« gelernt, einem dicken blauen Band aus England (The English Universities Press Ltd. London ...), den er in der Institutsbibliothek gefunden hatte. Weiß Gott, auf welchem geheimnisvollen Weg der dort hingekommen war, denn Zirgeleins Institut befaßte sich keineswegs mit philologischen Studien, sondern widmete sich der Medizin und Pharmakologie. So hilfreich dieses englische Lehrbuch auch anfangs gewesen war, machte sich doch bald seine Beschränktheit auf schmerzliche Weise bemerkbar: Es umfaßte nur 1210 Ideogramme, und so konnte er nicht nur keineswegs alle Angaben auf der Speisekarte entziffern (er hatte sich übrigens ein Exemplar dieser Karte mit nach Hause genommen und versenkte sich an nahezu jedem zweiten Abend in sinologisch-gastronomische Studien), sondern er war auch nicht in der Lage, den Namen der jungen Chinesin zu deuten, den sie ihm einmal auf seine Bitten hin mit rotem Filzstift auf eine Serviette geschrieben hatte.

Als er wissen wollte, was denn ihr Name wörtlich ins Deutsche übersetzt bedeute, hatte sie hell und spitzbübisch aufgelacht und geantwortet: »Das Sie selb helausbling, Hell Zilgelein, weil Sie klug Mann, Sie alles wiss und alles velsteh!« Und sie hatte ihm nur verraten, daß der Name »Ch'en Siu-Yung« gelesen werde. Aber schon das erste Zeichen, den Familiennamen, konnte er im »Teach Yourself Chinese« nicht finden, geschweige denn die beiden anderen, die ihren persönlichen Namen verschlüsselt hielten. Seitdem trug er die rot beschriftete Serviette wie eine kostbare Kalligraphie in seiner Brieftasche mit sich herum, in der Hoffnung, eines Tages könnte er das Rätsel irgendwie lösen. Wenn der chinesische Wirt schon die Speisen, die er zur Gaumenfreude halbgebildeter Europäer hervorbrachte, so poetisch benannte, wie zauberhaft mochte da erst der Name sein, den er seiner bezaubernden Tochter gegeben hatte!

Nach der Ausgrabung des Zeichenlexikons, das schon über drei Jahre dort oben auf seinen vom Schicksal vorbestimmten Entdecker gewartet hatte, hielt Zirgelein es nicht mehr länger in der Buchhandlung aus. Hastig hatte er bezahlt und war fast im Dauerlauf zum »Glücksdrachen« geeilt, um der gewiß naiv staunenden Ch'en Siu-Yung die Entzifferung ihres Namens vorzuführen. Mit diesem Schlüssel zum Geheimnis der chinesischen Ideogramme würde ihm in Zukunft kein geschriebenes chinesisches Wort mehr unverständlich bleiben, redete er sich ein. Während die Wirtstochter noch einige umfangreiche Menüs für andere Gäste auftrug, machte er sich mit dem lexikalischen System des Nachschlagewerkes vertraut; eine beigelegte herausnehmbare Tafel der 214 Wurzelzeichen, der sog. Radikale (nach denen die Abertausende von chinesischen Schriftzeichen klassifiziert und somit auch aufgefunden werden können), erleichterte die Sucharbeit ungemein.

Als Fräulein Ch'en dann mit einer Speisekarte in der Hand an seinen Tisch kam, holte er demonstrativ die Serviette mit ihrem Namenszug aus der Brieftasche und begann mit zeremonieller Bedachtsamkeit, das erste Zeichen, eben Ch'en, im neuerworbenen Lexikon nachzuschlagen. Das linke Teilzeichen dieses Ideogramms war das Wurzelzeichen *fou* (›Hügel, Erdwall‹), also Radikal Nr. 170. Das rechte Halbzeichen *tung* (die hinter einem Baum aufgehende Sonne, also ›Osten‹) zählte 8 Striche. Demnach mußte Zirgelein das Lexikon dort aufschlagen, wo oben am Seitenkopf fett »170.8« gedruckt war, also die Seiten mit Ideogrammen, die aus dem Radikal 170 und 8 zusätzlichen Strichen bestanden.

Als er beim Blättern dieser Fundstelle näher kam, zeichnete sich auf einmal Verblüffung, ja Verwirrung auf seinem zuvor so selbstsicheren Gesicht ab. Die aufsteigende Reihenfolge der Angaben auf dem Seitenkopf brach unvermittelt bei 167.10 ab, dann kamen Seiten, die bei 9.4 begannen und bis 9.10 durchliefen, und danach ging es in gewohnter Ordnung mit 172.4 weiter – bis zum Ende des Lexikons bei 214.0. Der Radikal 170 wurde nicht angezeigt.

Irritiert blätterte er zurück zu der Stelle, wo die Reihenfolge unterbrochen war, und stellte auch an der Seitennumerierung eine Unstimmigkeit fest: Nach der Seite 656 kam Seite 49, dann ging es weiter bis 64, und darauf wieder ein Sprung vorwärts zu 673. Durch Aufschlagen der echten Seite 49 und einen Blick auf das Kleingedruckte am Seitenende zeigte sich, daß der Druckbogen 4 aus Versehen zweimal ins Buch eingebunden worden war. Aber trotz seines hilflosen Hin- und Herblätterns konnte er den Druckbogen 42, der unter anderem auch Radikal Nr. 170 mit dem Zeichen für den Namen Ch'en enthalten mußte, nirgendwo im Buch entdecken. Der zweite Bogen 4 war also nicht bloße Dreingabe (das hätte kaum gestört): der Irrtum des Buchbinders hatte ihn anstelle des jetzt so überaus wichtigen Bogens 42 eingefügt.

Glücklicherweise bekam der unbekannte Handwerker nie die Verwünschungen zu spüren, die ihm Zirgelein in diesem Augenblick der Enttäuschung nachschickte, aus hilfloser Wut und Qual ob solch unverantwortlicher Schlamperei, der er die Schuld an seiner vermeintlichen Blamage gab. Verlegen stotternd erklärte der sich geprellt Sehende der geduldig wartenden Siu-Yung, leider sei das soeben erstandene Buch mangelhaft, und er könne deshalb ausgerechnet ihren Familiennamen nicht finden. Sie blickte ihn mit aufrichtigem Mitgefühl an und schloß die Angelegenheit ab mit den Worten: »Alme Hell Zilgelein, so teule Buch, ne! Muß umtausch, ne!«

Ja, er mußte das Buch umtauschen. Dazu war er heute unterwegs. Es hatte ihn wenig getröstet, daß er gestern dann im Institut an seinem Schreibtisch mit Hilfe des Lexikons noch herausgebracht hatte, daß »Siu-Yung« ›blühender Eibisch‹ oder vielleicht sogar ›blühender Lotos‹ bedeutete. Und auf dem Weg zur Buchhandlung jetzt verunsicherte ihn der Gedanke, daß dieses Exemplar des Lexikons das einzige im Regal gewesen war, und er somit Tage (wenn nicht Wochen!) zu warten hatte, bis er ein anderes, fehlerfreies Buch zum Tausch erhalten konnte.

Der alte Herr Jacobi, Seniorchef von Jacobi & Schratt, dem Zirgelein das fehlerhafte Lexikon zum Umtausch vorlegte, mußte ihm allerdings eine herbe Enttäuschung bereiten, die ihn viel mehr schmerzte als drei bis vier Wochen ungeduldiger Wartezeit: Das Werk sei beim Verlag vergriffen und werde in absehbarer Zeit nicht nachgedruckt. Als sein Kunde diese Auskunft mit teils ungläubigem, teils störrischem Gesichtsausdruck entgegennahm, versicherte der alte Buchhändler, ja, ja, er wisse das gewiß, denn erst vor einem Monat habe man für einen anderen Kunden, der an der Volkshochschule Kurse für chinesische Schrift gebe, das Buch beim Verlag bestellen wollen, aber dann diese bedauerliche Mitteilung erhalten. Damals habe man das fehlerhafte Exemplar gar nicht entdeckt; vielleicht war es im Regal falsch eingeordnet oder diese jungen Buchhändlerinnen hatten aus Faulheit überhaupt unterlassen nachzuschauen, ob der Titel hier vorrätig war. (Herr Jacobi hat, das muß angemerkt werden, keine sehr gute Meinung über den beruflichen Eifer des buchhändlerischen Nachwuchses.)

»Es tut mir leid, Herr Zirgelein, daß ausgerechnet Sie diesen Fehlband bekommen mußten. Aber falls Sie das Buch trotz des fehlenden Druckbogens behalten wollen, dann werde ich Ihnen einen Preisnachlaß von – sagen wir 19,— DM geben. Dann kostet das Lexikon Sie nur noch 60,— DM.«

Der Spatz in der Hand ist allemal noch besser als die Taube auf dem Dach, dachte Zirgelein, willigte ein und erhielt einen Gutschein über den Differenzbetrag.

Um das dumpfe Gefühl der Enttäuschung zu verdrängen, entschloß er sich, den Gutschein sofort auszunutzen, denn durch den Erwerb eines neuen Buches, durch das Aufstöbern eines ungewöhnlichen, unvermuteten Titels, würde er die nagende Empfindung überdecken können, von einem hinterhältig-spöttischen Geschick genarrt worden zu sein.

Die größte Chance für solch eine entschädigende Überraschung gab es in der Taschenbuchabteilung, und zwar im Regal für englische Paperbacks, denn hier wurde nicht, wie bei den deutschen Taschenbüchern, von jeder Nummer jeder Reihe wenigstens ein Exemplar ständig vorrätig gehalten, sondern die englischsprachigen Taschenbücher wurden nach einem geheimnisvollen, nahezu aleatorischen Prinzip von einem Importsortimenter geliefert, und Jacobi & Schratt hatten offensichtlich kaum einen Einfluß darauf, was ihnen da an angelsächsischer Literatur zugestellt wurde. Zirgelein schien es, als könne er den jeweils neuen Sendungen Botschaften über die Interessen und Neigungen irgendwelcher Aushilfsbuchhändler im fernen Hamburg entnehmen, die diese Bücher abpackten und an die Buchhandlungen im tiefen Binnenland verschickten.

Manchmal überwogen die ›detective stories‹, etwa von Patricia Highsmith, Harry Kemelman oder Janwillem van de Wetering, dann kam wieder eine Welle von Science Fiction (so war Zirgelein in den Besitz fast aller Bücher von Ursula K. Le Guin, Fredric Brown und Isaac Asimov gekommen), und mindestens einmal im Jahr gab es eine Sendung erotischer Romane …

Auch heute fand er bald einige literarische Leckerbissen und war gerade dabei, abzuwägen, welche zwei oder drei vor ihm liegenden Bücher er für die Summe des Gutscheins nehmen sollte (zur Auswahl standen »The Well at the World's End« von William Morris, »The Illearth War« von Stephen Donaldson, und »Pale Fire« von Vladimir Nabokov), als er unfreiwillig Ohrenzeuge eines Dialogs wurde, der vorn am Standort des Taschenbuchkatalogs ablief.

Ein schwarzhaariges Mädchen von etwa 22 Jahren – vermutlich eine Studentin (dem Akzent nach hielt Zirgelein sie für eine Ausländerin) – wollte ein Buch von Carlos Castaneda kaufen, wußte aber den Titel nicht. Sie konnte nur sagen, es solle das dritte sein, nach der Abfolge der Ereignisse, aber damit war der alte Herr Jacobi sichtlich überfordert – er bediente höchstpersönlich; die Taschenbuchspezialistin war beim Mittagstisch. Er hate noch kein Buch von Castaneda gelesen, wußte gar nicht, wovon diese Bücher handelten, und stand nun, das alte Gesicht in sorgenvolle Falten gefurcht, über den Katalog gebeugt und las nacheinander die Titel der Castaneda-Bücher vor in der Hoffnung, diese schwierige Kundin würde sich zumindest vage an den Titel des gewünschten Buches erinnern, damit nicht er entscheiden müßte, welches der 3. Band sei. Den müßte er dann wahrscheinlich sowieso bestellen, denn leider waren alle Castaneda-Bände bis auf einen wieder einmal ausverkauft. Es handelte sich offenbar, so dachte Herr Jacobi, um einen Autor, den junge Leute schätzten; irgendwann würde er auch einmal etwas davon lesen müssen, um auf dem laufenden zu sein, obwohl die Kunden, die Herr Jacobi sonst bediente (die Akademikerpersönlichkeiten im reiferen Alter), noch nie ein Buch dieses vermutlich südamerikanischen Autors verlangt hatten. Aber man kann ja nie wissen! Vielleicht gehörte dieser Castaneda bald zur ernsthaften Literatur, und dann müßte ein Buchhändler in der Lage sein, ein intelligentes Gespräch darüber mit den Kunden zu führen.

Herrn Jacobis Unkenntnis war für den lauschenden Zirgelein ein Signal, sein Wissen an den Mann bzw. hier auch an die Frau zu bringen. Schließlich war er doch fast so etwas wie ein Castaneda-Experte: Er hatte alle fünf bisher erschienenen Bücher dieses Ethnologie-Romanciers mehrfach – und zwar nicht nur auf deutsch, sondern natürlich auch auf amerikanisch – gelesen und dabei mit einem Wust eigener bleistiftgeschriebener Kommentare und Fußnoten erweitert.

Er eilte diskret zum Katalogtisch, baute sich (sie um Kopfeslänge überragend) neben der Kundin auf, und griff wie beiläufig in das Gespräch ein: »Den 3. Castaneda? Ach, Sie meinen ›Die Reise nach Ixtlan‹? Das ist nämlich der dritte Band in der chronologischen Folge.« Auf diese Einmischung reagierte Herr Jacobi mit dankbarem, die junge Kundin mit überrascht-amüsiertem Blick. Ja, sagte sie, sie wolle den 3. Band, ein Freund habe ihr empfohlen, die Castaneda-Lektüre damit statt mit dem ersten zu beginnen. Zirgelein, der insgeheim überlegte, ob es sich bei der Unbekannten um eine Griechin oder vielleicht eine Türkin handle, pflichtete fachmännisch bei, das sei wirklich ein guter Rat, denn erst ab dem 3. Band habe der Autor Carlos Castaneda so richtig begriffen, um was es in seiner Lehrzeit bei dem indianischen Zauberer Don Juan Matus gegangen sei; wenn man den 3. Band zuerst lese, werde man gleich ins Zentrum der Zaubererausbildung geführt, die ersten beiden Bände aber könnten irrige Erwartungen erzeugen, auf eine falsche Fährte locken.

Während Zirgelein so begann, sich als Experte für Castanedas

Werke einzuführen, schaute Herr Jacobi im Regal nach und mußte zu seinem großen Bedauern feststellen, daß der einzige zur Zeit vorrätige Band leider nicht der gesuchte sei. Ob die Kundin das Buch bestellen und dann bis übermorgen warten wolle?

Nein, sie wollte nicht warten. Sie notierte sich nur die Nummer des gesuchten Taschenbuches und sagte, sie werde dann in einer anderen Buchhandlung ihr Glück versuchen; aus einem bestimmten Grund brauche sie das Buch schon heute, wenn irgend möglich. Diese Dringlichkeit erntete verständnisvolles Kopfnicken bei Zirgelein, der sich plötzlich entschlossen hatte, das Mädchen bei ihrer Suche nach der »Reise nach Ixtlan« uneigennützig zu unterstützen; er redete sich ein, er müsse sie unbedingt begleiten, damit man ihr keinesfalls einen anderen als den von ihm genannten Titel andrehte.

Die drei englischen Taschenbücher, zwischen denen er sich hatte entscheiden wollen, waren vergessen. Herr Jacobi räumte sie wieder ins Regal und blickte über seine Brillengläser hinweg dem ungleichen Paar nach, das über die Wendeltreppe den Taschenbuchkeller in Richtung Ausgang verließ: Zirgelein war blond, groß und gut genährt, das Mädchen schwarzhaarig, klein, zierlich, fast zerbrechlich wirkend. ›Sie stammt bestimmt aus Ostasien‹, dachte Herr Jacobi.

Das Mächen schien sich über Zirgeleins Begleitung zu freuen und lauschte andächtig seinen Erläuterungen über das Anliegen des Carlos Castaneda, während sie im Bereich der Fußgängerzone vier oder fünf andere Buchhandlungen abklapperten. Es war wie verhext – in keinem Buchladen war der Band vorrätig, so als sei ihnen jemand vorausgeeilt und habe überall das Buch weggekauft, damit die Wanderung noch länger dauern konnte, denn das Mädchen lehnte immer wieder die Aufgabe einer Bestellung ab und machte sich auf den Weg zum nächsten Laden, was Zirgelein die Gelegenheit gab, die ersten beiden Bände Castanedas ausführlich zu referieren und vor allem aus seinem Wissen um das ganze Werk richtig zu interpretieren.

Als aber selbst in der großen Universitätsbuchhandlung von Knauslinger & Co der so lange gesuchte Band nicht aufzutreiben war und sie unschlüssig vor der großen Schaufensterfront mit all den Bergen überflüssiger Sekundär- und Tertiärliteratur standen und erörterten, ob es noch Zweck habe, zu dem kleinen Bücherladen Guldenmund am Burgberg hinaufzupilgern – auf dem Gesicht des Mädchens, das ihm mit einem Mal irgendwie bekannt vorkam, glaubte er schon Anzeichen von Resignation zu lesen –, da erinnerte ihn ein sanftes Grollen in der Magengegend daran, daß sein hilfsbereiter Eifer ihn schon mehr als eine Stunde über die gewohnte Essenszeit hinaus vom Mittagstisch im »Glücksdrachen« ferngehalten hatte.

»Was würden Sie eigentlich von einer Pause halten, von einer Stärkung, bevor wir die Suche fortsetzen?« fragte er, und – ihre Erwiderung gar nicht abwartend – fuhr fort: »Ich hab' einen Vorschlag: Nicht weit von hier gibt's ein sehr gutes chinesisches Restaurant, Fu-Lung heißt's, auf deutsch ›Glücksdrachen‹. Ein Geheimtip, sag ich Ihnen, vorzügliche Schanghai-Küche! Sind Sie einverstanden, daß wir da etwas essen, bevor wir weitersuchen?« Und als sie ihn einen Augenblick lang stumm anschaute – unsicher und verlegen, wie er meinte (›ach, ja, sie ist ja wohl Studentin, und ihr Budget reicht wahrscheinlich nur für den billigen Mensafraß‹, interpretierte er ihr Zögern) –, da fügte er mit jovialem Nachdruck hinzu: »Also, ich lade Sie ein, mit mir zu essen, und dabei kann ich Ihnen dann wenigstens von dem dritten Band das Wesentlichste erzählen, damit Sie nicht ganz leer ausgehen.«

In ihren dunklen Augen glomm ein feines Lächeln auf, das dann auch in den Mundwinkeln erschien und die Lippen umspielte: »Ja gerne, ich esse sehr gern chinesisch, und ich freue mich in Ihnen jemanden getroffen zu haben, der sich so gut in Castanedas oder vielmehr Don Juans Lehren von der Zauberei auskennt. Welch ein glücklicher Zufall!«

Auf dem Weg zum »Glücksdrachen« gab sich Zirgelein Mühe, seinen freudig beschwingten Schritt etwas zu bremsen und der langsameren Gangart des zierlichen Mädchens anzupassen. Erst als er seiner Begleiterin die Tür zum Lokal öffnete, überfiel ihn die Frage, was wohl Siu-Yung dachte, wenn er zum ersten Mal in weiblicher Begleitung zum Essen kam? Würde sie das verwirren, Eifersucht wecken? Oder wäre sie ihm dankbar, daß er einen neuen Gast mit den Kochkünsten der Familie Ch'en bekannt machte?

Solche Überlegungen erwiesen sich schnell als belanglos, denn Siu-Yungs Bruder, der sonst in der Küche an seines Vaters Seite wirkte, brachte die Speisekarte und erklärte mit einem entschuldigenden Lächeln: »Mein Schwestel heut hat Ullaub, ist auf Weg. Deshalb heut ich bedien!«

Auch in der Interpretation der Fu-Lungschen Speisekarte konnte Zirgelein sich jetzt erst recht als Experte darstellen; er fuhr sachkundig mit dem Zeigefinger an der in Chinesisch gedrückten Kolumne entlang und deutete auf die Gerichte, die er für die engere Auswahl vorschlug, wobei er fachmännisch die »echten Namen« (wie er sagte) aus der chinesischen Zeichenschrift übersetzte und da und dort, wo ein ihm noch unbekanntes Zeichen seine Bedeutung nicht preisgab, einfach seine Phantasie zuhilfe nahm und den Namen auf passende Weise abrundete. Sie wird schon nicht ausgerechnet Sinologie studieren, dachte er, sich seiner Sache sicher fühlend.

Als dann ein schon recht üppiges Mahl bestellt war, konnte Zirgelein zum geistigen Teil übergehen und eine Art Vorlesung oder Kolloquium über »Die Reise nach Ixtlan« beginnen.

»Es geht um zwei fundamentale Dinge«, so begann er einleitend, »um den Ring der Kraft, also, das ist natürlich übertragen gemeint«, schob er schnell ein, denn er bemerkte, daß das Mädchen am Ringfinger der linken Hand, die sie über die rechte gelegt auf der Tischfläche ruhen ließ, einen dünnen Ring trug, der aus zwei sich gegenseitig umwindenden Silberfäden geflochten war, »und dann um das Anhalten der Welt.«

Während sie auf den ersten Gang warteten und die Wohlgerüche der Schanghai-Küche sie sanft und appetitanregend umfingen, dozierte Zirgelein, was es bedeute, die persönliche Geschichte auszulöschen und die eigene Wichtigkeit zu verlieren. Beim Schlürfen der Süßsauerscharf-Suppe sprach er über den Tod als Ratgeber und wie wichtig es sei, Verantwortung zu übernehmen. Das Intervall zwischen der Suppe und dem »Silbersproßsalat mit Hühnerbrust« nutzte er für die Themen ›Ein Jäger werden‹ und ›Unerreichbar sein‹. Den frischen Salat mit dem zarten Geflügelfleisch begleitete die Darlegung, wie man die Routine des Lebens unterbricht und sich der Kraft zugänglich macht.

Als Hauptgericht hatte er Babao Ladjang ausgewählt, den »Achtfachen Schatz in scharfer Tunke«, und während er mit sichtlichem Wohlbehagen seinen Reis mit den verschiedenen Fleischsorten schmückte und mit Genugtuung beobachtete, daß es offenbar auch seinem Gast mundete, führte er die Ursachen für ›die Stimmung eines Kriegers‹ und die Bedingungen für ›ein Gefecht der Kraft‹ aus. Er bedauerte lebhaft, daß er hier, in der Gaststätte, natürlich nicht die ›Gangart der Kraft‹ vorführen konnte, aber vielleicht war dazu ein andermal Zeit, im Freien, draußen vor der Stadt?

Die junge Frau, die kaum das Wort ergriff und nur ab und zu durch eine Frage Zirgelein zu weiteren Ausführungen und Anmerkungen veranlaßte, hörte aufmerksam und konzentriert zu, ihre mandelförmigen Augen mit wacher Anteilnahme auf ihren selbsternannten Lehrer und Gastgeber gerichtet. Das Interesse des Zuhörers ist ja die stärkste Anregung für den Vortragenden, und so lief Zirgelein zu einer bisher noch nie erlebten Hochform auf (inzwischen hatte Siu-Yungs Bruder schon die Nachspeise gebracht, Kompott von Litschi und Longan), als er über ›die Letzte Begegnung eines Kriegers‹ sprach und ausführlich betonte, wie wichtig es für den Adepten der Zauberei sei, auf einen würdigen Gegner zu treffen, mit dem er seine Kräfte messen und dadurch in seiner Macht wachsen könne.

»Dann wird er die Welt anhalten können, dann wird er zwischen die Welten schlüpfen können, dann wird er den Pfad des Wissens überleben und die Kunst beherrschen, den Schrecken, ein Mensch zu sein, und das Wunder, ein Mensch zu sein, miteinander im Gleichgewicht zu halten. Dann . . .«

Zirgelein wurde plötzlich von einem ungeheuren Gefühl von Gedankenlähmung überfallen. War es Verdauungsmüdigkeit nach dem reichhaltigen Essen? Oder war es ein Fehler gewesen, daß er wider seine Gewohnheit zum Essen nicht Jasmintee getrunken hatte, sondern Bier, und zwar gleich zwei Flaschen dunkles Bockbier? Während die junge Frau langsam und genußvoll die letzten Longans verzehrte (Zirgelein hatte übrigens schon beim Bestellen diesen Namen korrekt mit »Drachenaugen« übersetzt), lehnte sich der erschöpfte Castaneda-Experte zurück, und blickte zum ersten Mal an diesem Tag auf das vertraute Gemälde von T'ang Yin und ließ, sich dem Völlegefühl im Bauch hingebend, den Blick über die von Wachstumskraft strotzende Frühlingslandschaft der chinesischen Berge schweifen.

Hier saß geduldig der brave Gelehrte in seiner Klause und atmete die von Blütenduft geschwängerte Bergluft, und da stand am jenseitigen Ufer ... – nein, da stand niemand! Halt, was war das? Zirgelein erinnerte sich genau, daß dort in dem Gemälde auf der anderen Flußseite zwischen Päonien und Pfirsichblüten jene unbekannte Fee gemalt gewesen war. Ja, sicher, da täuschte er sich nicht. Oder etwa doch? Er wurde unsicher und suchte das Gemälde ab, wie ein Vexierbild, aber die Fee war nicht zu entdecken. Nein, das konnte doch nicht sein! Er erinnerte sich doch genau an das Gespräch von neulich, wo er die freundliche Siu-Yung ausgefragt hatte über die Bedeutung der weiblichen Gestalt dort auf dem Bild.

Er wischte sich den Schweiß der Essensanstrengung von der Stirn und schloß verwirrt die Augen in dem Versuch, konzentriert nachzudenken, was seine Erinnerung über diese Fee gespeichert hatte. Sie mußte da sein auf dem Bild! Sie war doch bisher immer da gewesen, wenn er hier zum Essen gekommen war. Langsam und mißtrauisch öffnete er wieder die Augen.

Natürlich, dort war sie ja! Dort stand sie mit wehendem Gewand vor den Pfirsichblüten und winkte ihm einladend zu. Winkte? Ihm? Tatsächlich! Sie bewegte ihre linke Hand und deutete immer wieder auf die Bergspitze und die winzige Hütte auf dem Felsenabsatz. Aber wie konnte eine Figur in einem Bild ihm zuwinken? – Und wieso ihm? – Er saß doch hier an seinem Tisch im ... im ... Zirgelein blickte auf den Tisch vor sich, um durch den Anblick der leergeräumten Teller und leergetrunkenen Gläser Herr über seine Sinne zu werden und die Halluzinationen zurückdrängen zu können.

Aber auf dem Tisch befand sich weder Geschirr noch Besteck: da lagen in blaue Seide gebundene Bücher, Papierblätter (an den Rändern leicht ausgefranst), Pinsel mit verschieden dichten Haarbüscheln; ein rechteckiges Gefäß aus glänzend-glattem schwarzen Stein hielt soeben angeriebene Schreibtusche bereit.

Entsetzen packte ihn, als er feststellte, daß er keineswegs seine gewohnte braune Strickjacke trug, sondern ein Gewand aus schwarzem Baumwollstoff, und daß die Füße zu schmerzen begannen vom ungewohnten Fersensitz, mit dem er in der Gelehrtenklause am Schreibplatz hockte.

Der süße Duft der Pflaumenblüten, der durch die offene Hüttenseite hereinwehte, tröstete ihn genausowenig über seine Ver-

wandlung wie das heitere Plätschern und Gurgeln des Gebirgs-
flüßchens, das in lebhaften Wellen und tänzelnden Strudeln da
hinter dem Schilf vorbeiströmte.

Was war nur mit ihm geschehen? Warum saß er jetzt hier, allein, ja mutterseelenallein, in einer fremden, unbegreiflichen
Welt?

Nun, ganz allein war er doch nicht, denn die weibliche Gestalt
von der Gegenseite war die paar Schritte zum Fluß heruntergeko-
mmen und ganz nah ans Wasser getreten, so daß vorwitzige
Wasserspritzer den Saum ihres pfirsichfarbenen Gewandes netzen konnten. Aus ihrem Haarknoten hatten sich einige tiefschwarze Strähnen gelöst und flatterten fröhlich in der Brise, die
durch das Tal wehte. Mit dem knorrigen Stock in der rechten
Hand zeigte sie in den Fluß, und dort, wo sie hindeutete, wurden
große Steinblöcke sichtbar, die – von der Strömung umgischtet –
als Trittsteine dem Wanderer einen fast trockenen Übergang
über das Wasser anboten. Den linken Arm hielt die Frau mit
leichtem Winkel ausgestreckt, die Hand vollführte mit zarten
Fingern eine lockende Geste.

Erschrocken sah Zirgelein, daß die Gebärden und das Mienen-
spiel der Unbekannten ihm galten, nur ihm allein, keinem anderen. Aber wo war er? Und wer war sie? Er kniff die Augen zusammen und versuchte, auf ihrem sonnengebräunten Gesicht be-
kannte Züge zu entdecken. War sie wirklich jung? Oder vielleicht
doch schon eine runzelige Alte? War es ein chinesisches Gesicht
mit den schräg gestellten Augen? Oder ein Antlitz in der vertrauten westlichen Form? Dieses Gesicht schien ihm bekannt – und
unbekannt zugleich, von tausendjähriger Jugend überstrahlt und
von abgeklärter Weisheit erfüllt, voll von freudiger Neugier und
bedrohlicher Schönheit.

Warum sollte er ihr zu Willen sein? Worauf ließ er sich ein,
wenn er ihr folgte, auf unbekannten Pfaden in unbekanntes Land?
Könnte er dann jemals zurückfinden in die vertraute Existenz,
nach der zurück ihn seine Angst so drängte? Eigentlich hätte er
jetzt aufstehen müssen, um sich die schmerzenden Beine zu vertreten, aber das hätte die Frau dort im Flußtal sicher als Einver-
ständnis gedeutet, und er wollte doch noch Zeit gewinnen, um
sich klar zu werden, in was er da auf welche Weise hineingeraten
war. So stützte er die Ellbogen auf dem Tischchen auf und barg

sein Gesicht in den zitternden Händen, schloß die Augen und bemühte sich, ruhig und tief zu atmen, während in seinem Hirn wie ein unablässiger Kehrreim die Frage widerhallte: »Was ist los? Was ist nur um Himmels willen los?«

»Hell Zilgelein sein nicht gut, ja?« Die Stimme von Siu-Yungs Bruder schreckte ihn auf; er hob mit einem plötzlichen Ruck den Kopf und riß die Augen auf. Er war doch nicht etwa mitten im Lokal eingeschlafen? Die Tafel war abgeräumt, der Wirtssohn hatte ein völlig frisches Tischtuch in der Hand, das er gegen das nicht mehr ganz makellose auf dem Tisch austauschen wollte.

Verwirrt griff Zirgelein nach seiner Geldbörse, aber der junge Mann winkte freundlich ab. »Nein, danke, danke, Hell Zilgelein. Hat alles schon elledigt die Dame!« Er wies mit einer beiläufigen Geste auf den freien Platz gegenüber.

Betroffen starrte Zirgelein auf den leeren Stuhl. »Ist sie schon fort?« fragte er verstört.

»Ja, ist gegangen vor fimf Minuten, so ..« war die Antwort.

Wäre Zirgelein zehn oder fünfzehn Jahre jünger gewesen, dann wäre er jetzt aufgesprungen und auf die Straße hinausgestürzt und hätte in erregtem Dauerlauf nach dem Mädchen gesucht, das ein Buch von Castaneda kaufen wollte, und er hätte nicht locker gelassen, bis er sie wiedergefunden hätte und mit ihr gesprochen und ...

Aber die Mattigkeit war noch nicht restlos aus seinen Gliedern gewichen, das Völlegefühl im Magen machte ihm zu schaffen, und überdies war es höchste Zeit, ins Institut zu seiner Arbeit zurückzukehren. So lange wie heute hatte er seine Mittagspause noch nie ausgedehnt.

Er rappelte sich ächzend hoch und warf im Aufstehen noch einen Blick auf das alte taoistische Landschaftsbild an der Wand. Unverkennbar und unbeweglich stand dort, wie aus den Päonien herausgewachsen, die unbekannte Fee.

Da fiel es ihm wie Schuppen von den Augen, wie ein glühender Blitz durchzuckte ihn die Erkenntnis und schnitt mit Wehmut und schmerzlicher Reue tief in seine Brust.

Leicht torkelnd strebte er dem Ausgang zu. Als er die Tür aufzog, blies ihm ein Windhauch ins Gesicht, der den süßlichen Abgasgeruch der Straße mit sich führte. Er richtete sich auf und machte sich auf den Rückweg. Nachher dann, an seinem Schreibtisch, würde er genügend Zeit haben, nachzudenken, ob er jemals wieder den Mut fände, in den »Glücksdrachen« zu gehen.

Illustriert von Atsuko Kato

An der Straße nach
Ghardaia

1

›Was hat das zu bedeuten? Bin ich etwa krank? Overstressed?
Oder habe ich am Ende tief drinnen doch Angst um Stefan?‹ grü-
belte Christina, als sie sich aufsetzte und die Bettdecke wie einen
schützenden Umhang um die Schultern zog.

Nach dem plötzlichen panischen Auffahren aus dem Schrek-
ken der Traumbilder war sie viele heftig pochende Herzschläge
lang in der Finsternis dagelegen, am ganzen Leib zitternd, bis ihr
endlich bewußt war, wo sie sich befand, und sie den Schalter der
Nachttischlampe ertasten konnte. Das warme, gedämpfte Licht
hatte sie dann ein wenig beruhigt: es zeigte ihr, daß sie sicher und
geborgen in ihrem Schlafzimmer lag, auf der rechten Seite des
überbreiten Doppelbetts, neben der großen gelben Steppdecke
auf der linken Hälfte, die so frisch und unberührt aussah, lange
nicht mehr benutzt – jetzt schon über ein Vierteljahr, seit damals,
als Christina von der Reise nach Algerien allein zurückgekehrt
war.

Ja, wie mochte es Stefan gehen? In ihrer Trotzreaktion auf
seine Entscheidung hatte sie bisher diese Frage geflissentlich verdrängt: konsequent wollte sie sein und die von ihm provozierte
Trennung kompromißlos durchhalten, obwohl er – als sei nichts
geschehen – in regelmäßigen Briefen, die Woche um Woche ein-
trafen, vom Fortschritt seines verrückten Unternehmens berichtete. Diese Briefe ungelesen zu vernichten, wie sie sich zuerst
vorgenommen hatte, brachte sie nun doch nicht fertig. So hatte
sie mit widerstreitenden Gefühlen die jungenhaft-enthusiasti-
schen Schilderungen gelesen, in denen er seine Vorbereitungen
beschrieb – zur Sahara-Erkundung mit einem Reitkamel.

›Geschieht mir eigentlich recht, daß ich jetzt solche irren Alp-
träume habe‹, dachte sie in einem Anflug von Sarkasmus, ›schließlich war es meine Idee, den Weihnachtsurlaub da drunten zu ver-
bringen, und dadurch ist er ja erst auf seinen hirnverbrannten
Plan gekommen.‹

Sie hatte noch drei Wochen Urlaub gehabt, überständig vom letzten Sommer (als sie wegen der vielen Aufträge in der Firma unabkömmlich gewesen war), und weil sie nichts von Schnee, Kälte und Wintersport hielt, hatte sie Stefan vorgeschlagen, an die algerische Mittelmeerküste zu fahren: »Das ist mal was anderes, nicht wieder Spanien oder Griechenland, dort waren wir doch schon so oft!« Stefan zögerte zunächst, denn er hatte die Hoffnung noch nicht aufgegeben, einen neuen Job an der Universität zu finden, nachdem seine Assistentenstelle mit Ende des Sommersemesters einer Sparmaßnahme zum Opfer gefallen und ersatzlos gestrichen worden war.

Christina hatte gehofft, der Urlaub würde Stefan auf andere Gedanken bringen – natürlich nicht in dem Sinn, wie es sich nachher entwickelte. Daß er als Wissenschaftler arbeitslos daheim herumsitzen mußte, während sie, Bereichsleiterin in der Marketingabteilung der Metacan Elektronik AG, das Geld nach Hause brachte: das hatte an Stefans Selbstbewußtsein unaufhörlich genagt. Sie hatte sich gewünscht, er würde auf dieser Reise wieder seine alte Fröhlichkeit und Unbekümmertheit zurückgewinnen und sie könnte ihn dann dazu bringen, in ihren Plan einzuwilligen, ihm durch ihren Einfluß in der Firma eine Stelle in der Exportabteilung ›Naher Osten‹ zu verschaffen. Schließlich war er promovierter Ethnologe mit Orientalistik als erstem Nebenfach: sicher hätte er sich da mit Einsatzbereitschaft und Beharrlichkeit emporarbeiten können, denn die Geschäftsbeziehungen mit den nahöstlichen Ölstaaten weiteten sich rasant aus, und für die diffizilen Verhandlungen mit den eigenwilligen arabischen Kunden könnte er sich als qualifizierter Berater bald unentbehrlich machen.

Es war an einem herrlichen Abend gewesen: Sie saßen auf der Terrasse des Hotels ›Cap Bougaroun‹ in Djidjelli und blickten in heiterer und gelöster Stimmung auf das Mittelmeer hinaus, wo die Schwärze des Meeres mit der Dunkelheit des Himmels zu verschmelzen begann. Da hielt sie den rechten Zeitpunkt für gekommen und unterbreitete ihm ihren wohldurchdachten Vorschlag.

Doch damit kam ein Mißton auf: Stefan wurde plötzlich einsilbig, brütete vor sich hin; zu Christinas Enttäuschung ging er auf ihre Argumente und ihre optimistische Darstellung seiner beruflichen Chancen bei Metacan nicht ein.

Als sei nichts gewesen, überraschte er sie am folgenden Morgen mit der Idee von einem mehrtägigen Ausflug nach der Oasenstadt Biskra; unterwegs sollten sie unbedingt die Ruinen von Zana und Timgad besuchen, die Überreste jener numidischen Königreiche, die ihn schon während seines Studiums (2. Nebenfach: Alte Geschichte) fasziniert hatten. Obwohl sie lieber noch am Meer geblieben wäre, sagte Christina ja: wollte sie doch seine wiedergefundene gute Laune nicht aufs neue verderben ...

Noch heute bereute sie diese Nachgiebigkeit, denn in Biskra grub Stefan plötzlich seinen alten Jugendtraum aus: eine Reise durch die Sahara mit einer Kamelkarawane – wie die großen Sahara-Erkunder des 19. Jahrhunderts, René Caillié z. B., oder Heinrich Barth ... Er wollte einige Zeit bei den Tuareg zubringen, die prähistorischen Felsmalereien im Tasili mit eigenen Augen sehen, und – Krönung dieses ganzen knabenhaften Plans – in den Straßen von Timbuktu einhergehen, jener einst so geheimnis-umwitterten Stadt am Niger.

Während sie auf den breiten, palmengesäumten Straßen und in den weiträumigen Parkanlagen spazierengingen, gerieten sie in Streit: Stefan forderte allen Ernstes, sie solle zu Hause bei der Firma anrufen und ihren Urlaub verlängern; sie könne doch gleich den Jahresurlaub für das neubegonnene Jahr anhängen (inzwischen war schon der 4. Januar) und ihn auf dieser Reise begleiten, wenigstens bis Tamanrasset. Christina gelang es nicht, ihm klarzumachen, daß dies unmöglich war: ihre Stellung in der Firma und die viele Arbeit, die auf sie wartete, ließen solche Extravaganzen nicht zu. Und so wurde unversehens der Ritt durch die Sahara zu einer Prinzipienfrage: Je länger sie diskutierten, desto eigensinniger versteiften sie sich auf ihre Standpunkte und warfen einander in bisher noch nie erlebter Heftigkeit Unverständnis für die Wünsche und Vorstellungen des anderen vor.

2

Das sanfte Licht der Nachttischlampe und die bitteren Erinnerungen an die eigensinnigen Streitereien in Biskra woben einen dünnen Schleier über die Bilder des Traums. Aber Christina spürte: wenn sie sich jetzt noch einmal hinlegte und versuchte weiterzuschlafen, dann würde sie wieder – vor Schrecken wie gelähmt, unfähig selbst zu einem Hilfeschrei – in jenen unerträglich deutlichen Szenen erleben, wie Stefan in einer bizarren Mondlandschaft eine steile Felswand hinunterstürzte, in quälend langsamem Zeitlupentempo da und dort an einem Felsvorsprung aufschlug und dann unten in der Schlucht liegenblieb, in grotesken Verrenkungen – wie eine zusammengeklappte Schaufensterpuppe ...

Zwar war es erst kurz nach vier, doch sie beschloß, aufzustehen, sich für den Tag anzukleiden und dann irgendwie in der Wohnung zu schaffen zu machen, um schließlich schon ganz früh zur Arbeit zu gehen – nur so konnte sie einer Wiederholung dieses Traumes ausweichen.

›Vielleicht will mir mein Unterbewußtsein auf diese Weise nur ganz drastisch zeigen, wie sehr ich emotional noch an Stefan hänge!‹ versuchte sie beim Duschen das Geträumte zu analysieren. ›Obwohl ihm dieser Sahara-Trip wichtiger ist als das weitere Zusammenleben mit mir, habe ich mich offenbar innerlich noch nicht ganz von ihm gelöst. – Oder hat sich damit ein verborgener Wunsch nach Rache ausgetobt? Wünsche ich im Grunde meines Herzens Stefan Schwierigkeiten? Zeigt sich da etwa ein Verlangen nach Bestrafung, Vergeltung? – Ach Quatsch, fang bloß nicht mit solchem pseudopsychologischen Tiefsinn an!‹ ermahnte sie sich. ›Ich bin eben ein furchtsames Gemüt, und seine Briefe haben vermutlich einfach meine tiefliegenden Ängste vor Abenteuern, Unfällen, Katastrophen und so Zeug wachgerufen ...‹

Dabei bestand für solche Befürchtungen doch kein Anlaß: Heutzutage ist die Sahara nicht mehr gefährlich, geheimnisvoll, unzugänglich, sondern verkehrstechnisch gut erschlossen, ein bedeutender Wirtschaftsraum (gibt es da nicht auch irgendwo Öl?), von Touristen durchzogen. Und Stefans Briefe hatten doch unablässig davon erzählt, wie gut seine Vorbereitungen vorankamen!

Nachdem Christina allein nach Haus geflogen war, hatte er die erste Etappe seiner Reise mit der Bahn zurückgelegt, bis Touggourt: das war Endstation. Er schickte ihr Ansichtskarten von dort: eine enge gewundene Gasse zwischen Lehmhäusern und unter blendend weißen Torbogen, das massive Minarett der Festung, der Glockenturm der Kasbah, und die große Kuppel über den Gräbern der einstigen Könige von Touggourt. Nachdem er sich dort etwas akklimatisiert und mit dem Dialekt der Sahara-Araber vertraut gemacht hatte, freundete er sich mit einer Gruppe von Berbern an und begleitete sie zu der Oasenstadt Ouargla. Auch von dort kamen Briefe, in denen er sein frisch erworbenes Wissen über die moslemische Ibadiyah-Sekte darlegte, die diese Stadt gegründet hatte, und über ihren geheimnisvollen Ableger, die Mozabiten, die westlich von Ouargla das Wadi Mzab bewohnten, in fünf Städten, deren heiligste, Beni Isguen, kein Ungläubiger, kein Jude, kein Araber, nicht einmal ein Berber aus einer anderen Sekte betreten durfte, denn vor ihnen allen hielten die Mozabiten die Lehren und Riten ihrer Religion strikt geheim.

Stefans Wunschtraum war natürlich, trotz alledem irgendwann Beni Isguen zu sehen, so wie René Caillié ja auch am Ende Timbuktu erreicht hatte, aber diesmal reichten Geld und Zeit noch nicht für ein so langwieriges und schwieriges Unterfangen. Dafür wollte er wenigstens Ghardaia besuchen, die größte Stadt der mozabitischen Pentapolis, und auf dem Weg dorthin hatte er einen Abstecher in das Wadi Nessa vor, wo nach Meinung einiger Atlantisforscher die sagenhafte Insel Nysa gelegen haben soll – vor Jahrtausenden, als Nordafrika mit der heutigen Sahara fruchtbares Territorium der atlantischen Kultur gewesen war, belebt durch den weiten Tritonsee und geschmückt mit üppiger Vegetation, wo heute trockene Dürre und karge Ödnis herrschten.

In Ouargla hatte Stefan von einem Araber namens Mahmud einen Kamelhengst gekauft, der Djemal gerufen wurde, und in seinem letzten Brief, den er wenige Tage vor dem Aufbruch nach Ghardaia abgeschickt hatte, berichtete er stolz, wie gerissen er mit Mahmud gefeilscht und wie schnell er den Umgang mit dem Kamel gelernt hatte. Dann malte er in glühenden Farben aus, was ihn auf seiner Reise jetzt erwartete: Zuerst Ghardaia, dessen weiße und rote Lehmhäuser in Terrassen und Arkaden ansteigen bis zur pyramidenförmigen Moschee im Zentrum, und die umliegenden Oasen, deren Brunnen mit den Klängen ihrer Seilrollen das ›Lied des Wadi Mzab‹ singen, dann der Große Westliche Erg, diese riesige Sandwüste mit ihren vom Wind zum Wandern getriebenen Dünen, und weiter sollte es gehen, zwischen Tafelber-

gen über Felsbrocken und Geröllfelder hinauf auf das Plateau von Tademaid, jene absolut flache Hochebene, die über und über mit kleinen schwarzen Steinen bedeckt ist und deshalb von den Einheimischen ›der Garten des Satans‹ genannt wird, danach …

›Ach Stefan, dieser Träumer!‹ dachte Christina mit leiser, nur halbeingestandener Sehnsucht, als sie den Bademantel umlegte und zurück ins Schlafzimmer ging, zum Kleiderschrank. ›Er hat da geschrieben, als hätte er diese Reise schon hinter sich, als hätte er alles schon gesehen. Er muß vor Ungeduld schon ganz zappelig sein: er kann gar nicht gelassen abwarten, bis das große Abenteuer an ihn herankommt – er muß sich regelrecht hineinstürzen …‹

›Stürzen‹ – dieses Wort brachte ihr wieder das schreckliche Traumbild von Stefans Sturz in die Sahara-Schlucht vor Augen. Wieder sah sie mit unerbittlicher photographischer Genauigkeit, wie sein Körper sich beim Aufprall auf den steinübersäten Grund krümmte, wie sein Gesicht sich unter Schmerzen verzerrte, wie seine linke Hand krampfhaft um das Amulett gekrallt war – jene Halskette, die sie ihm zum Abschied geschenkt hatte. Während wieder, gegen ihren Willen, die Folge dieser Bilder quälend deutlich und farbig vor ihrem inneren Auge ablief, hörte sie, wie auch im Traum schon, keinen Laut – kein Poltern der mit dem Körper hinabrumpelnden Gesteinsbrocken, keinen Schrei aus dem angstvoll aufgerissenen Mund. Die ganze Szene bot sich in gespenstischer Lautlosigkeit dar, in Totenstille.

›Totenstille!‹ Christina fröstelte. Sie schaltete die viel hellere Deckenlampe ein und beschloß, jetzt ihre ganze Aufmerksamkeit auf den Vorgang des Ankleidens zu richten, um endlich diesen törichten, widersinnigen Traum loszuwerden. Schon an gewöhnlichen Tagen verwendete sie viel Sorgfalt und Bedacht auf ihre äußere Erscheinung; Körperpflege, Kleidung und Schmuck betrachtete sie als wesentliche Grundlagen für ihr selbstbewußt wirkendes Auftreten, ihre zugleich kultiviert-elegante und doch auch grundsolid-seriöse Erscheinung, denen sie einen beträchtlichen Teil ihres beruflichen Erfolges in einer von Männern dominierten Branche zuschrieb. Und gerade heute war diese gründliche Vorbereitung notwendig: das Anlegen einer Schutzrüstung, damit man ihr die innere Verstörung nicht anmerkte, die dieser Alptraum hervorgerufen hatte. Mit aller ihr zu Gebote stehen-

den Entschlossenheit öffnete sie die Spiegeltür des hohen Schlaf-
zimmerschrankes und begann mit angespannter Konzentration
nach der passenden Kleidung zu suchen.

3

Vor dem Schranktürspiegel prüfte sie den Sitz des taubenblauen
Kostüms, das sie seit dem unseligen Algerien-Urlaub jetzt zum
ersten Mal wieder trug. Sie hatte etwas zugenommen (seit sie
allein lebte, achtete sie nicht mehr so streng auf ihre Diät wie
früher), aber das war fast nicht zu sehen: noch standen ihr Rock
und Jacke blendend. Die in einem zarten Pastellton gehaltene
Bluse paßte vorzüglich zu dem Kostümstoff; Make-up und Frisur
waren ebenfalls perfekt auf die Kleidung abgestimmt. Jetzt fehlte
nur noch ein Schmuckstück als Zeichen ihrer Unbeirrbarkeit –
oder, in Wirklichkeit, als Ausdruck ihres Wunsches, unbeirrbar
zu bleiben.

Noch während sie ihr Schmuckkästchen öffnete, stutzte sie,
blinzelte verwirrt, kniff ungläubig die Augen zusammen: sah sie
richtig? Wie war das möglich? Da lag zuoberst jene Kette mit dem
Talisman, die sie in Biskra gekauft und dann beim Abschied auf
dem Flughafen in einer plötzlichen Aufwallung von Reue und
Versöhnlichkeit Stefan um den Hals gehängt hatte – ohne Rücksicht auf seinen zaghaften Protest –: jene Kette, an der er doch
noch so verwundert, ja betroffen herumgefingert hatte, während
Christina ihm – schon von jenseits der Sperre – einen letzten weh-
mütigen Blick zuwarf.

Oder täuschte ihre Erinnerung sie? War das nur ihre Wunsch-
vorstellung gewesen? Hatte sie in Wirklichkeit die Kette samt
dem Anhänger mitgenommen und nur in Tagträumen versucht,
mit ihr Stefan ein Versöhnungsgeschenk zu machen? Nein, nein!
Sie wußte es genau: sie hatte sie ihm umgehalst! Und in Frankfurt
auf dem Flughafen war doch ihr Kofferinhalt Stück für Stück in-
spiziert worden, von einem peniblen Zollbeamten, der wohl eine
verborgene Portion Haschisch darin vermutete, und da war das
Schmuckstück nicht dabei gewesen: sie hätte es doch deklarieren
müssen!

Mit zitternden Fingern nahm sie die Silberkette heraus und

betrachtete ungläubig den blutroten ovalen Karneol, der von einer mit Mauresken und arabischen Schriftzeichen verzierten silbernen Fassung gehalten wurde: ein flachgeschnittener Stein mit naturbelassener Fläche, nach Art der Achate von feinen Maserungen durchzogen, die wie Jahresringe eines kristallisierten Baumschnitts aussahen. Das helle Rot der Mitte ging dem Rand zu allmählich in ein dunkleres über, so, als pulse von innen frisches Blut, das außen dann gerann.

Als sie am ersten Tag in Biskra durch den Basar geschlendert waren – noch vor dem Zerwürfnis –, hatte Christina vor dem kleinen Laden eines Schmuckhändlers angehalten: Durch ein Loch im Sonnendach fiel ein Lichtstrahl genau auf diesen Karneol; das rote Leuchten des Edelsteins hatte sie angelockt, war für sie unwiderstehlich, ließ sie nicht mehr los. In gebrochenem Französisch redete der Händler auf sie ein, dieses Schmuckstück sei ein mozabitischer Talisman, den er aus seiner Heimat Melika, einer der fünf Städte der Rechtgläubigen, mitgebracht habe: eine Halskette für eine Frau, die sich die Treue des geliebten Mannes erhalten will.

»Wadi Mzab ist arm Land«, so etwa hatte er geradebrecht, »Männer viele muß gehen arbeiten weit weg, und Frauen immer bleiben daheim, nicht dürfen verlassen Gebiet von Mozabiten-Volk. Deshalb dort Frauen viel denken, wie machen Männer kommen zurück!«

Das dunkle Gesicht des Berbers hatte einen fast inbrünstigen Ausdruck angenommen, als er der blonden Touristin erklärte, einen solchen Karneol nenne man ›qalb Daia‹, »Herz der Daia«, nach der muslimischen Heiligen, die vor vielen Jahrhunderten in ihrer Einsiedelei Wunder zur Hilfe der Rechtgläubigen gewirkt habe, und zu deren Höhle (nach ihr war die Stadt Ghardaia benannt, denn ›ghar‹ bedeutete »Höhle«) noch heute die mozabitischen Frauen pilgerten, um sich am Grab der heiligen Wundertäterin Hilfe in ihren Anliegen und Nöten zu erbitten.

»Wenn ›Herz von Daia‹ tragen, Mann immer kommen zurück!« hatte der Berber wieder und wieder mit Nachdruck behauptet, als ahnte er etwas von den verborgenen Sorgen dieser elegant gekleideten weißen Frau. Wollte sie den in die Fremde verschlagenen Mozabiten nicht enttäuschen (schließlich hatte er dort unten am Nordrand der Sahara ja auch eine Frau, die auf ihn wartete und auf seine kargen Einkünfte hoffte), oder konnte sie sich der stummen Aufforderung des blutroten Steins nicht entziehen – am Ende kaufte Christina die Kette mit dem Talisman und sagte zu Stefan, um das Gefühl der Verunsicherung durch den ganzen Vorfall zu überspielen: »Also die Leute hier haben noch viel von den Märchenerzählern der alten Zeit an sich, wenn es gilt, ihren Kram loszuwerden – echte Verkaufstalente sind das, Naturbegabungen …« Aber Stefan hatte die ganze Angelegenheit kaum mitbekommen und hörte nur mit halbem Ohr zu; er war halt schon ganz mit der Idee der Sahara-Durchquerung beschäftigt.

4

Christina wußte keine Erklärung dafür, daß die Silberkette mit dem ›Herz der Daia‹ jetzt hier in ihrem Schmuckkästchen lag. Sie erinnerte sich doch ganz genau, daß sie auf dem Flughafen plötzlich mit einem bitteren Lächeln gedacht hatte, der Zauber eines solchen Talismans wirke vielleicht eben nur bei einem mozabitischen Paar und nicht bei aufgeklärten Mitteleuropäern des Industriezeitalters. Die Geste, mit der sie im letzten Augenblick das Kleinod an Stefan weitergegeben hatte, war sowohl das Aufgeben aller Hoffnungen wie auch ein letzter stummer Aufschrei ihres Verlangens gewesen, den laut auszustoßen ihr Stolz ihr verboten hatte. Hatte Stefan das begriffen? Hatte er ihr den Schmuck noch nachträglich mit irgendeiner orientalischen Bakschischmethode ins Gepäck geschmuggelt? Nein, nein! Das war doch ganz unmöglich!

Oder war dies hier etwa auch nur Traum, jetzt, wo sie vor dem Spiegel stand und – willenlos, wie mechanisch – die silberne Kette über ihren Kopf streifte und langsam den großen Karneol zu rechtrückte, bis er sich mitten auf ihrer Brust blutig leuchtend vom hellen Hintergrund der Bluse abhob …

›Natürlich ist das kein Schmuck für die Arbeit!‹ schoß es ihr durch den Kopf. ›Viel zu auffällig! Viel zu wild! Viel zu …‹. Aber als sie ihn wieder abnehmen und in den Schrank zurücklegen wollte, gehorchten ihre Hände ihr nicht mehr. ›Also doch ein Traum! Ein Traum, in dem man sich nicht bewegen kann!‹ dachte sie, und gleichzeitig lachte eine Stimme in ihr auf: ›Aber du Närrin! Wie kann man in einem Traum über denselben Traum nachdenken, ohne sofort aufzuwachen?‹

Um entscheiden zu können, ob dies Traum sei oder Wirklichkeit, bemühte sie sich, ihr Spiegelbild genau zu fixieren, eingehend zu betrachten, aber ihre Augen begannen zu tränen, vor Anspannung vielleicht – oder etwa gar vor Sehnsucht? Alles begann zu verschwimmen. Ihr war, als blicke ihr nicht das eigene, vertraute Gesicht entgegen, sondern das dunkle, sonnengegerbte Antlitz einer Berberin: schwarzes Haar unter gelbem Kopftuch, dunkle, geduldige, wissende Augen über einem schweigsamen Mund.

Zur Verwirrung der Sinne kam plötzliche, unwiderstehliche Müdigkeit: sie mußte sich auf dem Bettrand niedersetzen, da ihre Beine sie mit einem Mal nicht mehr tragen wollten. Ohne einen Gedanken an das teure Kostüm zu verschwenden, das doch zerknautscht und zerknittert würde, ließ sie sich langsam nach hinten sinken, streckte die Arme aus und schloß die Augen. Schläfrigkeit überspülte sie wie eine Woge, und die letzte Empfindung war die eines schnellen, aber weichen Hinabschwebens in einen unendlich tiefen Schacht, hinab zu einem Brunnen, zu einer tief, tief drunten, fern vom Licht der Sonne im Verborgenen sprudelnden Quelle.

5

Als Stefan Amslinger zu sich kam, setzte sofort der Schmerz ein, und ihm war, als könnte er sich nie mehr bewegen. Lag er noch auf dem Grund jener Schlucht an der Straße nach Ghardaia, dort, wo Djemal, der Kamelhengst, plötzlich – ohne für Stefan erkennbaren Grund – gebockt und ihn abgeworfen, über die Felsen hinabgeworfen hatte?

Nein, über ihm war kein Himmel, sondern eine weißgetünchte Zimmerdecke. Arme und Beine staken in Gips; eine gipserne Krause um den Hals machte es ihm unmöglich, seinen Kopf zu drehen. Intuitiv spürte er die Anwesenheit eines Menschen neben dem, was ein Krankenbett sein mußte.

»Wo bin ich hier?« wollte er fragen, aber aus seiner Kehle kam nur ein Gurgeln, ging über in ein unverständliches Krächzen.

Eine Gestalt in einem weißen Kittel beugte sich über ihn, ein braunes Gesicht unter schwarzen Kräuselhaaren blickte zu ihm herab: »Haben Sie keine Angst, fürchten Sie sich nicht!« sagte eine Stimme auf französisch, mit kehligem Akzent. »Sie befinden sich im staatlichen Krankenhaus von Ghardaia; ich bin Dr. Bounouara, der Leiter der Chirurgischen Abteilung. Sie sind gut versorgt. Sie müssen nur Geduld haben. Alles wird wieder gut.«

Stefan fühlte sich wie ein kleines Kind, das sich plötzlich in seinem Bettchen der Geborgenheit bewußt wird, während der Vater sich darüber beugt und einen Gutenachtgruß sagt. Dann zwang er sich mit großer Anstrengung und flüsterte langsam und eindringlich: »Aber wie komme ich hier her?«

»Sie haben Glück gehabt, mein Lieber, unwahrscheinliches Glück! Nur kurze Zeit nach Ihrem Unfall sind Landsleute von Ihnen dort vorbeigekommen, Studenten, die mit zwei VW-Bussen auf einer Reise durch die Sahara waren, eben auf der Strecke zwischen Ouargla und Ghardaia. Die haben Sie gefunden, in einer Schlucht des Wadi Mzab. Aber«, das Gesicht des Dr. Bounouara wurde nachdenklich, »da ist eine Sache, die ich nicht verstehe: wie die deutschen Studenten Sie fanden. Sie erzählten uns nämlich, es sei da mitten auf der Piste eine Frau gestanden und habe ganz aufgeregt mit den Armen gewinkt, und als sie anhielten, habe sie immerfort gerufen – und zwar auf deutsch gerufen! –: ›Dort drüben ist jemand abgestürzt! Helfen Sie! Helfen Sie!‹«

Stefan schloß die Augen und versuchte, sich die Szene vorzustellen. In der Stimme des Arztes klang etwas wie Zweifel an:

»Ihre Retter sagten, die Frau sei überhaupt nicht für eine Reise in der Wüste gekleidet gewesen: Sie habe ein elegantes blaues Kostüm angehabt und eine Seidenbluse, kostbaren Schmuck und Schuhe mit spitzen hohen Absätzen ... Doch das Seltsamste an der Geschichte ist: Als die Studenten mit Ihnen von der Schlucht zu den Autos zurückkamen, war die Frau plötzlich weg – mitten in der Wüste! –, und keiner hat gesehen, wohin sie verschwunden ist. Und während man Sie mit dem einen Auto hierher brachte, suchten einige der jungen Leute mit dem zweiten Bus noch eine ganze Strecke lang die Piste ab, rückwärts und dann wieder vorwärts von der Stelle aus, wo die elegante Dame sie angehalten hatte. Aber sie fanden von ihr nicht mehr die geringste Spur.«

Dr. Bounouara schwieg einige Augenblicke, aber der Mann im Krankenbett gab keine Antwort, stellte keine Fragen.

»Nun ja«, der Arzt schien jetzt zu wissen, wie er – zu seiner und des Patienten Beruhigung – das Geschehen erklären konnte, »in der Wüste erlebt man schon manchmal die wunderlichsten Halluzinationen. Es sieht ganz so aus, als verdankten Sie einer Art Fata Morgana Ihr Leben, mein Lieber. Und damit hatten Sie großes Glück!«

Die letzten Worte des Dr. Bounouara hat Stefan Amslinger schon nicht mehr gehört: er ist eingeschlafen. Der Heilungsprozeß hat schon begonnen.

Illustriert von Ursula Olga Rinne

II

Intermezzo

Nürnberger Bratwürste – spezial

(Aus der Serie:
»Was mir an manchen Tagen widerfährt«)

Nach dem zehnten vergeblichen Versuch, in einer von Nürnbergs Buchhandlungen Dr. Windbaums berühmte Übersetzung des »Geheimen Buches vom Auge des Phönix« aufzustöbern, schlenderte ich lustlos und fröstelnd durch die Fußgängerzone, bis der würzige Duft aus einer Wurstbraterei mich einlud, in der Wärme einer Gaststube Zuflucht zu suchen und mich wenigstens durch lustvolles Vollschlagen meines Bauches für die entgangenen geistigen Genüsse zu entschädigen.

Kaum hatte ich mich an dem derben Holztisch niedergelassen, auf einer Eckbank vor dem Butzenscheibenfenster, unter der dunklen, auf altfränkisch gemachten Balkendecke, da stand schon die blonde Kellnerin vor mir – geblümtes Dirndl prall gefüllt mit vollem Busen und üppigen Schenkeln – und fragte mich resolut nach meinem Wunsch.

»Zehn Bratwürste mit Kraut – und ein Bier!« Damit war sie zufrieden und enteilte. Ich lüpfte das gestickte Tüchlein von dem geflochtenen Körbchen neben dem Senftopf und angelte nach einer Salzbreze, an der ich in Vorfreude auf die zu erwartende Sättigung herumknabberte – die vom Bratrost herwehenden Schwaden hatten schon zuviel Wasser in meinem Mund zusammenlaufen lassen –, während ich mit geringer Aufmerksamkeit einen Kupferstich an der Wand betrachtete, irgend etwas von Dürer, allem Anschein nach.

Das Bier kam – ha, dieser erste, tiefe, erfrischende Zug! –, und inzwischen hatte noch ein Gast am anderen Ende des Tisches Platz genommen: ein schmales brünettes Mädchen, eingemummt in eine dicke Parka, deren pelzverbrämte Kapuze wie eine Halskrause auf den Schultern saß, in hellem Kontrast zu den braunen Haarsträhnen. Sie bestellte nur eine Cola.

»Hallo Sie, wollen Bratwürste normal oder spezial?« Der Wurstbrater blickte zu mir herüber; dabei schob er mit seiner großen Zange die bräunenden Dinger hin und her, in die Glut.

Der buschige schwarze Schnurrbart über dem schlecht rasierten eckigen Kinn gab ihm ein herrisches Aussehen; eine Locke aus dem schwarzen Wuschelkopf hing ihm in die gerunzelte Stirn.

Auch so ein Südländer! Und überhaupt: Nürnberger Bratwürste ›spezial‹ – was sollte das heißen? Nie davon gehört! Nun ja, mal ausprobieren, aber ohne zu fragen, was das bedeutet ... Warum hätte ich mich mit meiner Unkenntnis blamieren sollen?

»Spezial, natürlich!« rief ich und schaute neugierig zum Herd, welcher Prozedur er meine Portion noch unterzöge. Mit einem einzigen flinken Zugriff seiner Wurstzange legte er die zehn Stück zusammen auf den Zinnteller, klackste mit einer großen Kelle aus einer Schüssel das Kraut dazu und ließ zum Schluß noch mit einer wellenartigen Bewegung aus einem Streudöschen irgend etwas auf die Würste niederrieseln. War das schon ›spezial‹? Sicher, denn sofort kehrte die blonde Bedienung zurück und brachte den Teller die paar Schritte vom offenen Herd zu meinem Tisch.

»Guten Appetit!« Und schon rauschte sie wieder davon.

»Guten Appetit!« sagte das schmale Mädchen, das sein Cola-Glas geleert hatte und auf meine Würste starrte, als könnte sie mit ihrem Blick eine davon verschlingen.

»Guten Appetit!« wünschte auch der Wurstbrater und grinste zu mir herüber. Mit der Zange schlug er ein paarmal leicht auf den Rost, wie ein Schlagzeuger, der mit routiniertem Zartgefühl seine Trommel zum Tönen bringt.

»Hm, danke, danke!« Die kleinen schrumpeligen Dinger auf dem dunkelgrauen Zinn sahen doch ganz normal aus. Keine Ahnung, was an ihnen ›spezial‹ sein sollte. Auch nach dem dritten Stück schmeckte ich nichts Besonderes; sie waren ganz und gar wie sonst. Einen Schluck Bier und dann das vierte Stück – im Geschmack wirklich kein Unterschied zu dem, was ich bisher von diesem Gasthaus gewohnt war.

Dieser Ausländer wollte mich wohl ein wenig auf den Arm nehmen, was? Ich schaute zu ihm hinüber, versuchte, in meinen Gesichtsausdruck Mißbilligung zu legen, Unzufriedenheit, Befremden.

Da stand er an seinem offenen Kamin, nahm mit der Zange in der Linken etwas vom Rost auf und hieb mit dem Hammer in der Rechten darauf.

Mit dem Hammer? Wozu brauchte ein Wurstbrater einen Hammer? Nun, er hieb ja auch nicht auf eine Wurst – Metall mußte das sein, dem Klang nach. Er hielt das Stück in die Höhe: es glühte rot, der Form nach war es eine Lanzenspitze.

Was sollte das heißen – hier mitten in einer Wirtschaft Schmied zu spielen! In aller Seelenruhe betätigte er einen Blasebalg, die Flamme schoß hoch auf, Funken sprühten umher. Während er wieder auf das glühende Metallstück hieb, schien mir, als sei er gewachsen; obendrein hatte er auch nicht mehr seinen weißen Kochkittel an: Unter den breiten Trägern einer Lederschürze bewegten sich gewaltige nackte Schultern; die muskelbepackten Arme waren dicht behaart. Und jetzt fing er an, mit dröhnender Stimme zum Rhythmus des Hämmerns zu singen – die unbekannte Sprache drang archaisch beschwörend an mein Ohr.

»Barak chassad, barak chassad, duum duum aiménu!« So etwa klang mir sein Refrain. Was sollte dies Spektakel bedeuten? Aufklärung heischend schaute ich nach der Kellnerin aus; sie mußte doch etwas tun, wenn dieser Mann hier verrückt spielte.

Da kam sie schon durch den schmalen Gang vom Nachbarzimmer herüber, graziös schreitend in ihrem ärmellosen, langen, weiten, reich verzierten Peplos.

In einem Peplos? Du lieber Himmel, was hatte sie denn veranlaßt, ein altgriechisches Frauengewand überzustreifen? Wie kam es, daß aus ihren blonden Dauerwellen auf einmal lange dichte Haarflechten geworden waren, von silberschimmernden Bändern gehalten?

Wenn ich gewagt hätte, sie anzurufen – was hätte sie mir dann erklärt? Aber sie beachtete mich ja gar nicht, sondern ging zur Feuerstelle und nahm den Weinkrug von ihrer Schulter, goß öligdunklen Wein in zwei silberne Becher und stieß mit dem Koch an. Dabei kehrte sie mir den Rücken zu, mit der Haltung einer attischen Kore. Ihre runden Formen, vom Gewand mehr betont als verhüllt, ließen an die Aphrodite von Kythera denken. Der Koch, nein doch: der Schmied, der sie um halbe Kopfeslänge überragte, schaute mit funkelnden Augen über ihre Schultern in meine Richtung. Während er den Becher absetzte, den er in einem Zug geleert haben mußte, wischte er sich mit der anderen schweren Hand den Schweiß von der Stirn und strich die wirren Haare hinter die Schläfen. Mir war, als blinzele er mir mutwillig zu.

Sein belustigter Blick war mir peinlich, meine Augen suchten einen anderen Gegenstand, damit die durcheinanderhuschenden Gedanken sich sammeln, sich ordnen könnten. Doch statt Dürers Stich hing da ein schwarzer Teller, auf dem ein roter Delphin das Boot eines ebenfalls roten, genüßlich Weintrauben verspeisenden Dionysos übers Meer zog. Die Balkendecke war nicht mehr dunkel und synthetisch rauchgeschwärzt, sondern bemalt in leuchtend hellen Farben: Weinranken und Efeu, Lorbeer und Thyrsos. Zierliche ionische Säulen säumten den Gang zum Nachbarzimmer.

Was ging hier vor? Was war geschehen? Hatte das schmale Mädchen in der Parka die Verwandlung der Szenerie auch mitbekommen? Ich wandte mich ihr zu: ihre dunklen Augen fixierten mich, als habe sie auf meinen Blick gewartet.

Was ich als Pelzbesatz einer Kapuze in Erinnerung hatte, zeigte sich jetzt als Blumengirlande über einem leuchtend weißen Gewand. Ihre Haare in der Farbe dunklen Bernsteins sprühten und glühten wie von einem geheimen, inwendigen Feuer. Das Gesicht war weich und makellos, die Haut von einem zarten, leichten Braun, voll und feucht der Mund, von einem Schluck Wein benetzt, den sie gerade getan hatte.

Diese nachtbraunen Augen so sanft und tief – mich erfaßte das Gefühl, als könnte ich in sie hineingezogen werden, in ihnen versinken.

›Hier sitzt das ganze Weltall neben mir!‹ Diese Empfindung überkam mich mit unwiderstehlicher Wucht. Verzweifelt wehrten meine Gedanken sich gegen den Widersinn dieses Satzes, doch wie ein Lied, gegen dessen Klang nichts ankommt, wie ein Gesang, der niemals enden wird, tönte es durch meinen Schädel: »Das ganze Weltall sitzt hier neben mir! Das ganze Weltall sitzt hier neben mir!«

Mir war, als säße ich hier schon seit einer Ewigkeit, als hielte der Blick dieser ewig jungen Göttin allen Wandel und alle Zeit von mir fern, als würde ich nie mehr dem wonnevollen Bann dieser Augen entrinnen.

Jetzt – wieviele Äonen waren vergangen, seit ich ihren Blick gefunden hatte? –, jetzt schob sie mir ihren Becher zu; ein roter

Tropfen spritzte dabei auf den Tisch, als sie mich einlud, auch davon zu trinken.

Als meine Hand das kühle Gefäß umfaßte, durchzuckte ein Gedankenschrei mein Hirn: Das geht zu weit! Halt ein! Was wird aus dir, wenn du da mitmachst? Gefahr! Gefahr! – Mein Arm zitterte, der Becher kippte um, schnell wuchs die rote Lache auf dem Holz des Tisches.

Mit zugekniffenen Augen fingerte ich nach meiner Geldbörse, ertastete den Geldschein, von dem ich wußte, daß er für meine Zeche mehr als genügen mußte, legte ihn vor mich auf den Tisch, und drängte wie ein Blinder, den Panik ergriffen hat, zum Ausgang.

In meiner Hast stolperte ich draußen über eine Stufe und prallte fast gegen einen älteren Mann in einem Lodenmantel, der mich mit Widerwillen anschaute, als sei ich betrunken. Ich stotterte Satzfetzen der Entschuldigung, torkelte einige Schritte weiter, blieb stehen, sog die kalte Luft begierig in meine Lungen, fühlte mich erleichtert im Strom der Passanten, unter all diesen fremden Menschen mit ihren gehetzten oder doch zumindest freudlos-gleichgültigen Gesichtern, in ihren ach so wohlvertrauten Alltagskleidern. Die Plakate an der Litfaßsäule erschienen mir wie Willkommensgrüße nach einer langen, ungewissen Fahrt.

Erst einen Monat später wagte ich mich wieder in die Bratwurstwirtschaft. Die blonde Kellnerin im buntgeblümten Dirndlkleid schien sich an mich nicht zu erinnern. Am Bratrost stand ein kleiner, kahler Mann mit müden Augen.

Auf mein vorsichtiges Fragen nach dem anderen, dem mit dem großen schwarzen Schnurrbart, schüttelte die Bedienung zunächst verneinend den Kopf: So einer sei hier nie gewesen, nein bestimmt nicht; sie müßte es ja wissen.

Dann, durch weitere Fragen bedrängt, räumte sie schließlich ein – unwillig, als rühre ich an etwas, das mich nicht betraf: Na ja, da sei mal einer wohl zur Aushilfe da gewesen, nur einen Tag lang, und nicht länger.

Und im übrigen, was dürfe es denn jetzt sein? Sie müsse sich beeilen, es seien heut so viele Gäste da.

»Eine Portion Stadtwurst«, sagte ich dann, »und bitte – normal!« Ihr Blick verriet Befremden. Sie wandte sich um. »Und dazu noch einen Apfelsaft!« rief ich ihr nach.

Ja, kein Bier, keinen Wein, keine Cola ...

Trotz alledem – jedes Mal, wenn ich durch die Fußgängerzone streife, halte ich Ausschau nach dem schmalen brünetten Mädchen in der pelzbesetzten Parka. *Sie* muß sich doch an mich erinnern – ja, ganz gewiß, denn ich kann ihr Gesicht bis heute nicht vergessen. Wenn ich meine Augen schließe, dann sehe ich noch immer ihren tiefen Blick.

Illustriert von J. Siegfried Reinert

III

Quatre Préludes

In den Tälern von Nysai

(Ein historischer Exkurs als Vorstudie zu dem Roman
»Komm zurück nach Chanawani«)

Das bedeutendste Ereignis des Jahres 326 v. Chr. ist für die westliche Geschichtsschreibung der Sieg, den der makedonische König Alexander III. (ob seines Weltreich-Wahns später von faszinierten Historikern ›der Große‹ genannt, während es sich bei ihm – vom medizinischen Standpunkt aus gesehen – wohl um einen Alkoholiker und Psychopathen gehandelt haben dürfte) am Fluß Hydaspes im Fünfstromland über den indischen König Poros errang. Nur wenig Aufhebens machen unsere Geschichtsbücher (wenn sie überhaupt davon berichten) von der Rebellion, mit der sich im gleichen Jahr griechische Siedler vom Imperium des rast- und ruhelosen Länder-Eroberers absetzten. Dies geschah in der Provinz Sogdiana, einem Land im äußersten nordöstlichen Winkel des Alexander-Reiches um die Stadt Marakanda, das heutige Samarkand.

Angeblich verließen dort hellenische Krieger ihre Stellungen und machten sich auf den Langen Marsch zurück nach Europa. Über ihr Schicksal herrscht bei den antiken Chronisten geteilte Meinung: Diodor behauptet, alle Meuterer seien niedergemetzelt worden, während Curtius berichtet, sie hätten am Ende ›ihre Heimat‹ doch noch erreicht. Der wahre Ausgang jenes Ereignisses, der für die Welthistoriker natürlich unbedeutend scheint im Vergleich zu Alexanders Entschluß, nicht weiter nach Osten vorzudringen, ist eigentlich nur in jenem kleinen Land bekannt, für dessen Überleben, Neugründung und Fortbestand die Desertion der Dreitausend bis auf den heutigen Tag von entscheidender Wichtigkeit geblieben ist.

In gewissem Sinne, mutatis mutandis, haben beide alten Geschichtsschreiber recht: Die Rebellen verschwanden von der Bühne der Geschichte, als seien sie ausgelöscht worden, und sie erreichten nach vielen Strapazen auch schließlich ihre Heimat. Doch diese Heimat, ihre *wahre* Heimat, lag keineswegs in Europa, wie Curtius meinte, sondern in den Tälern von Nysai.

›Die Täler von Nysai‹ – eine genaue geographische Lagebestimmung darf ich hier nicht geben; es möge genügen, wenn ich ganz allgemein auf den Gebirgsbogen hinweise, der sich vom Pamir-Massiv bis hin zu den Schluchten von Yün-nan, dem ›Wolkenreichen Süden‹, erstreckt. Dank kluger Maßnahmen, mit denen sich die Bewohner der Täler von Nysai aus den Kriegen und Schlachten, Krisen und Blutbädern der Weltgeschichte zurückzogen, ist heute außerhalb dieses kleinen Berglandes seine Existenz und Geschichte nur wenigen bekannt. Und die Spuren, die das Volk von Nysai vor dem Jahre 326 v. Chr. allenthalben auf der Welt zurückgelassen hat, werden bis heute – zum Glück! – übersehen oder falsch gedeutet.

Ein Grund dafür ist, daß beim Untergang von Atlantis das bewußte Wissen über die wahre Urgeschichte der Irdischen für den größten Teil der Menschheit verlorenging: die Erben der Weisheit der Vor-Zeit zogen es vor, sich hinter dem Schleier der Mythen und Sagen zu verbergen, denn nur so konnten sie sich vor dem Zugriff der Machtgier und Eroberungslust jener kriegerischen Reiche schützen, die seit der sogenannten Jungsteinzeit überall auf der Erde entstanden und seitdem in stetem Auf und Ab die Geschichte der Menschheit prägten.

Wissen sei Macht, so wird seid Assurs Tagen geplappert, und deshalb wollten zu allen Zeiten die Machtgierigen aus den Wissenden willfährige Diener und nützliche Instrumente machen – nicht ahnend, daß Unterwürfigkeit und Käuflichkeit das Wissen verdunkeln, und daß dann an die Stelle von Weisheit nur Kurzsichtigkeit und Beschränktheit, ja Verblendung und Blindheit treten!

Vor jener großen Katastrophe der Menschheit, die wir heute – mit Platons Worten – den ›Untergang von Atlantis‹ nennen, gab es auf diesem unserem Blauen Planeten eine Vielfalt an Völkern, Rassen und Wesen, die heute nur noch in unseren Märchen und Mythen mit ihren Riesen und Zwergen, Elfen und Kobolden, Faunen und Nixen ein schwaches Echo finden. Unter ihnen waren zwei besonders bemerkenswerte, ja bedeutende Stämme bzw. Völker: die Mindaru und die Narimbal.

Die *Mindaru* behaupteten von sich, sie seien Nachkommen der Verbindungen zwischen den ›Unsterblichen‹ und den Menschen, also jenen Beziehungen entsprossen, die im Buche Genesis (6. Kapitel, Vers 1–3) erwähnt werden als Vereinigungen zwischen ›Gottessöhnen‹ und ›Menschentöchtern‹. Ihr mythisches Ur-elternpaar sahen die Mindaru in *Alsara* und *Aruani*: hier aller-dings war der Mann Alsara ein Mensch, das Weib Aruani eine ›Unsterbliche‹. Die von solchen Ehen abstammenden Irdischen waren zwar sterblich, doch ihre Lebensdauer betrug gewöhnlich hundertzwanzig Jahre und mehr, und sie waren magisch und seherisch begabt in einer Weise, die über alles Menschenmaß hinausging.

Die *Narimbal* – sie werden bei Genesis 6,4 als ›Nephilim‹ er-wähnt – erzählten in ihren Mythen, sie seien auf einem Weg, den sie vor allen Außenstehenden geheimhielten, mit ›Sternenschif-fen‹ von einem Stern namens *Narim* (auch *Nadrim* oder *Nardim* genannt) zur Erde gekommen. Sie waren von hoher Statur: Er-wachsene maßen fast zweieinhalb Meter; ihr eigentümliches Körpermerkmal waren: sechs Finger an jeder Hand und sechs Zehen an jedem Fuß. Sie siedelten auf möglichst hohen Bergen, so in den Anden und im Himalaya, und sie besaßen ausgezeich-nete Kenntnisse in Mathematik, Astronomie und Physik: Über-reste ihres hochentwickelten Wissens und Könnens erahnen wir heute in den Bauten der Megalith-Kultur, etwa in dem steinernen ›Astronomie-Computer‹ von Stonehenge …

Mindaru und Narimbal begannen sehr früh miteinander zu kooperieren, und sie brachten ihre Fähigkeiten und Fertigkeiten in einen gemeinsamen Wissens- und Erfahrungsschatz ein, den sie allerdings gegenüber anderen Völkern geheimhielten: sie wollten ihr eigenes Leben als Minderheiten innerhalb der ständig zunehmenden Menschheit sichern und überdies verhindern, daß der Mißbrauch ihrer Künste Unheil brächte. In der sogenannten Atlantis-Kultur spielten sie als Kaste der Lehrer und Ingenieure eine wichtige Rolle, standen jedoch der imperialen Expansion der atlantischen Herrscher ablehnend gegenüber und begannen schon lange vor der endgültigen, vernichtenden Katastrophe des Atlantischen Reiches, sich an verschiedenen Stellen auf der Erde Zufluchten und Rückzugsgebiete vorzubereiten.

Der ›Untergang von Atlantis‹ traf deshalb die befreundeten Mindaru- und Narimbal-Stämme viel weniger hart als die übrige atlantische Menschheit; nach der Katastrophe begannen die ver-schiedenen, über die Erde verstreuten Mindaru- und Narimbal-

Kolonien, Nachrichtenwege und Netze von Stützpunkten aufzubauen, mit deren Hilfe sie trotz großer geographischer Entfernung über Jahrtausende hin enge Kommunikation miteinander haben konnten.

Es gab eheliche Verbindungen zwischen beiden Völkern, die auch fruchtbar waren: trotz der Abkunft von ›Unsterblichen‹ und Menschen auf seiten der Mindaru und der Herkunft von einem anderen Stern auf seiten der Narimbal waren beide Rassen durch den gleichen genetischen Code verbunden. Diese Vermischung führte allerdings zum allmählichen Verschwinden der hervorstechenden Körpermerkmale der Narimbal: sie erwiesen sich als rezessiv gegenüber den physischen Erbfaktoren der Mindaru. Hinzu kam, daß die Angehörigen dieser allmählich zu Einem Volk werdenden Stämme auch immer wieder mit Angehörigen anderer Menschenrassen in Geschlechtsgemeinschaft traten: so begannen sie in ihrem körperlichen Aussehen mehr und mehr den Völkern zu gleichen, in deren Nachbarschaft sie jeweils lebten.

Etwa vom dritten Jahrtausend v. Chr. an erkannten die Weisen des neu entstehenden Gemeinsamen Volkes, das sich jetzt in seiner Gesamtheit Mindaru nannte (denn reinrassige Narimbal gab es nicht mehr viele), daß in der Zukunft immer häufiger mächtige Imperien gewöhnlicher Menschen entstehen würden, und daß dann das Überleben der Mindaru und ihrer Kultur nur noch gesichert werden konnte, wenn die verschiedenen geographisch getrennten Gruppen des Volkes sich in einem gemeinsamen Siedlungsgebiet sammelten und dort verbargen und dann alles taten, um in der übrigen Welt allmählich in Vergessenheit zu geraten. Nur auf diese Weise könnten sie sich dem Griff machtgieriger Herrscher entziehen.

So begann eine fast zwei Jahrtausende dauernde Wanderbewegung, die – nach sorgfältiger Planung und unter guter Tarnung – die einzelnen Mindaru-Sippen und die ihnen durch Heirat verbundenen Menschen nach und nach in die Täler von Nysai führte. In diesen Tälern hatten Mindaru und Narimbal seit urdenklichen Zeiten gewohnt; das Land bot Raum für alle Angehörigen des Mindaru-Volkes, die noch auf der Erde waren. Mit ihrer landschaftlichen Mannigfaltigkeit boten die Täler den jeweiligen Zweigstämmen eine ähnliche Umwelt, wie sie sie vorher ›draußen in der Welt‹ gewohnt gewesen waren.

Als erste kamen (im zweiten Jahrtausend v. Chr.) von Norden, d. h. Nordasien und Nordamerika, die *Kjuru*. Sie besiedelten als Jäger, Fischer und Kräutersammler die nördlichen Waldgebiete von Nysai und schufen sich ihren Hauptort in *Nadurik*. (Dieser Name kommt von der Baumart *nadur*, die nur dort noch wächst, auf der ganzen übrigen Welt jedoch verschwunden ist; ›nadurik‹ ist ein Kollektivplural und bedeutet einfach ›*die* nadur-Bäume‹.)

Um das Jahr 1000 v. Chr. rückten von Westen her die *Chandu* ein; nach der Zahl ihrer Stammesangehörigen waren und blieben sie der größte Stamm. Sie widmeten sich dem Ackerbau und gründeten als Hauptstadt *Mahâpura*, deren Name sich allerdings bald zu *Mâpira* wandelte (so heißt sie noch heute).

Etwa zur gleichen Zeit wanderten, von Osten kommend, die *Shoshal* ein; sie betrieben auf den Steppen und Bergweiden des östlichen Nysai Viehzucht: große Herden von Schafen, Rindern und Pferden waren ihr Stolz.

Zwischen 600 und 500 v. Chr. kamen in kleinen Booten und Kähnen über die Flüsse und Ströme aus dem Süden die Sippen der *Yâ-ma-lung* oder ›Berginsel-Leute‹; sie wurden später *Yamâlu* genannt. Sie erzählten, sie kämen von großen Inseln in den südlichen und östlichen Meeren, und wie in ihrer alten Heimat bauten sie Reis an, im feuchten, sumpfigen Süden von Nysai, wohnten in Pfahlhäusern und züchteten Fische, die in den schmalen Kanälen der Reisfelder und zwischen den Pfahlfundamenten der Yamâlu-Dörfer wimmelten.

Die großenteils nomadisch herumziehenden Shoshal hatten keine eigentliche Hauptstadt, sondern nur einen Marktort, *Gadorn*, für ihre alljährlich stattfindenden großen Stammestreffen; die Yamâlu jedoch errichteten in der Mitte ihres Stammesgebietes eine große Pfahlstadt, die sie *Sânogâno* nannten.

Die in Europa und im Mittelmeergebiet lebenden Mindaru-Gruppen waren nur schwer zu bewegen, den Glanz der mediterranen Welt zu verlassen und nach Osten in ein unscheinbares Gebirgsländchen zu ziehen. Gleichsam tropfenweise kamen zunächst besonders mutige Sippen; jede von ihnen sprach ihre eigene, für die anderen schwer verständliche Mundart. Sie setzten sich im Zentrum von Nysai fest, an der Ostseite des Großen Berges, des *Ore-Mogo*, der im Herzen des Landes aufragt und das Nysai-Tal in vier kleinere Talmulden teilt.

Kurz vor dem Ausbruch der makedonischen Eroberungswelle war die Entwicklung des Landes Nysai in ein entscheidendes Stadium getreten: In den Tälern um den Ore-Mogo hatten die vier Stämme begonnen, neue gemeinsame Institutionen zu entwickeln, die auf eine stärkere Zusammenbindung der selbständigen Volksteile hinzielten und sichtbarer in Erscheinung traten als der seit grauer Vorzeit bestehende Rat der Weisen. Dabei spielten die in der Landesmitte lebenden, aus Europa und dem Mittelmeergebiet gekommenen Sippen noch keine entscheidende Rolle; sie wurden erst durch die nachfolgenden Ereignisse zum Fünften Stamm.

Außerdem bildete sich eine neue Sprache, *Nysajolo*, als Lingua Franca zwischen den vier Stämmen; ihre Stammessprachen (in der Zeit ›draußen in der Welt‹ stark beeinflußt von den Sprachen benachbarter Menschenvölker) waren untereinander unverständlich. Die alten Sprachen der Mindaru und Narimbal, *Mindâruvin* und *Narimbâlinak*, waren bei den vier Stämmen schon lange nicht mehr in alltäglichem Gebrauch: sie hatten sich zu klassischen Sprachen der Überlieferung und Dichtung gewandelt, wie Latein und Griechisch im mittelalterlichen Europa. Nysajolo bildete sozusagen das ›Esperanto‹ von Nysai, denn es war durch Vermischung und Vereinfachung der vier getrennten Stammessprachen entstanden.

In den Gebieten südlich von Nysai bahnte sich eine bedrohliche Entwicklung an, die vom Machtdrang einer indischen Dynastie ausging: Die Nanda-Könige, berüchtigt für ihre Raubgier, Mordlust und Freude an Eroberungen, hätten gern auch die kleinen Länder im Großen Gebirge des Nordens unter ihre Herrschaft gebracht. Den Bewohnern der Täler von Nysai gelang es zwar, in lang sich hinziehendem Kleinkrieg die Gefahr in Schach zu halten, aber sie erkannten, daß sie zweierlei brauchten: Verstärkung von außen und Neugestaltung ihrer staatlichen Ordnung im Innern.

Verstärkung von außen – das konnten nur diejenigen Mindaru sein, die noch in Europa und Kleinasien lebten, vornehmlich im keltisch-griechischen Raum, von Gallia über Galicia bis Galatia ... Immer noch zögerten die meisten von ihnen, den Langen Marsch nach Osten anzutreten.

Neue Ordnung im Innern – das hieß, sich völlig in die Lage

zu versetzen, geeint und auch kraftvoll das Land zu verteidigen.

Zwei Freunde übernahmen die Führung in diesem Bestreben um Stärkung des Volkes von Nysai: *Palu Nichimaga* aus dem Stamm der Yamâlu und *Mirdan* mit dem Beinamen *Gjiltânion* (›Sternenfeuer‹), der aus einer Sippe vom Großen Berg stammte. Die beiden Freunde hatten als junge Männer einen Schwur getan: sie würden nicht eher ruhen, bis für alle künftige Zeit der Bestand der Letzten Zuflucht der Mindaru gesichert war.

Palu Nichimaga überzeugte die Menschen der vier Stämme in langen Reden und Ratssitzungen, daß es notwendig sei, sich zusammenzuschließen in einer Form, die zwar jedem Stamm sein Eigenleben und seine Sonderheit ließ, trotzdem aber eine wirklich unbezwingbare Einheit gegenüber äußeren Feinden darstellte.

Mirdan Gjiltânion widmete sich der Aufgabe, die noch in keltisch-griechischer Umgebung lebenden Mindaru-Sippen in das Land Nysai zu holen. In vielen abenteuerlichen Fahrten und Wanderungen sammelte er die europäisch-mediterranen Mindaru allmählich in Landstrichen an der Ostküste des Mittelmeeres und führte sie – unauffällig und ohne wesentliche Verluste – bis nach Sogdiana. Dort war ihnen, die sich als von Alexander gerufene Siedler getarnt hatten, eine Ruhepause vergönnt.

Dann aber flackerte allenthalben unter der Bevölkerung der griechisch-makedonischen Siedlungen Unruhe auf: die Menschen waren der unersättlichen Eroberungsgier des Königs überdrüssig geworden, der anscheinend zum Frieden nicht fähig war, und sie begannen, ihm die Gefolgschaft zu weiteren Kriegszügen zu verweigern.

Diese Unzufriedenheit nutzte Mirdan Gjiltânion aus: er inszenierte jene Rebellion des Jahres 327 v. Chr. Seine treuesten Helfer brachten durch gezielte Falschmeldungen und vorgetäuschte Hinrichtungen jene Gerüchte von Niederschlagung der Rebellion oder Marsch nach Westen in Umlauf, die später von Diodor und Curtius in ihren Chroniken als historische Tatsachen verzeichnet wurden. Und während so die Aufmerksamkeit der makedonischen Führung abgelenkt war, führte Mirdan Gjiltânion den ›Zug der Fünftausend‹ (unterwegs waren noch weitere Mindaru-Gruppen aus dem Verborgenen zu ihnen gestoßen) auf gefahrvollen und verschwiegenen Wegen durch das Große Gebirge hin zu den Tälern von Nysai.

Dieser Lange Marsch gehört zu den größten Heldentaten der Menschheitsgeschichte – doch nur in den Tälern von Nysai berichten Lieder und Balladen, Sagen und Erzählungen von dieser ungeheuren Leistung.

Als die Abenddämmerung des ersten Frühlingstages des Jahres 325 v. Chr. sich über die Berge senkte, hatte Mirdans Zug endlich die Westliche Paßhöhe erreicht, den letzten offenen Zugang zum Verborgenen Land. Die Fünftausend entzündeten Fackeln und zogen in einer langen Kolonne die Gebirgshänge hinab in Richtung auf Mâpira im Chandu-Land. Vom Tal aus erschien die von den Fackeln gebildete Lichterschlange

>*wie ein riesiger strahlender Drache aus Licht,*
wie ein Drache aus Licht, Glück und Leben ...«

– so singt noch heute das Epos von »Gjiltânions Taten«.

In Windeseile, wie ein Lauffeuer, verbreitete sich die Nachricht zu den Stämmen in den anderen Tälern; unter ungeheurem Jubel strömten von überall her die Bewohner von Nysai zusammen, Fackeln tragend, Freudenfeuer entzündend, mit Hörnern und Fanfaren Klänge erregter Begeisterung in den Nachthimmel sendend: Der Jahrtausende alte Traum war Wirklichkeit geworden, alle Zweige des Volkes der Mindaru waren wieder in einem Land vereint. Die Nacht jenes Frühlingsbeginns ging in die Geschichte von Nysai als ›Die Nacht des Lichts‹ ein, und von jenem Frühlingsabend an begann in Nysai die Neue Zählung der Jahre.

Die Neuangekommenen nahmen Siedlungen in der Mitte des Landes, in den Gegenden an den östlichen und südlichen Hängen des Großen Berges; sie nannten sich, den Fünften Stamm gründend, ›die Häuser der *Ilenu*‹ und bauten sich eine Hauptstadt, die jetzt *Tjerani*, ›Stadt der Gestirne‹, heißt. Mit der Ankunft der Ilenu war der Bund der Fünf Stämme in den Tälern von Nysai vollständig; ihre endgültige Heimat nannten die vereinten Mindaru von nun an *Chanawani*, ›Das Reine und Unberührte Land‹.

Wie es dem Volk von Chanawani gelungen ist, in der letzten Auseinandersetzung mit der Außenwelt erfolgreich zu bleiben (es galt 320 v. Chr. einen Angriff der indischen Maurya-Könige abzuwehren, die die Nandas zerschlagen hatten), und auf welche Weise die Mindaru es erreichten, daß sie heute, an der Schwelle zum Jahr 2217 ihrer Neuen Zeitrechnung, immer noch der übrigen Menschheit verborgen sind, das zu schildern würde den Rahmen dieses kurzen Exkurses sprengen und muß daher einer zukünftigen, längeren Erzählung vorbehalten bleiben.

(Märchen und Gleichnisse aus den Tälern von Nysai finden sich in dem von mir herausgegebenen Bändchen »Die Erzählungen des alten Gorfud«, Wolkentor-Verlag, Geesthacht 1980.)

RETTUNG VON BILIL

1

Im Haus der Jungen Hoffnung

2

Im Haus des Alten Mannes*

---

* Es handelt sich hierbei um den ersten, in sich abgeschlossenen Teil eines im Entstehen begriffenen, mehrbändigen phantastisch-erotischen SF-Romans.

Dieses Kapitel
aus
»Rettung von Bilil«
widme ich
Lauras Jünger-Katze
Felizitas

M. M.
9. 1. 1983

1

Im Haus der Jungen Hoffnung

»Die Stärke unseres Staates beruht auf den Grundtugenden unseres Volkes: auf Können, Fleiß, Leistung, Gemeinschaftssinn, Einordnungsfähigkeit, Disziplin ...«

Der RETTER sprach eindringlich, beschwörend, als sage er einen Zauberspruch, als wolle er die Gedanken der Lauschenden in einen Bann zwingen. Bei jedem Substantiv, das er hervorstieß, ruckte er kurz und energisch sein Kinn nach oben und veränderte die Blickrichtung durch kaum merkliche Bewegungen seines fleischigen Nackens, als müsse er in einem riesigen Halbrund vor ihm eine Masse Zuhörer in Augenkontakt halten.

Wie ein Stier in der Arena, der sich auf seine Gegner gefaßt macht, dachte Tom und schaute mit halb gesenkten Lidern unverwandt auf die massige Gestalt, die überlebensgroß die Videowand an der Stirnseite der Aula füllte, wie ein Stier, wie ein alternder Stier ...

Der RETTER klammerte sich mit seinen dicken Händen an die Kanten des Rednerpults und vermied es, Gesten zur Unterstreichung seiner Worte zu machen. Nur dann und wann, in rhetorisch bedeutsamen Pausen, griff er mit der Rechten nach seiner Brille mit dem großen schwarzen Gestell, als müsse er sich überzeugen, daß sie noch vorhanden war vor den müden Augen mit den schlaffen Tränensäcken, und seine Zungenspitze fuhr wie ein flinkes kleines Tier zwischen den Zahnreihen hervor und befeuchtete die trotzig aufgeworfenen Lippen.

»... und deshalb müssen wir mit aller uns zu Gebote stehenden Entschlossenheit und Unnachgiebigkeit darauf beharren: Nur Wissen und Können gibt Recht und schafft Voraussetzungen zur Mitsprache!«

Um weiter den Anschein gleichmütiger Aufmerksamkeit zur Schau stellen zu können, richtete Tom seinen Blick auf die gerunzelte Stirn des Redners, weg von dem unablässig tätigen Mund, weg von den Erschöpfung verratenden Augen. Auf den riesig vergrößerten Wülsten der Stirnfalten dort nahe am oberen

Rand der Videowand zeigten sich verschwommen – aber unverkennbar – Schweißperlen, hervorsickernd aus der ungesund geröteten Stirnhaut des RETTERS.

Sie haben vergessen, die wegzufiltern, dachte Tom. Oder hat der Bildregisseur in der Sendezentrale sie absichtlich im Bild gelassen? Ist er vielleicht ein UNZUVERLÄSSIGER? Tom unterdrückte das ironische Lächeln, das ihm auf die Lippen wollte: Keiner der Lehrer, die an den Seitenwänden der Aula standen und wachsam die vor der Videowand in Reihen aufgestellten Schüler beobachteten, sollte etwas von seinen unpassenden Gedanken erraten können.

Jede Wette könnte ich eingehen: Würde ich nachher zum Präfekten sagen, ich hätte Schweißperlen auf der Stirn des RETTERS gesehen, so würde er das bestimmt ableugnen und statt dessen behaupten, auch heute habe der RETTER wieder Dynamik und Vitalität ausgestrahlt. Und wenn ich widerspräche, dann würde er mich fragen, ob ich nicht in einer gefährlichen Phase sei, ob ich nicht drauf und dran sei, UNZUVERLÄSSIG zu werden ...

Tom straffte seinen Oberkörper und setzte die Miene auf, die man im Haus der Jungen Hoffnung am liebsten an einem intelligenten und dankbaren Schüler sah: jugendlich frische Gläubigkeit, deren ungestümer Enthusiasmus von der erfolgreich antrainierten Selbstbeherrschung im Zaum gehalten wurde und somit nur verhalten, nur wie ein Wetterleuchten in den Augen flackerte.

Der RETTER hatte geendet. Jetzt zeigte das riesige Videobild eine adrett gekleidete und dezent geschminkte, hübsche junge Ansagerin: mit vor Begeisterung vibrierender Stimme (zu forciert, dachte Tom, viel zu forciert, um ehrlich zu sein) rief sie aus:

»Der RETTER des Staates zeigt unserem Land den Weg in die Zukunft und stärkt den Lebensmut aller Bewohner!«

Aus den zu laut eingestellten Klangboxen in den vier Ecken der Aula ertönten die ersten Takte des Vorspiels der Landeshymne. Durch die Reihen der Schüler lief eine Bewegung wie ein Windhauch: Als folgten sie gemeinsam einem geheimen Kommando, atmeten alle gleichzeitig tief und hörbar ein und brüllten dann voller Inbrunst (genau so, wie der Präfekt und die Lehrer es schätzten) das Lied, in dem die treuen Bewohner des Landes dem Schöpfer des Kosmos dafür dankten, daß er diesen Staat und seine weisen Lenker ebenso unerschütterlich und unüberwindlich gemacht habe wie das Firmament des Himmels:

»... wie Dein Himmel so tiefblau!«

Während sie den Refrain wiederholten, schielte Tom aus den Augenwinkeln nach links, zur großen Glasfensterfront der Aula. Von den riesigen geschweiften Kegelstümpfen der Kühltürme drüben jenseits des Campus stiegen Dampfwolken auf; die blaugrauen Silhouetten der Berge am Horizont verschwanden und gingen fast ununterscheidbar in das stumpfe Grau der Wolkendecke über, die sich über dem Land dehnte. Von dem tiefblauen Himmel, den die Zöglinge des Hauses der Jungen Hoffnung in ihrem Gesang als Zeugen des ewigen Bestandes des Landes anriefen, war nicht das geringste zu sehen.

»Kommst du mit zur Spontan-Kreativ-Gruppe?« fragte der Mitschüler, der in der Aula neben Tom gestanden war. Jetzt schoben sie sich in der Menge der anderen langsam zum Ausgang.

»Was gibt's heute?« Tom bemühte sich, Interesse zu heucheln.

»Volkstänze der Gebirgsbewohner als Ausdruck der Lebensfreude der schaffenden Bevölkerung«, schnarrte der andere herunter.

»Hm«, Tom legte den Kopf leicht zur Seite, als müsse er abwägen, »hm – ich glaub, ich geh doch besser nicht mit.« Dann, in einem Ton von Verantwortungsgefühl und reifem Ernst: »Ich muß heut darauf verzichten: ich muß noch lernen. Nächste Woche hat mein Informatik-Team Schlußtest mit einer Online-Realtime-Simulation, da muß ich unbedingt 25 Punkte für mein Semester-Chart erreichen. Damit ich keinen Fehler mach und keinen Punkt verschenk, möcht ich sicherheitshalber den Algorithmus für die Erzeugung der sekundären Daten auswendig lernen. Ich muß auf Nummer Sicher gehn, ich darf keinen einzigen Punkt verlieren, sonst muß ich das Semster wiederholen ...« Toms Stimme klang, als drücke ihn die Sorge um das Semsterzeugnis: ein Semster zu wiederholen galt bei Lehrern wie Schülern im Haus der Jungen Hoffnung als große Schande.

»Du Armer!« Der Kamerad grinste herablassend und mitleidig

zugleich: »Warum hast du auch Kybernetik und Metakommuni-kation als Kernfach gewählt! Warum hast's nicht gemacht wie ich und Industrierobotik genommen – das ist eine handfeste Sache, da wird gebastelt und nicht gebüffelt! Mit so einem abstrakten Zeug muß ich meinen Kopf nicht vollstopfen.«

»Schuld war mein Interesse für Sprachen, für Metalinguistik und so weiter . . .«, murmelte Tom, als gestehe er eine Dummheit ein.

»Na, dann pauk mal schön!« Sie hatten inzwischen den Aus-gang der Aula erreicht. Mit seiner saloppen Abschiedsgeste troll-te sich der andere zu der breiten Treppe, die zu den Kreativräu-men im Souterrain führte. Tom atmete auf. Er war froh, allein zu sein und in sein Zimmer zurückkehren zu können. Er betrat den Schnellaufzug im Vorhof der Aula und drückte auf den Knopf für den obersten, den 17. Stock.

BOARD FULL; ANSWER: END OF GAME (DRAWN) = 1;
EXTENSION OF BOARD = 2

Schon eine ganze Weile starrte Tom unschlüssig auf die unter-ste Zeile seines Bildschirm-Terminals, wo hinter der Kolonne fluoreszierender Leuchtbuchstaben der rhythmisch blinkende Cursor ihn zu einer Entscheidung aufforderte. Sollte er das Spiel unentschieden abbrechen? Oder dem Computer den Befehl ge-ben, das virtuelle Spielbrett zu erweitern, und dann mit seinem Zweikampf gegen das japanische Programm GO-MOKU-NA-RABE fortfahren?

Bis jetzt hatte er gegen den Computer auf dem klassischen Go-Brett mit 361 Schnittpunkten gespielt, und da er sich zu einem ebenbürtigen Gegner des Programms entwickelt hatte, war es nun zum erstenmal zu einem Patt gekommen: So gut wie alle Schnittpunkte waren besetzt, ohne daß einer der beiden Spiel-partner gesiegt hätte. An diesem Unentschieden war er selber schuld, denn beim Aufruf des Programms hatte er die Option LEARNING PROGRAM gewählt und damit dem elektroni-schen Gegenspieler erlaubt, sich seine, d. h. Toms Tricks und Finten zu speichern, zu analysieren und dann in den Mikro-methodenfundus des Gesamtprogramms aufzunehmen. Bei der Option ORDINARY BASIC PROGRAM hätte Tom vermut-lich gesiegt, denn inzwischen waren seine Kenntnisse der Feinheiten des Gobang-Spiels zweifellos genauso gut und umfassend wie die des japanischen Programmierers, der dieses Programm vor einigen Jahrzehnten – noch im letzten Jahrhundert – geschrieben hatte.

ORDINARY zu spielen und somit immer häufiger und schneller zu gewinnen, war langweilig; deshalb hatte Tom diese Option in letzter Zeit kaum noch gewählt. LEARNING PROGRAM war ebenso gelehrig wie der menschliche Spieler; kaum hatte Tom eine neue Finesse ausgeknobelt, da wendete das Programm sie in einem der nächsten Spiele schon gegen ihren Erfinder an – oft erfolgreich. Tom wußte: das Programm konnte nur von ihm lernen, denn im elektronischen Benutzerregister von GO-MO-KU-NARABE fand er immer nur seine eigene Terminal-Identifikation eingetragen. Die wenigen Schüler, die überhaupt gegen den Zentralcomputer des Hauses der Jungen Hoffnung simulierte Brettspiele spielten, wählten nur das Schach-System an; Tom war der einzige, der die exotischen Programme benutzte: Go, Gobang, Shôgi, Kungser, Barbacan. Früher war das anders gewesen; vor vielleicht 20 Jahren mußte es Zöglinge im Haus der Jungen Hoffnung gegeben haben, die sich für solche Spiele interessierten, denn all diese Spielprogramme waren auf Betreiben von Informatik-Schülern aus der Software-Bibliothek des Universalen Staatscomputers (USC) kopiert worden. Daß er jetzt der einzige Benutzer war, machte Tom nichts aus; über Spielalgorithmen unterhielt er sich viel lieber mit den Dialog-Programmen des Schulcomputers als mit seinen Mitschülern.

Wählte er jetzt EXTENSION OF BOARD, so könnte er im zweidimensionalen planen Bereich die Anzahl der Schnittpunkte auf maximal 1444 erhöhen (der Bildschirm faßte übrigens eine Matrix von 80 × 80 Zeichen) und bis zum nächsten BOARD FULL mindestens noch eine Stunde spielen, oder im zweidimensionalen virtuell gekrümmten Bereich das ›Spielbrett‹ in eine Zylinder- oder Kugeloberfläche verwandeln, so daß es in sich selbst überging und durch die Reduzierung bzw. Eliminierung der Kantenpunkte ein noch spannenderes – weil risikoreicheres – Spiel ermöglichte.

Aus dem Kommentarprolog des Spiels wußte Tom, daß es noch eine weitere Dimensionierungsmöglichkeit des GO-MOKU-NARABE gab: Man konnte den Computer auffordern, ein dreidimensionales Spielfeld zu simulieren, einen Kubus mit einem aus drei Koordinaten abgeleiteten Punktgitter. Dazu brauchte man allerdings ein Graphic-Display mit einem 3D-Lichtgriffel; solche Terminals waren jedoch im Haus der Jungen Hoffnung denjenigen Schülern vorbehalten, die sich für einen ingenieurwissenschaftlichen Zweig entschieden hatten.

Und wenn schon dreidimensional, dann lieber gleich mit einem Hologramm-Projektor! tröstete er sich. Ein solches Gerät würde er bestimmt zur privaten Nutzung bekommen, wenn er im nächsten Jahr die achtjährige Ausbildung im Haus der Jungen Hoffnung absolviert und die Aufnameprüfung für ein Studium am Staatsinstitut für Metakommunikation bestanden hatte. Tom wollte sich dann auf Extraterrestrische Linguistik spezialisieren und die Laufbahn eines Wissenschaftlers einschlagen in diesem höchst esoterischen Gebiet, das von einem kleinen Kreis hochintelligenter Sprachtheoretiker in aller Ruhe und Beschaulichkeit bearbeitet wurde. Bislang hatte die Menschheit noch keinen verifizierten Kontakt mit außerirdischen Intelligenzen gehabt; deshalb konnten die ›Kosmolinguisten‹ (wie man die Vertreter dieser Disziplin auch nannte) sich ungestört dem widmen, was sie als Grundlagenforschung bezeichneten: Da man noch nichts wußte über die Denkprozesse und Kommunikationsmethoden außerirdischer Lebewesen, durften die Spezialisten für Extraterrestrische Linguistik auch die abstrusesten Untersuchungen und Spielereien in ihre Forschungen einbeziehen, damit auch das Land des RETTERS auf alle Eventualitäten und Kompliziertheiten interstellarer Verständigung vorbereitet war, wenn einmal die lang erwartete Begegnung mit Bewohnern fremder Welten stattfinden sollte.

Allerdings – zu dieser Begegnung müßten die Außerirdischen schon mindestens bis zur Jupiterumlaufbahn kommen, denn seit der Jahrtausendwende hatten die irdischen Raumfahrtnationen alle Versuche aufgegeben, diese Grenze zu überschreiten; ihre inneren Probleme, wirtschaftliche und soziale Erschütterungen, ließen ihnen nicht mehr die Kraft und die Mittel übrig, die für einen bemannten Flug zur Grenze des Sonnensystems notwendig wären.

Als Stipendiat der Sektion Extraterrestrische Linguistik im Staatsintitut für Metakommunikation würde Tom genügend

Zeit und Muße haben, in den Bereich des dreidimensionalen GO-MOKU-NARABE vorzustoßen. Er war geduldig, er konnte warten.

In seiner systematischen und beharrlichen Art neigte Tom dazu, in einem Fachgebiet Teilbereich um Teilbereich gründlich und methodisch auszuloten und zu einer neuen Stufe erst dann überzugehen, wenn er sich die vorhergehende ausreichend angeeignet hatte. Deshalb hatte er sich auch bis heute auf das Spiel mit dem klassischen 361-Punkte-Brett beschränkt und nur gelegentlich zu Testzwecken die Option EXTENSION OF BOARD eingetippt.

Sollte er ausgerechnet heute den Schritt zur nächsten Stufe tun und beginnen, das EXTENSION-Spiel zu erkunden? Er hatte keine rechte Lust. In seine Gedanken mischten sich immer wieder störend die Worte des RETTERS: »Können, Fleiß, Leistung, Gemeinschaftssinn, Einordnungsfähigkeit, Disziplin, Wissen«, und dann wieder »Können ...« – diese alten, abgedroschenen Schlagworte, die auch der Präfekt des Hauses der Jungen Hoffnung bei jeder Gelegenheit im Munde führte.

Warum mußten die immer und immer wieder diese Drehorgel leiern? Alle Schüler, die im Alter von zehn Jahren ausgewählt worden waren, um in der Eliteschule des Hauses der Jungen Hoffnung auf Spitzenkarrieren in Wissenschaft und Technik, Wirtschaft und Verwaltung vorbereitet zu werden, wußten doch von klein auf, welche Werte hier zählten, woran man sich halten mußte, wenn man die privilegierte Position eines Elitezöglings nicht verlieren wollte. Schülern in Toms Alter (letzte Woche hatte er seinen 17. Geburtstag gefeiert) waren diese ›Tugenden‹ schon in Fleisch und Blut übergegangen. Die Appelle des RETTERS, des Präfekten und der anderen Autoritätspersonen waren überflüssig: Wasser ins Meer geschüttet.

Tom war der dauernden unnötigen Ermahnungen überdrüssig. War er gut gelaunt, dann amüsierte er sich insgeheim über diese Sprüche und lächelte ironisch, hatte er aber einen schlechten Tag, dann ödete die ›immerwährende Litanei‹ (wie er es bei sich nannte) ihn unerträglich an.

War heute ein schlechter Tag? Seine Stimmung stand auf der Kippe. Warum ließen sich die Oberen nicht mal was anderes einfallen? Sollte doch der RETTER einmal über die Bedeutung der

Brettspiele für die intellektuelle Erziehung des Volkes reden – das wäre wenigstens eine Abwechslung!

Dieser Gedanke heiterte ihn auf. Jetzt erlaubte er sich, was er in der Aula tunlichst vermieden hatte: er grinste breit und stieß dann einen fröhlichen Pfiff aus. Schließlich tippte er eine 1 ein (»END OF GAME«), und tätschelte kameradschaftlich seinen Bildschirm: »Unentschieden, alter Freund, aber nur heute! Wart mal ab, morgen – dann ...!«

Die Projektion auf dem Schirm erlosch für einen Sekundenbruchteil, dann erschien.

YOUR DECISION: GAME IS DRAWN – THANK YOU VERY MUCH FOR PLAYING WITH ME – I'M LOOKING FORWARD TO NEXT TIME, und zuletzt, begleitet von einem leisen Piepton, leuchtete in der untersten Zeile: NEXT ORDER? – der Zentralcomputer wartete auf die nächste Anweisung.

Toms Fingerspitzen tanzten ganz leicht über die Tastatur. Sollte er noch weiter seinem Privatvergnügen nachgehen? Oder Übungsaufgaben für die Schule erledigen? Oder heute die lang gehegte Absicht verwirklichen, sich mit dem Systemkommando PEEK den Maschinencode des Programms GO-MOKU-NA-RABE anzuschauen?

Im Haus der Jungen Hoffnung gab es kein Listing des Originalprogrammtexts; vermutlich war GO-MOKU-NARABE in einer der alten Programmiersprachen aus dem vorigen Jahrhundert geschrieben: ALGOL, PASCAL, ELAN oder so. Toms Wunschtraum, die tatsächliche Struktur dieses Programms zu entschleiern, entsprang einem Verdacht, der in ihm aufgekeimt war: Führte nicht der Autor von GO-MOKU-NARABE den Benutzer an der Nase herum mit der Option LEARNING PRO-GRAM? Tom meinte manchmal, das Programm tue nur so, als lerne es noch, in Wirklichkeit aber kenne es schon alle Spieltricks, die er austüftelte, und hake sie nur in der elektronisch gespeicherten Mikromethodenliste ab, wenn der Mensch, dem das Programm zu Diensten war, endlich auch diesen neu-alten Kniff herausgefunden hatte.

War GO-MOKU-NARABE vergleichbar mit einer geduldigen Mutter, die jede triviale Entdeckung ihres kleinen Kindes mit soviel gespielter Überraschung und Anerkennung belohnte, daß das Kind glauben konnte, mit ihm sei zum erstenmal ein Mensch hinter diesen Sachverhalt gekommen, bis es schließlich, größer geworden, feststellen mußte, daß die Mutter alles schon vorher gewußt hatte und daß keine der kindlichen Entdeckungen wirklich etwas Neues für die Welt bedeuteten?

Toms Verdacht wurde genährt durch eine Angabe in der Programmdokumentation: Der japanische Informatiker Jissei Asatani, der das Spielprogramm Ende der achtziger Jahre des vorigen Jahrhunderts entwickelt hatte, nannte als Hauptquelle für seine Kenntnisse des Spiels die 25bändige »Enzyklopädie des Gobang-Spiels«, die der damals berühmte, in seiner Beherrschung des Spiels nahezu legendäre Gobang-Meister Keigyô verfaßt hatte.[*] Außerdem wies er noch darauf hin, daß 1984 in Tôkyô eine englische Auswahlübersetzung erschienen sei, ein 846seitiger Band mit dem Titel »The Concise Encyclopaedia of the Game of Gobang« (hrsg. von Thomas Philemon Morau in der Edition ›The Eye of Phoenix‹). Doch diese Werke waren Tom zu seinem großen Bedauern unzugänglich. Eine Bücherei hatte das Haus der Jungen Hoffnung nicht, und da er noch nicht volljährig war, durfte er die Staatsbibliothek nicht benutzen.

Aber er konnte sich einfach nicht vorstellen, Meister Keigyô habe die Tricks noch nicht gekannt, die er, der Zögling des Hauses der Jungen Hoffnung, sich ausgedacht hatte. Statt dessen vermutete er, alles, was er herausfand, sei schon längst in irgendeinem Programmzweig vorhanden. Um diese Hypothese zu verifizieren, wollte er eines Tages den Maschinencode von GOMOKU-NARABE knacken.

Heute fehlte ihm dafür die nötige Konzentration und Energie. Um eine so knifflige Sache in Angriff zu nehmen, mußte er einen Tag abwarten, an dem er in Hochform war – einen Tag, an dem man ihn nicht gezwungen hatte, sich von einer überflüssigen Ansprache des RETTERS anöden zu lassen.

Mit dem Systemkommando LOCAL koppelte er sein Terminal von der Kommunikation mit dem Zentralcomputer ab, holte sein PRD (Portable Recording Device) von dem Stammplatz neben der Tür (in seinem Zimmer hielt Tom eine pedantische

---

[*] TAKIMORI Keigyô: *Go-moku-narabe Hyakka-jiten*, Verlag Fûmoku-Suppansha, Momoyama 1974–1982.

Ordnung – jeder Gegenstand hatte seinen festen Ort) und schloß es an das Bildschirm-Terminal an.

Mit der Behauptung gegenüber dem Kameraden in der Aula, er müsse noch für den nächste Woche anstehenden Semesterschlußtest seines Teams lernen, damit ihm kein Punkt verlorenginge, hatte er gelogen: schon längst hatte er die für eine gute Gesamtnote erforderliche Punktzahl beisammen; diese 25 Punkte aus dem Schlußtest brauchte er nicht mehr. Doch ein Fernbleiben bei der Team-Simulation wäre aufgefallen; Tom wollte nicht in den Verdacht geraten, er entwickle ›Tendenzen zu UNZUVERLÄSSIGEM Verhalten‹, wie man im Haus der Jungen Hoffnung sagte. Er würde teilnehmen, sich aber wie immer still im Hintergrund halten und nicht durch spektakuläre Vorschläge für eine Verbesserung der Testläufe auf sich aufmerksam machen. Die Probleme, über die das Team mit kindischer Wichtigtuerei diskutierte, erschienen ihm läppisch; über das Niveau der anderen Junginformatiker war er längst hinaus. War nicht die Entschlüsselung von GO-MOKU-NARABE aus dem Maschinencode zurück in die sogar noch unbekannte und sicher altertümliche Originalprogrammiersprache viel anspruchsvoller als diese simplen Echtzeit-Statistiken, an denen das Team mit dilettantischem Eifer herumbastelte?

Doch Toms Devise war: »Sicher ist sicher!« Er überprüfte noch einmal die Programm-Module, mit denen er sich an der Simulation beteiligen sollte. Seine Aufgabe bestand darin, Testdaten zu überprüfen, die als Zeichenketten über ein Interface von einem uralten Satellitenrechner zum Zentralcomputer geschickt wurden. Das Interface würde diese Daten vorsätzlich mit Fehlern und Lücken ›verlausen‹; Toms Programme sollten trotzdem die Regeln erkennen, die den ursprünglichen Datenstrukturen zugrundelagen, dann die künstlich erzeugten Übertragungsstörungen herausfinden und korrigieren, und zuletzt die rekonstruierten Daten in optimal komprimierter Form im Datenpool des Teams abspeichern, von wo dann die Programme der Team-Kollegen sie sich ihrerseits als Eingabedaten holen würden.

Programme für Datentransfer, Umcodierung, Fehlerprüfung, Syntaxanalyse, Strukturerkennung und ähnliche Aufgaben waren Toms besonderes Hobby im Fach Informatik. Er war sich ganz sicher, daß für ihn bei dieser Simulation keinerlei Schwierigkeiten auftreten würden, denn inzwischen hatte er schon die Algorithmen herausgefunden, nach denen diese Testinterfaces die Daten störten; sie erschienen ziemlich einfach im Vergleich zu den Konzepten, nach denen er solche Programme entwickeln würde, wenn ...

Nachdem er seinen privaten Vortest zu seiner Zufriedenheit abgeschlossen hatte, rief er sein elektronisches Notizbuch vom PRD auf den Bildschirm, um zu überprüfen, ob er sich für die Übungen mit den Tutoren, die morgen, Donnerstag, noch anstanden, ausreichend vorbereitet hatte. Doch auch da war alles in Ordnung. Er war fit für die zu bearbeitenden Themen. Kein Zweifel – auch in »Benutzung multilingualer elektronischer Thesauri« und »Theorie und Praxis der Warteschlangenverarbeitung bei automatischer Konsekutivübersetzung« würde er die Semesterscheine mit den besten Noten bekommen.

Er schaltete das PRD wieder ab und versetzte sein Terminal in den Wartezustand, in dem es immer noch über die Datenfernleitung von außen aktiviert werden konnte, wenn jemand ihm eine wichtige Mitteilung zukommen lassen wollte. Außerhalb der festgelegten Schlaf- und Ruhezeiten hatte ein Zögling des Hauses der Jungen Hoffnung immer erreichbar zu sein, wenn er sich schon allein und isoliert in seinem Zimmer aufhielt – was eigentlich nicht sehr geschätzt wurde, denn Erreichbarkeit war ein Gebot der ZUVERLÄSSIGKEIT! Und natürlich auch ein Zeichen von Einordnungsfähigkeit, Disziplin usw. usw. ...

Tom streckte sich wohlig auf seiner Bettliege, rollte sich dann auf den Rücken und verschränkte die Hände im Nacken. Es war Mittwoch; den anbrechenden Nachmittag hatte er frei. Natürlich würde er an keiner der Freizeitgruppen teilnehmen: er haßte dieses gekünstelte Spontan- und Kreativgetue, diesen Leistungsdruck vorgeblicher Ungezwungenheit und Ursprünglichkeit. Lieber wollte er erst einmal nachschauen, was es auf seinen Inseln Neues gab.

›Die Inseln‹ – das waren Flecken an der Decke, genau über der Liege. In zarten Umrissen hoben sie sich rosa und bläulich vom Weiß der übrigen Fläche ab. Das Zimmer war bestimmt schon zehn oder zwanzig Jahre nicht mehr getüncht worden. Da die Schüler darauf gedrillt waren, so schonend und pfleglich wie möglich mit dem Haus und seiner Einrichtung umzugehen, hielten sich die Abnützungserscheinungen in Grenzen.

Doch dort oben schien die Farbe in winzigen Partikelchen abzublättern. Oder sammelte sich langsam Feuchtigkeit in den Zwischenböden? Lag es an der Luft, die über die Klimaanlage ins Zimmer kam? Das Fenster konnte nicht geöffnet werden – kein Fenster im Haus der Jungen Hoffnung konnte geöffnet werden. Führte der schwache, aber unablässige Strom muffiger Luft Substanzen mit sich, denen die Jahrzehnte alte Tünche nicht mehr gewachsen war? Oder handelte es sich um einen Materialfehler? Die berühmte ›Materialermüdung‹? (Wenn Material ermüden kann, dann gibt es doch keine TOTE MATERIE, dachte Tom manchmal, wenn er zu seinen Inseln aufschaute.)

Vor etwa zwei Jahren hatte Tom dieses Zimmer bezogen, sein erstes Einzelzimmer; Einzelzimmer standen im Haus der Jungen Hoffnung den Zöglingen erst ab dem 15. Lebensjahr zu. Kurz darauf waren diese Flecken an der Decke erschienen, in der Mitte der große rosafarbene, den ein Schwarm zartblauer Satelliten umgab, und für Tom war sofort klar gewesen, daß es sich hier um Inseln handelte, die er zu benamsen und mit Zivilisation und Kultur auszustatten hatte.

Schon einmal hatte ihn eine ähnliche Aufgabe beschäftigt: als er noch im Dormitorium der Unterstufenzöglinge schlief. Dort war glücklicherweise sein Bett in einer Ecke gestanden, so daß er im Gemeinschaftsschlafsaal der 25 Schüler seiner Großgruppe nur einen einzigen unmittelbaren Bettnachbarn hatte. Nicht lange nach seinem Eintritt in das Haus der Jungen Hoffnung – er war gerade zehn Jahre alt und kam aus einem Grundschulheim für begabte elternlose Kinder – hatte er sich an einem Sommerabend zur Wand gedreht, um seinem Nachbarn die Tränen zu verhehlen – Tränen des Heimwehs nach der Geborgenheit des Kinderheims. Just in diesem Augenblick hatte die Abendsonne noch einen Lichtfleck auf die Wand geworfen: in seinem Schein entdeckte Tom eine zarte Linie, offenbar von einem seiner Vorgänger mit dem Fingernagel in den Putz gekratzt. Sie sah aus wie der Umriß eines Nashornkopfes: Konturen eines Rhinozeros mit einem nur teilweise ausgeführten riesigen Rumpf und vergleichsweise kleinem Kopf.

Das exotische Tier stand da ganz ruhig und gelassen, beharrlich und ausdauernd; es wurde für Tom zu einem treuen Wächter, einem geduldigen stummen Freund, dem er am Abend wortlos erzählen konnte, was er tagsüber in Schule und Internat erlebt hatte.

Eines Tages, vielleicht ein halbes Jahr nach seinem Eintritt ins Haus der Jungen Hoffnung, erkannte Tom plötzlich, daß der geschwungene Kratzer an der Wand nicht nur den Kopf seines stillen Beschützers darstellte, sondern ebenso die Landkartenskizze eines Vorgebirges oder einer Halbinsel, die von einem massigen, kompakten Kontinent aus in einen unendlichen Ozean hinausragte, nach Westen, gen Sonnenuntergang.

Geographie war, vom Zeitpunkt seines Eintritts ins Haus der Jungen Hoffnung an, eines von Toms Lieblingsfächern. Sofort wurde ihm klar, daß er diese Halbinsel bevölkern und in Länder einteilen mußte. Und ebenso blitzartig und unbezweifelbar war ihm klar, daß dies SEINE Halbinsel war, daß die auf ihr befindlichen Länder darauf warteten, unter seiner Herrschaft zu einem Reich zusammengefaßt zu werden, und daß der Kontinent für die Anderen stand – für alles Andere: für die Mitschüler und ihre Cliquen und Banden, für das Lehrerkollegium, die Unterpräfekten, den Präfekten, für das ganze Haus der Jungen Hoffnung, für das ganze Land, in dem er lebte, bis hinauf zum RETTER, dem allgegenwärtigen und unablässig wirkenden RETTER des Staates, dem unbeugsamen und unbeirrbaren RETTER des Vaterlandes, der seit Menschengedenken (oder zumindest seit Toms Gedenken) schwer und gewichtig, drohend, dräuend und niederdrückend an der Spitze des Landes stand, Staatsoberhaupt, Regierungschef, Führer der ›Vaterländischen Bewegung‹, Gesetzgeber und Oberster Richter in ein und derselben massigen Person.

Toms erste Maßnahme war, mit einer gestrichelten Linie (geritzt mit dem Nagel des kleinen Fingers) eine Grenze zu ziehen zwischen der Halbinsel und dem Kontinent. Dabei bemerkte er leichte Unebenheiten der Putzschicht – gut, daß somit die Grenze größtenteils eine natürliche war, daß eine Hügelkette mittlerer Höhe (er schätzte sie auf etwa 750 m über dem Meeresspiegel) der Halbinsel einen gewissen Schutz bot vor den wilden Horden, die den Rest des Festlands bewohnten und die Zivilisation von Toms Reich immer wieder bedrohten!

Als es darum ging, die Länder zu benennen, die er unter seinem milden und weisen Szepter vereinigt hatte, kam ihm die befreiende Idee, sie als symbolische Abbilder der Schulfächer zu verwenden. Leicht abgewandelt, klangen deren Namen fremdländisch: im Lauf der Jahre gliederte sich sein Reich (von Südosten nach Nordwesten hin gesehen) in die Landschaften Mathéa, Physa, Geogra, Bio, Atletika, Relgî, Lâtin, Ellé, Anglia, Alman, Histur, Kuge und Musa. Die Hauptstadt des Gesamtreichs lag dort, wo Alman, Histur und Anglia zusammentrafen – Deutsch, Geschichte und Englisch waren in der Unterstufe seine besten Fächer; er meisterte sie spielerisch. Kunstgeschichte und Musik bildeten angenehme Küstenregionen, Turnen war ein karges, ödes Land, durch ein schroffes, hufeisenförmiges Gebirge vom Rest des Reiches abgeschnitten. Latein, Biologie, Geographie, Religion – problemlose Mittellandschaften von behäbiger Fruchtbarkeit. Schwierige Fälle waren die drei Grenzprovinzen: Mathematik eine wasserlose Wüste, Physik ein steiniges Gebirgsland, Griechisch ein labyrinthischer Dschungel – alle drei hart umkämpft, immer feindlichen Invasionen (in Gestalt schlechter Noten) ausgesetzt. Kein Wunder, daß Großkönig Tom I. hier seine Hauptenergie einsetzen mußte, um in zähem Ringen immer wieder den Feind aus dem Land zu vertreiben: daß er Mathéas Wüsten mit Bewässerungskanälen durchzog, Physas unwegsame Schluchten mit einem Netz von Saumpfaden und Hängebrücken dem Verkehr erschloß, Ellés wildwuchernde Wälder in eine kultivierte Parklandschaft verwandelte.

Müdigkeit vorschützend, war Tom in der Unterstufen-Großgruppe abends immer der erste im Bett gewesen, und während seine fröhlich lärmenden Zimmergenossen meinten, er schlafe schon, da er ihnen ja so still und unbeweglich den Rücken zukehrte, lag er hellwach da und blickte mit ungeteilter Aufmerksamkeit auf die zunehmend vielfältiger werdende Landkarte seines Reiches, plante seine Strategien und Taktiken für den kommenden Tag.

In der Unterstufe des Hauses der Jungen Hoffnung herrschte eine erbarmungslose, bis ins letzte durchgeplante, auf Leistungsdruck beruhende Auslese der Elitezöglinge nach dem Motto: »Friß, Vogel, oder stirb!« Wozu man vor vier bis fünf Jahrzehnten den Gymnasiasten noch wenigstens acht Jahre Zeit gelassen hatte, das mußte jetzt in fünf Jahren in die jungen Köpfe eingetrichtert werden. Tom hatte diese Herausforderung kompromißlos angenommen, denn für ihn als Waise hing sein Schicksal vom Erfolg im Haus der Jungen Hoffnung ab. Er machte im Laufe der Jahre gerade seine Schwächen zu seinen Stärken – dank unablässiger ›Grenzkriege‹. Als er nach fünf Jahren mit den vier anderen Kameraden, die von der ursprünglichen Großgruppe übrig geblieben waren, in die Oberstufe des Hauses der Jungen Hoffnung übertrat, wählte er die mathematisch-logisch orientierten Fächer zu seinen Schwerpunkten.

Und schon ein paar Wochen nach seinem Einzug in dieses zwar kleine, aber doch so herrlich stille Zimmer waren die Inseln an der Decke erschienen: in der Mitte Caniya, umgeben von den Außenländern.

Auch Caniya war ein Staatenbund und bestand aus sehr unterschiedlichen Ländern wie Moniu, Riva, Pugil, Miri, Bur und Rond, aber es war keine Monarchie, sondern eine Republik. Allerdings stand an der Spitze kein RETTER, sondern ein vom Volk gewählter Präsident (er hieß nie Tom). Ihm standen vier weitere Verfassungsorgane zur Seite: ein Parlament mit 500 gewählten Volksvertretern, ein Senat mit 61 Abgesandten der Bundesländer und Protektorate, ein Ministerrat vom Staatspräsidenten ernannter und von Senat und Parlament mit Vertrauen ausgestatteter Fachleute für Bundesfinanzen, Verkehr, Post, Information, Justiz, Verteidigung, Außenpolitik und Koordination der Bundesländer und Protektorate, schließlich ein Oberstes Gericht, dessen 51 Mitglieder nach einem komplizierten, aber gerechten Schlüssel von den anderen vier Verfassungsorganen auf Lebenszeit bestimmt wurden.

Die Verfassung war natürlich noch viel detaillierter festgelegt und ausgearbeitet, von Tom ausgedacht nach den allerdings verzerrten und spärlichen Informationen, die er im Laufe der Zeit über die Regierungssysteme früherer Epochen hatte sammeln können. In dem Land, in dem er real lebte, gab es Parlament, Senat und Oberstes Gericht schon seit einigen Jahrzehnten nicht mehr. Da der RETTER alles für das Land tat, waren solche Institutionen jetzt überflüssig. ›Ministerrat‹ hieß die Gruppe derjenigen Spitzenleute, die dem RETTER nahestanden und seine Gedanken und Eingebungen dem Volk offenbarten. Der RET-

TER war nämlich viel zu beschäftigt in rastlosem, opferbereitem Dienst an Land und Volk; ihm fehlte die Zeit, selbst vor die von ihm geretteten und geführten Menschen zu treten. Bald 45 Jahre (seit dem Beginn der Neuen Epoche des Landes) verzehrte er sich in uneingeschränkter Hingabe an das Vaterland.

Welche Stellung, welchen Rang das Land des RETTERS im Konzert der Staaten der Welt einnahm, konnte Tom nur schwer beurteilen: die vom Ministerrat herausgegebene Bildschirmzeitung brachte nur selten Meldungen aus der internationalen Politik. Doch von Caniya wußte er, daß es mächtig war: vielleicht allzu mächtig, trotz seiner republikanisch-demokratischen Struktur. Die Außenländer – mittelgroße, kleinere und kleinste Inseln wie Gonitrel, Gotra, Birat, Malik und Kassinat – standen im Schatten des Glanzes von Caniya. Tom war sich nicht klar darüber, ob das gut war oder nicht. Er hatte in der Politik von Caniya nichts zu sagen, war nur Beobachter und Chronist. Sein Herrschertum im Halbinselreich lag schon in grauer Vorzeit verschüttet.

Caniya und seine Trabanten waren keine Symbole für die Erscheinungen in Toms realer Welt, sondern zweckfreies Spiel eines rastlosen Intellekts, der nach stundenlanger konzentrierter Programmierarbeit am Bildschirm Ausgleich und Ablenkung suchte.

Seine Lieblingsinsel war Lilanim (korrekter geschrieben: Lil-'Anim) in der Bucht von Musil, vor der von Caniya abgewandten Seite von Birat, an der äußersten Peripherie des Caniyanischen Archipels.

Lilanim hatte nämlich eine wunderbare Eigenschaft, die es – außer seiner zartgrünen Farbe – von allen anderen Inseln unterschied: es erschien an Toms Zimmerdecke nur, wenn draußen vor dem Fenster Regen fiel oder zumindest graue, regenschwere Wolken am Himmel hingen (was, nebenbei gesagt, an der Mehrzahl der Tage der Fall war). Schien draußen die Sonne, dann war Lilanim verschwunden – an seiner Stelle war dann die Decke makellos weiß.

Und noch eine Besonderheit zeigte Lilanim: Vor etwa einem halben Jahr war es an der Wand neben Toms Bettliege aufgetaucht (auch hier schlief er zur Wand gekehrt), in jener Nacht, als ein Zittern durch das 17stöckige Hochhaus mit den Schülerunterkünften ging – Fernwirkung eines Bebens oder Vulkanausbruchs in einem südlichen Land, wie kurz darauf auf allen Bildschirmen in allen Wohnungen als persönliche Mitteilung des RETTERS zu lesen war.

Die Erschütterung hatte neben Toms Kopf Putz von der Wand rieseln lassen, der Staub machte ihn mehrfach niesen, und als er die Bettleuchte einschaltete, entdeckte er: der neue Fleck war eine vergrößerte Wiedergabe von Lilanim. Und während damals die Insel nicht an der Decke zu sehen war – ihr angestammter Platz südlich von Musil zeigte sich leer und weiß –, war ihr Abbild an der Wand dauerhaft: der herabgebröckelte Putz hatte eine Art Flachrelief hinterlassen.

In jener Nacht begann die Erforschung von Lilanim, und schon in jener Nacht lernte Tom ihre beiden einzigen Bewohner kennen: Liliv und Môt.

Lilanim hatte die Form einer Teichmuschel. Von Norden nach Süden maß die Insel etwa das Doppelte wie von Ost nach West. Tom hütete sich, die genaue Länge und Größe der Insel festzulegen; ihm schien manchmal, sie habe nicht nur die Fähigkeit, bei strahlendem Sonnenschein in andere, noch unerkundete Meere davonzusegeln, sondern auch das Vermögen, sich – vermutlich nach Wunsch des auf ihr lebenden Paares – weit auszudehnen und großräumigen Landschaften Platz zu gewähren; vielleicht geschah das in jenen Phasen, da Lilanim weit vom Caniyanischen Archipel entrückt war.

Lag Lilanim in der bescheidensten Ausdehnung unscheinbar (und deshalb für die übrigen Reiche des Archipels bedeutungslos) in der Bucht von Musil, so war trotz der geringen Größe seine Oberfläche vielfältig und abwechslungsreich. Kam man über das Meer auf die Insel zu, so zeigte sie rundum eine steile, schroffe Felsküste, die nicht zum Landen einlud. Nur im Süden zog sich der Felshang an einer Stelle vom Wasser zurück und ließ Raum für einen schmalen, mit Kies übersäten Strand, der durch einige im Halbkreis vorgelagerte Felsenriffe und die zwischen ihnen gurgelnden Strudel gegen einen Zugang von der offenen See abgeschirmt war.

An Lilanims Nordspitze gab es eine enge, tunnelartige, von

schweren Felsbögen überdachte Einfahrt, die während der Flut völlig unter Wasser lag und auch bei Ebbe nur in einem schmalen Boot von einem ganz und gar mit ihren Tücken und Gefahrenstellen vertrauten Ruderer durchfahren werden konnte. So waren selbst die seetüchtigsten Bewohner der nördlichen Nachbarinsel Birat der Meinung, Lilanim (sie nannten es *Hakkan*, »Kahlfels«) sei nichts als eine unfruchtbare Klippe, die nur Vögeln eine Heimstatt bot. Auf den Landkarten der Föderation von Caniya war Hakkan – hatte man es überhaupt des Eintragens wert gehalten – ein lächerlicher Tintentupfer, für den kein Mensch Interesse zeigte.

Der Nordtunnel führte nach innen zu einer weiten, nicht allzu tiefen Bucht; sie nahm zusammen mit ihrem breiten, goldgelben Sandstrand gut ein Fünftel der Inselfläche ein. Im Süden stieg der Strand sanft zur Hochebene an; von dort schickte ein kleiner Süßwassersee sein überschüssiges Wasser in einem schmalen Flüßchen hinunter zur Bucht, seinerseits gespeist von einer Vielzahl von Bächen aus den noch höher gelegenen Wäldern und Hainen. Im Osten kamen die Wälder nahe an den See heran: dort ging das schilf- und binsenreiche Ufer über in ein Buschwerk tragendes Sumpfland. Westlich des Sees erstreckten sich Wiesen auf sanft gewelltem Erdreich; Laubbäume, einzeln stehend oder in kleinen Gruppen, säumten das Grasland und verdichteten sich, je weiter man nach Westen schritt, zu einem lockeren Waldgürtel.

Die höchsten Erhebungen von Lilanim waren ein Berggipfelpaar im Süden, zwischen denen eine baumbestandene Schlucht zum Kiesstrand führte: der Ostgipfel spitz, von scharfkantigen Felsen gebildet, der Westberg abgerundet: wie ein riesiger steinerner Kürbis, der mit seiner oberen Hälfte aus der Erde ragte.

Tom hatte, mit gleichsam göttlichem Blick auf die Insel hinabschauend, Lilanim im Laufe der Zeit noch mit vielen Details ausgestattet; jetzt kannte er schon fast jeden ihrer Grashalme, jeden einzelnen ihrer Kieselsteine.

Dort also lebten Liliv und Môt wie Adam und Eva in ihrem Paradies. Wie waren sie auf die Insel gekommen? Tom wußte es nicht. Und mit einem gleichgültigen Achselzucken hätte er auch auf die Frage geantwortet (sofern es überhaupt jemanden gegeben hätte, der sie hätte stellen können), wie lange die beiden dort schon wohnten. Vielleicht hatten Liliv und Môt seit jeher dort gelebt? Vielleicht gehörten sie zu der Insel wie die Berge, der See, die Bucht, wie die Bäche, der Fluß mit seinem Wasserfall und die Wälder? Bis jetzt hatte er noch keinen Antrieb gehabt, solchen Fragen auf den Grund zu gehen. Auf Lilanim zählte nur die Gegenwart. Vergangenheit war dort bedeutungslos. Liliv und Môt alterten auch nicht oder doch wenigstens so unmerklich, daß Tom in den Jahrhunderten, die er die beiden inzwischen kannte, so gut wie kein Älterwerden an ihnen wahrgenommen hatte; in irdischen Begriffen ausgedrückt mochten sie noch keine zwanzig Jahre alt aussehen.

Môt glich, oberflächlich gesehen, Tom (der von Zeit zu Zeit nach Lilanim hinabstieg und in Môts Leib zu Gast war, wie ein griechischer oder indischer Gott in den entsprechenden Mythen), war aber keineswegs so blaß und schmal wie der Zögling des Hauses der Jungen Hoffnung, sondern von kräftiger, athletischer Statur und gesunder, brauner Hautfarbe – schließlich bewegte er sich ja den größten Teil des Tages unter der freundlichen Sonne jener Welt.

Liliv war … nein, Liliv die Schöne konnte nicht mit Worten beschrieben werden. An Grazie des Körperbaus und Anmut der Bewegungen, an harmonischem Ebenmaß des Gesichts und an Sanftheit der Stimme übertraf sie alle Frauen. Obwohl Tom nur wenige Frauen und noch weniger Mädchen kannte (im Haus der Jungen Hoffnung gab es keine Schülerinnen; auch der Lehrkörper bestand nur aus Männern), war er doch fest überzeugt, daß in keiner der beiden Welten ein weibliches Wesen lebte, das auch nur von fern an Lilivs Vollkommenheit heranreichte. Selbst die Götter aller heidnischen Himmel – und seien sie noch so mächtig in ihren Herrschaftsbereichen – wären vor Lilivs Angesicht zu verlegen stotternden Büblein geworden und hätten alles in der Welt, *alles* in *allen* Welten darum gegeben, auch nur die Füße dieses Weibes küssen zu dürfen.

Doch Liliv hatte Augen nur für Môt; deshalb suchte nie eine fremde Gottheit Lilanim heim. Wenn allerdings Tom in Môts Leib zu Gast war (oder Môts Gestalt angenommen hatte? – nicht immer wußte er, wie dies geschah, war jedoch bei seinen Besuchen auf Lilanim nie Môt wie einem Dritten gegenübergestanden), so machte das für Liliv keinen Unterschied – für sie waren Môt und Tom offenbar ein und derselbe.

Über Metakommunikation und Programmierung konnte Tom mit Liliv nicht sprechen; sie verstand davon nichts, denn auf Lilanim gab es – im Gegensatz zum technisch hochentwickelten Caniya – keine Computer. Und das fand Tom ganz in der Ordnung, denn dort hätten diese Maschinen ja keinerlei Aufgabe zu erfüllen gehabt. Dank der üppig fruchtbaren Vegetation aller nur erdenklichen Arten eßbarer Pflanzen und früchtetragender Bäume brauchten Liliv und Môt nicht zu säen und nicht zu ernten. Das gleichbleibend milde und sonnige Klima der Insel enthob ihre zweisamen Bewohner auch der Notwendigkeit, Kleidungsstücke herzustellen. Sie hatten Zeit und Muße, alle ihre Wege zu Fuß, ohne Hilfe von Fahrzeugen, zurückzulegen. Nein, auf Lilanim gab es für alle die technischen Einrichtungen, ohne die man in Toms realer Welt nicht leben konnte, keinerlei Bedarf.

Heute konnte Tom Liliv und Môt nicht entdecken, als er aus kosmischen Fernen auf Lilanim hinabblickte. Vielleicht schweiften sie durch die Wälder? Er mußte ihnen auch ihr eigenes Leben lassen; es erschien ihm unrecht, die beiden ähnlich unentwegt zu überwachen, wie dies der Präfekt und dessen Mitarbeiter gegenüber den Schülern des Hauses der Jungen Hoffnung taten. Und nachdem er einige Zeit seine Blicke über den restlichen Caniyanischen Archipel hatte wandern lassen, wußte er, daß sich dort gegenwärtig nichts ereignete, was seiner Aufmerksamkeit wert gewesen wäre.

Er stand auf und setzte sich an seinen kleinen Tisch. Sollte er lesen?

›Lesen‹ bedeutete im Haus der Jungen Hoffnung normalerweise das Lesen am Bildschirm, auf den man jeden gewünschten Text aus den Öffentlichen Wissensspeichern holen konnte. Schon vor der Jahrtausendwende hatte der RETTER das längst veraltete System des Buchgebrauchs abgeschafft und jedem der in allen Haushalten sowieso obligatorischen Kabelfernsehgeräte (obligatorisch zum Empfang der vom Ministerrat herausgegebenen Bildschirmzeitung und zur regelmäßigen Übertragung der Ansprachen des RETTERS) mit einem Zusatzmodul Anschluß an die vom Staat erstellten Wissensspeicher gegeben. Alle privaten Terminals der Schüler im Haus der Jungen Hoffnung waren mit diesem Modul ausgestattet. Damit konnte man auf assoziative Weise die Kataloge der Öffentlichen Wissensspeicher durchsuchen und dann die gewünschten Texte abrufen.

Der große Vorteil dieses Systems, so hatte der RETTER seinem Volk klargemacht, bestand darin, daß die Öffentlichen Wissensspeicher immer auf dem neuesten Stand waren und somit nicht veralten konnten wie etwa Bücher. Überdies gab es nicht mehr die Unsitte früherer Zeiten, daß über jedes Thema unzählige Bücher herausgegeben wurden von miteinander konkurrierenden Verlagen, die sich unverantwortlicherweise gegenseitig mit immer neuen Titeln das Wasser abzugraben suchten. Jetzt bot sich für jedes Wissensgebiet *ein einziger*, perfekt gefütterter Wissensspeicher an – keinesfalls mehrere, die sich dann womöglich noch widersprochen hätten wie früher die Bücher. Der Staat sorgte dafür, daß die in den Öffentlichen Wissensspeichern enthaltenen Informationen absolut ZUVERLÄSSIG waren. Dieser vom RETTER geschaffene Service hatte vor allem die heilsame Wirkung, daß es jetzt nicht mehr möglich war, das Volk mit falschen Behauptungen zu verwirren, wie es im vorigen Jahrhundert besonders bei Büchern politischen oder geschichtlichen Inhalts oft geschehen war. Früher hatte ja jeder, der wollte, Bücher herstellen können, und die Kräfte, die die Zersetzung des Volkes von innen heraus betrieben hatten, brachten damals mit ihren UNZUVERLÄSSIGEN Publikationen viele Unwahrheiten in Umlauf und viel Unruhe ins Volk.

Diese Gefahrenquellen hatte der RETTER trockengelegt. Jeder Bürger konnte die öffentlichen Wissensspeicher befragen und dabei absolut sicher sein, wahre und ZUVERLÄSSIGE Informationen zu erhalten, denn nur die besten Fachleute eines Wissensgebietes erhielten vom Ministerrat die Befugnis, Fakten in die Öffentlichen Wissensspeicher einzugeben bzw. das Gespeicherte auf den jeweils neuesten Stand zu bringen.

Tom allerdings machte schon öfter an seinem Bildschirm bei der Befragung der Wissensspeicher die ihn irritierende Erfahrung, daß ihm keineswegs alle Speicherabteilungen zugänglich waren: Besonders dann, wenn er Auskünfte über geschichtliche, geographische oder politische Sachverhalte wünschte, teilte ihm der Verbindungscomputer des Wissensspeichernetzes immer wieder mit:

GEWÜNSCHTE INFORMATION IST VOLLJÄHRI-

GEN INHABERN VON BILDUNGSZERTIFIKAT A VOR-
BEHALTEN! SIE SIND MINDERJÄHRIG UND NOCH
IN AUSBILDUNG – NEHMEN SIE BITTE VON SOL-
CHEN ANFRAGEN ABSTAND!

›Lesen‹ hatte für Tom noch eine zusätzliche, höchst private
und ganz anachronistische Bedeutung: Ohne daß es irgend jemand im Haus der Jungen Hoffnung wußte, war er im Besitz
echter Bücher aus dem vorigen Jahrhundert. Ausgerechnet in
seinem eigenen Zimmer hatte er sie gefunden, als hätten sie hier
schon im Verborgenen auf ihn gewartet.

In einer der Nächte nach dem Auftauchen der ›Inseln‹ hatte Tom
nicht schlafen können. Er lag da und blickte mit dem Auge des
Geistes in jene ferne, weite, vielfältige Welt, in der es diese Insel-
gruppe und die auf ihr wachsenden und wieder zerfallenden
Reiche gab. Wie eng war dagegen doch die wohlvertraute und bis
ins Kleinste geregelte Welt des Hauses der Jungen Hoffnung, wo
nur noch wenig zu erforschen und zu entdecken war – ausgenommen die abstrakte Welt der Computer, der Informatik und
der Metakommunikation.

Aber war es nicht möglich, daß Caniya, Gotra, Gonitrel und
Kassinat, Malik und Birat irgendwo tatsächlich existierten in diesem Milliarden Lichtjahre messenden Universum? Menschen der
Erde würden die Existenz jener Welt nie beweisen können; von
Raumfahrt jenseits der Jupiterbahn sprach niemand mehr. Aber
ebenso könnte auch nie jemand die *Nichtexistenz* der Caniyanischen Welt beweisen … Mit diesem logischen Argument wußte
Tom seine rationale Seelenhälfte zu beschwichtigen: so durfte er
guten Gewissens an der Erforschung von Caniya und vor allem
von Lilanim weiterarbeiten.

Jene Nacht war eine der wenigen Nächte, in denen der Wolkenschleier am Himmel aufriß und vom Wind in Fetzen geblasen
wurde. Durch das große, vorhang- und jalousielose Fenster
konnte Tom die Sterne in ihrer unermeßlichen blinkenden Fülle
sehen. Er drehte sich um und stützte sich am Fußende seines Bettes auf die Ellbogen, das Kinn auf die verschränkten Hände gelegt, und blickte hinaus zum nächtlichen Firmament. Unter diesen Abermillionen von Sonnensystemen schien bestimmt irgendwo eine Sonne auf einen Planeten, in dessen Ozean die Inseln von

Caniya schwammen. Und die Fleckenlandkarte an der Zimmerdecke zeigte ja nur einen Ausschnitt aus einer Hemisphäre jenes Planeten. Ein Planet ist rund – wie mochte wohl die restliche Oberfläche aussehen? Und wie hieß der Planet überhaupt? Hatte er auch einen Mond? Einen Mond, vergleichbar dem irdischen?

Tom rutschte ein wenig nach vorn und verlagerte sein Gewicht auf den rechten Ellbogen, um noch einen Blick von der Mondscheibe zu erhaschen, die schon aus dem Feld seines Fensters nach oben gewandert war. Den Mond holte er mit seinen Augen nicht mehr ein, doch sein Ellbogen meldete ihm, daß es in dieser unteren rechten Ecke seines Bettes eine ungewöhnlich harte Stelle gab, ein kleines Rechteck von etwas mehr als Handlänge. Tom hob neugierig die Matratze hoch und entdeckte, daß hier eine kleine Taschenbuchkassette versteckt war, von irgendeinem seiner unbekannten Vorbewohner zurückgelassen. Vergessen? Oder mit Absicht?

Die Bücher waren alt: es handelte sich um eine in der Mitte der achtziger Jahre des vorigen Jahrhunderts gedruckte Sonderausgabe der vier Romane von Wolfgang Bermund:

»Wahrnehmungen eines Träumers«
»Barfuß durch das Weltall«
»Nichterlebte Memoiren«
»Die Bibliothek des Dr. Nocturnus«

In jener Nacht fand Tom keinen Schlaf mehr, und auch in den folgenden Nächten schlief er nur wenig: er las die vier Bücher wie ein Süchtiger in einem Zug, jede Minute voll nutzend, die ihm der Stundenplan des Hauses der Jungen Hoffnung ließ. Es waren die ersten echten Bücher, die er in Händen hielt ...

Er hütete sich, irgend jemandem im Haus der Jungen Hoffnung von seinem Fund zu erzählen. Erführe der Präfekt durch einen seiner Zuträger davon, so würden die Bücher bestimmt konfisziert. Privater Bücherbesitz war verpönt – ein Zeichen von UNZUVERLÄSSIGKEIT! ZUVERLÄSSIGE Staatsbürger lieferten Bücher, die sie etwa durch Erbschaft erhielten oder beim Stöbern auf Dachböden fanden, unverzüglich bei der Staatsbibliothek ab, wo man die Bücher dann zum Wohle des Volksganzen verwahrte und sachkundig auswertete.

Überdies waren die Bücher, die Tom gefunden hatte, nicht nur

Bücher schlechthin, also veraltete Medien der Informationsvermittlung, sondern – noch schlimmer! – *Romane*, d. h. Druckwerke mit vorsätzlich UNZUVERLÄSSIGEM Inhalt, »realitätsferne Vorgaukelungen verwirrter Gehirne«, wie der RETTER sie in einer Ansprache genannt hatte.

Noch vor der Jahrtausendwende hatte ja der RETTER diesem Unwesen der Wirklichkeitsverfälschung ein Ende gemacht. Soweit die Verfertiger von Romanen und ähnlichen Machwerken nicht das Land verlassen hatten, waren sie einer produktiveren Beschäftigung zugeführt worden.

Das erste Mal hatte Tom die vier Romane (insgesamt gut 2000 Seiten) gelesen, um selber zu erfahren, was es mit dieser gefährlichen Wirklichkeitsverfälschung auf sich habe, vor der er, wie alle Zöglinge des Hauses der Jungen Hoffnung, immer wieder gewarnt worden war (obwohl doch bisher gar keine Gelegenheit bestanden hatte, mit diesem Unwesen in Berührung zu kommen). Mit dem Argument, er lese sie nur, um ihre Gefahren besser einschätzen zu können, beruhigte er sein Gewissen, das ihn mahnte, die Verheimlichung seines Fundes sei ein Verhalten, das zu UNZUVERLÄSSIGKEIT führe.

Nachdem er die Bücher gelesen hatte, wollte und konnte er sie erst nicht abgeben. Die in ihnen auf UNZUVERLÄSSIGE Weise geschilderten nie stattgefundenen (also WIRKLICHKEITSFERNEN) Ereignisse hatten begonnen, sein Denken zu beschäftigen. Tom machte sich nichts mehr vor: innerlich war er jetzt UNZUVERLÄSSIG geworden. Von jetzt an mußte er ein bewußtes Doppelleben führen. Niemand durfte spüren, daß seine Gedanken sich mehr und mehr von den Lehren des RETTERS entfernten.

Wieder und wieder mußte er in den Büchern nachschlagen, um durch das Wiederlesen eines Abschnittes Antworten auf die vielen Fragen zu finden, die sich – anfänglich wider Willen, dann aber mehr und mehr mit Zustimmung seines sich wandelnden Gewissens – unaufhörlich in seinem wißbegierigen Geist bildeten:

Mit welchen Methoden war es dem TRÄUMER gelungen, Menschen auf den Straßen, in öffentlichen Verkehrsmitteln, in Restaurants für sein Traumbewußtsein geistig so

zu ›fotografieren‹, daß er ihnen dann in der darauffolgen-
den Nacht im Traum begegnen und sich mit ihnen unter-
halten konnte, als seien sie real anwesend?

Welche Vorbedingungen waren zu erfüllen und an wen
müßte man sich wenden, um die Kunst, BARFUSS
DURCH DAS WELTALL zu wandern, erlernen zu
können?

Auf welche Weise hatte der Ich-Erzähler der NICHT-
ERLEBTEN MEMOIREN all diese Dinge über seine
angeblichen früheren Existenzen herausgefunden, von de-
nen er berichtete – bis hin zu seinem ersten Leben in der
Mittleren Steinzeit?

Wie konnte DIE BIBLIOTHEK DES DR. NOCTUR-
NUS, des geheimnisvollen Altabtes Dr. Ambrosius Mitt-
nacht, alle Bücher der Welt umfassen, obwohl sie Platz
fand in einem kleinen Saal eines aufgelassenen Klosters aus
dem späten Mittelalter?

Zwar verstand Tom nicht, warum in ihm das Gefühl wuchs,
diese Bücher hätten, so UNZUVERLÄSSIG ihr Inhalt auch sein
mochte, doch etwas zu tun mit der WIRKLICHKEIT – oder
mit irgendeiner *besonderen Art* von WIRKLICHKEIT? Doch er
gab diesem Gefühl Raum in seinem Inneren, denn sonst hätte er
ja seine Beschäftigung mit Caniya und Lilanim auch zur ›reali-
tätsfernen Vorgaukelung eines verwirrten Gehirns‹ erklären
müssen. Wo war überhaupt ein Unterschied zwischen den Erfin-
dungen, die der Romanschreiber Wolfgang Bermund zu Papier
gebracht hatte, und den Entdeckungen, die Tom mit der Kraft
seiner Phantasie in der fernen Welt von Caniya gemacht hatte?
UNZUVERLÄSSIG im Sinn des RETTERS war doch wohl das
eine wie das andere. Er gewann geheime Freude, Schadenfreude
sozusagen, als sein Bücherfund ihm verhalf, dem Öffentlichen
Wissensspeicher für Kultur einen Fall von UNZUVERLÄSSIG-
KEIT nachzuweisen (den er aber leider niemandem mit ironischen Kommentaren mitteilen konnte) – auf seine Anfrage nach
einem Autor des vorigen Jahrhunderts namens Wolfgang Ber-

mund bekam er die Antwort: UNTER DEN VERFASSERN VON BÜCHERN IM 20. JAHRHUNDERT IST EIN /WOLFGANG BERMUND/ NICHT NACHWEISBAR: WAR OFFENSICHTLICH NIE EXISTENT.

Es war das erste Mal, daß Tom an der ZUVERLÄSSIGKEIT der Öffentlichen Wissensspeicher zweifelte. In diesem Fall wußte er es besser: Schließlich besaß er vier Bücher mit dem Namen jenes ›nie Existenten‹, hier in seinem Zimmer, versteckt unter der Matratze seines Bettes, genau dort, wo er sie gefunden hatte.

Jetzt kannte er die vier Romane schon fast auswendig, so oft hatte er sie gelesen. Und er machte immer wieder die seltsame, gleicherweise irritierende wie beglückende Erfahrung, daß es trotzdem nicht langweilig wurde, die Bücher aufs neue zu lesen. Jede Lektüre vermittelte ihm neue Einsichten und Erkenntnisse: nicht nur in die fiktiven Welten jenes Wolfgang Bermund, sondern auch in seine eigenen, tief verborgenen Wünsche und Träume.

Hätte er noch die gleiche ursprüngliche naive Loyalität zum RETTER und zum Haus der Jungen Hoffnung besessen, die er beim Übertritt in die Oberstufe mitbrachte, so wäre es ihm auch dann völlig unmöglich gewesen, seiner Pflicht zu gehorchen und die Bücher beim Präfekten abzugeben. Zu sehr waren sie schon ein Teil seines Lebens geworden, ein Teil seines *geheimen* Lebens, das er vor allen anderen, Lehrern wie Schülern, Tutoren wie Kameraden, in diesem wohlgeordneten und so gut überwachten Haus verborgen hielt, verborgen in seinem Herzen, verborgen in jenem tiefen Abgrund, aus dem die farbigsten und lebendigsten Träume aufsteigen.

Heute, an diesem anbrechenden freien Mittwochnachmittag, hatte er trotz seiner Liebe zu Wolfgang Bermunds Erzählungen nicht den Antrieb zum Lesen: ihm fehlte jetzt jene Ruhe und Gesammeltheit, die für seine Art des Lesens notwendig war.

Irgend etwas, das er noch nicht erkennen konnte, hatte in ihm zu arbeiten begonnen wie ein verborgener Fremdkörper, ein Gefühl der Beunruhigung war aufgekommen, als sei er dabei, etwas zu versäumen oder zu verfehlen, das für sein Leben von höchster Wichtigkeit wäre.

Mit wem konnte er über dieses dunkle, unverständliche Gefühl sprechen? Wer konnte ihm helfen zu begreifen, was irgendwo tief drinnen in ihm vorging? Im Haus der Jungen Hoffnung gab es dafür niemanden: Vor den Mitschülern über seine Gefühle zu sprechen war Tom unmöglich, und den Tutoren konnte er nicht vertrauen – würden sie nicht diese Anwandlung als ein Symptom beginnender UNZUVERLÄSSIGKEIT deuten und dem Präfekten Meldung machen? Dann würde eine ausgiebige Befragung folgen, und da drohte die Gefahr, daß er sich verplapperte, daß er – ohne zu wollen – von den verborgenen Büchern erzählte, von den verborgenen Inseln, von den verborgenen Zweifeln am RETTER und am System des Hauses der Jungen Hoffnung.

Tom stand auf und trat ans Fenster. Es schien, als gelänge es heute der Sonne noch, den Wolkenschleier zu durchbrechen: da und dort mischten sich Flecken von milchigem Weiß in das schmutzige Grau. Die 130 m hohen Kühltürme des Regionalkraftwerks ließen die sich am Horizont abzeichnenden Berge wie einen lächerlich kleinen Scherenschnitt erscheinen. Sein Blick fiel auf den Streifen verwilderten Ödlands hinter den Sportplätzen am Rande des Campus: wo früher Obstbauern Gartenland kultiviert hatten, verlief jetzt eine Schutzzone zwischen dem Haus der Jungen Hoffnung und dem weit verzweigten Kraftwerkskomplex. Warum Schutzzone? hatte Tom sich gefragt, als er dieses Wort zum ersten Mal hörte. Was mußte vor wem geschützt werden? Die Schule doch gewiß nicht vor dem Kraftwerk, das war doch absolut sicher – sagten wenigstens der Präfekt und der RETTER ... Oder etwa der Energiekomplex vor den Eliteschülern?

Wie dem auch sei, Tom hatte dieses verwahrloste Gelände liebgewonnen, samt seinen alten, verwilderten Bäumen und Haselnußbüschen, den üppig wuchernden Brombeersträuchern und baumhoch aufgeschossenen Dornenhecken, denn dort lebte, in einem kleinen Holzhaus, ein Mann, ein alter Mann, DER ALTE MANN, wie Tom ihn bei sich nannte. Und Tom war der einzige unter den Schülern des Hauses der Jungen Hoffnung, der von dem Ödlandbewohner wußte. Durch einen Zufall, auf der Suche nach einem verirrten Pfeil jenseits der Begrenzung des Übungsplatzes für Sportbogenschießen, hatte er herausgefunden, daß jemand dort lebte, offenbar geduldet von der Verwaltung des Kraftwerks, aber auf einem Gebiet, dessen Betreten den Schülern streng untersagt war. Der alte Mann war freundlich zu Tom gewesen, hatte ihn in sein Haus eingeladen, mit ihm gesprochen in einer Weise, wie noch nie einer der Lehrer oder Tutoren, und ihm erlaubt, ihn wieder zu besuchen, wann immer er wollte. Tom wollte natürlich, denn es gab Bücher – viele, viele Bücher! – in jenem Haus, und der Alte hatte ihm sogar einen geheimen Pfad gezeigt, auf dem er, ausgehend von der Rückseite des Sportgerätehauses, schnell und ungesehen das Haus in der kleinen Wildnis erreichen konnte.

Schon etliche Male hatte Tom von diesem Angebot Gebrauch gemacht, so gefährlich es auch war, falls jemand sein unerlaubtes Verschwinden aus dem Campus-Bereich bemerkte.

Sicher hätte er den Alten als seinen Freund bezeichnet, wenn dieses Wort noch seine alte Bedeutung gehabt hätte. Jetzt mußten sie ja den RETTER ihren ›Freund‹ nennen: »Freund der Jugend, die die Zukunft trägt« ...

Ja, er mußte mit dem Alten Mann sprechen: mit dem einzigen Menschen, dem er seine Gefühle anvertrauen konnte, dem einzigen, von dem er Rat erhoffen durfte für die Bewältigung der im eigenen Innern schwelenden Unruhe. Er verließ sein Zimmer und fuhr hinab. An der großen Glastür schob er seine Identifikationskarte in den Schlitz des Türkontrollterminals und preßte – wie vorgeschrieben – seinen rechten Daumen an den Erkennungssensor.

GRUND FÜR AUSGANG? leuchtete es rot im schmalen Sichtfeld des Terminals. Er tippte »2-0-4« auf der Zifferntastatur: den Code für ›Freiwillige Körperertüchtigung am freien Nachmittag‹.

SCHÜLER 29-5-43: AUSGANG BIS 17 UHR! antworteten die Dioden. Lautlos fuhr die schwere Türscheibe zur Seite.

Tom trat nach draußen, zog die frische Luft in seine Lungen und ging mit schlendernden Schritten los, in Richtung auf das Sportgelände.

2

Im Haus des Alten Mannes

Tom blieb stehen auf dem schmalen Pfad zwischen Brombeerranken, Schlehen und Weißdornbüschen. Den größten Teil des Dickichts hatte er hinter sich; jetzt mußte er einen Augenblick verschnaufen, denn die erste Strecke war er durch das Gestrüpp gehastet, damit ja keiner der anderen auf dem Sportplatz ihn zwischen dem wilden Grün verschwinden sah. Der Lärm der spielenden Schüler drang nur noch schwach, wie aus weiter Ferne, an sein Ohr. Ein anderes Geräusch war lauter: aus der Richtung, wo das Haus des Alten Mannes lag, kam ein rhythmisches Quietschen.

Vorsichtig Fuß vor Fuß setzend ging Tom langsam weiter. Der Pfad machte einen scharfen Knick nach rechts, und nach ein paar Dutzend Schritten hatte er die kleine Lichtung in der Buschwildnis erreicht, auf der das ebenerdige Holzhaus stand. Ein Saum von nahezu mannshohen Johannisbeer- und Stachelbeersträuchern bildete die Grenze zwischen dem Gestrüpp und dem freien Platz; die überreifen Früchte markierten den Übergang von der Wildnis zu der kleinen menschlichen Enklave mit einer unsichtbaren Mauer aus sauersüßem Duft. Frei war der Platz um das Haus nur von Sträuchern und Büschen, die sein Bewohner in diesem Bereich nicht zu dulden schien; dafür standen auf der Wiese aus fetten Gräsern und Kräutern Obstbäume so dicht an dicht, daß ihre Kronen fast einen durchgehenden Baldachin um das Haus spannten: Äpfel und Birnen, Quitten, Zwetschgen und Morellen.

Das Quietschen klang von der anderen Seite des Hauses. Tom schlich langsam an der Wand entlang bis zur Regenrinne an der Ecke, dann konnte er sehen: zwischen den Kronengabelungen zweier benachbarter Bäume war eine Eisenstange waagrecht befestigt, und auf der Schaukel, die daran hing, saß der Alte und schwang sich hinauf und hinab; jedes Mal, wenn die Schaukel den Wendepunkt erreicht hatte und wieder zurückfiel, quietschte sie kurz auf.

Der Mann kehrte Tom den Rücken zu; er schien ganz versunken in sein Tun, als gebe es jetzt nichts Wichtigeres auf dieser Welt als das Auf und Ab der Schaukel. Tom wußte am Ende nicht mehr, wie lange er mit seinen Augen den Bewegungen gefolgt war, als der Alte schließlich genug hatte und die Schaukel langsam ausschwingen ließ. Mit einem energischen Ruck sprang das alte Kind herab, wandte sich behende um und schaute Tom ins Gesicht.

»Grüß dich, Tom! Willst auch auf die Schaukel?«

Tom schüttelte den Kopf, verlegen, weil er glaubte, sein alter Freund müsse denken, er habe ihn heimlich belauschen wollen; doch das Gesicht des Mannes zeigte keinerlei Anzeichen eines solchen Argwohns.

»Ich wollte nur«, Tom wußte nicht, wie er sein unklares Anliegen so unvermittelt in Worte kleiden sollte, »ich wollte nur...« Er stockte.

»Du wolltest nur mal bei mir vorbeischaun, nicht wahr?« lachte der Alte. »Gut, komm herein in die gute Stube! Ich freue mich, daß du gekommen bist. Ich hab dich erwartet.«

Mich erwartet? Wieso? Der Gedanke, seine gelegentlichen Besuche könnten dem Einsiedler zwischen den Weißdornhecken so viel bedeuten, daß er ihn regelrecht erwartete, war Tom bisher noch nie gekommen.

Die Wände in dem Zimmer, das der Alte als seine ›gute Stube‹ bezeichnete, waren vom Boden bis zur Decke von Bücherregalen verdeckt; nur die zwei Fenster hinaus auf den Platz mit der Schaukel und die ihnen gegenüber befindliche Tür zum kleinen Flur waren ausgespart, aber selbst über der Tür und über den Fenstern gab es noch Bretter mit Büchern. Wieviele Bücher mochten in diesem Raum sein? Bei seinen früheren Besuchen hatte Tom einige Male versucht, sie heimlich zu zählen, während der Alte draußen in der Küche Tee bereitete, aber er hatte es immer wieder aufgegeben. Ihn schwindelte bei der Vorstellung, der Gastgeber habe dies alles gelesen: sein Kopf mußte ja vollgestopft sein mit einer irren Menge UNZUVERLÄSSIGEN, verbotenen Wissens.

»Bei Ihnen sieht es aus wie in der Bibliothek des Dr. Nocturnus!« war es ihm bei seinem ersten Besuch entfahren.

»Wie in der Bibliothek des Dr. Nocturnus?« Der Alte hatte ihn scharf angeschaut: »Was meinst du damit? Woher kennst du diese Bibliothek?«

Einen Augenblick lang hatte Tom sich gefürchtet, sein heimlicher Bücherbesitz könnte von diesem Mann dem Präfekten des Hauses der Jungen Hoffnung angezeigt werden, doch im nächsten Atemzug war ihm aufgegangen, daß der Alte ja ihn, den Schüler, dann genauso fürchten müßte: hatte er nicht noch viel mehr Bücher hier in seiner Behausung, war er somit nicht noch viel UNZUVERLÄSSIGER als Tom? Und so hatte er doch von seinem Fund erzählt, und der Alte hatte gelacht und ausgerufen: »Das ist gut, das ist wirklich gut, daß du diese Bücher gefunden hast!« Von da an hatte Tom empfunden, sie beide seien jetzt so etwas wie Komplizen.

Bei seinen Besuchen hatte der Alte ihn nach Belieben in den Büchern stöbern und das eine oder andere herausnehmen und anschauen und ein wenig darin herumlesen lassen. Aber Tom hatte sich nie getraut, eines der Bücher zum Ausleihen zu erbitten: schließlich wäre es auch zu gefährlich gewesen, Bücher in das Haus der Jungen Hoffnung hinein- und später wieder herauszuschmuggeln. Hätte man ihn je dabei erwischt, so wäre damit nicht nur sein Verbleiben im Haus der Jungen Hoffnung verwirkt gewesen, sondern – viel schlimmer noch! – er hätte bestimmt die Freundschaft des Alten Mannes verloren, und die war ihm jetzt doch so kostbar.

Tom setzte sich auf das alte, abgewetzte Sofa am Tisch in der Mitte des Zimmers, mit Blick auf die Fenster, und sog langsam den eigentümlichen Duft dieses Raumes ein. Hier roch die Luft nicht steril wie im Haus der Jungen Hoffnung, wo man kein Fenster öffnen konnte und für Frischluft auf die Klimaanlage angewiesen war: hier mischte sich Geruch von Erde mit dem alten Holzes, vom Obstgarten wehte eine wilde, gärige Süße herein und begegnete dem unaufdringlichen Duft still gilbenden Papiers, in den Zimmerecken schwebten noch Spuren von Pfeifenrauch, durch den Türspalt kam aus der Küche eine Vorankündigung des aufgegossenen Früchtetees.

Jedesmal, wenn Tom auf dem schäbigen Sofa in dem alten Holzhaus saß, war ihm, als entferne sich mit jedem Atemzug, mit dem er die Luft dieses verborgenen Ortes in seinen Körper holte, das Haus der Jungen Hoffnung; je intensiver er die eigenartige Duftmischung dieses Raumes durch seine Nüstern zog, desto unwirklicher erschienen ihm die Erinnerungen an den Lebensumkreis, in dem er sich noch bis vor einer knappen halben Stunde aufgehalten hatte.

»Dack! Dack!« rief eine Amsel irgendwo draußen zwischen den Zweigen, ging dann – »Tix tix!« – ins Schelten über und brach schließlich nach einem erschreckt schrillen »Gaigigigigigigix!« ab.

Tom hatte, sich der Wahrnehmung des Duftes hingebend, seine Augen halb geschlossen; ein weicher und zugleich kraftgeladener Laut – »Wapp!« – vom Fenster her ließ ihn die Lider aufreißen. Auf dem linken Fensterbrett saß Felizitas, die große blauschwarze Katze, und äugte ins Zimmer. Tom kam es vor, als mustere sie ihn spöttisch mit ihren kühlen, grünlich-gelb schimmernden Augen und prüfe, mit welcher Stimmung er hier in ihrem Reich aufgetaucht sei. Schließlich, als ihre Neugierde befriedigt schien, begann sie sich zu putzen, leckte ihre Pfoten und ihren Rücken, als sei seine Anwesenheit ganz und gar belanglos, und am Ende duckte sie sich zusammen und schloß die Augen, als schlafe sie; doch dann und wann teilten sich die Lider zu einem schmalen Spalt, als wolle sie sich vergewissern, daß sie nichts von etwaigen Vorgängen im Zimmer versäumte.

»Ist das Ihre Katze?« hatte Tom bei seinem ersten Besuch gefragt; der Alte Mann hatte laut gelacht und gesagt: »Nein, eine Katze gehört immer nur sich selbst, aber sie meint, ich sei ihr Mensch.«

»Und warum haben Sie diese Katze mit einem Namen ausgestattet, obwohl sie Ihnen gar nicht gehört?« Mit dieser Frage hätte Tom den Alten gern in einen Widerspruch verwickelt. Doch der hatte wieder mit einem Lachen geantwortet: »Nicht ich habe ihr den Namen gegeben; sie selbst hat mir vor langer Zeit einmal gesagt, daß sie so heißt: Felizitas.«

»Die Katze hat Ihnen das gesagt?«

»Ja, manchmal spricht sie zu mir, in Vollmondnächten«, hatte der Alte zu erzählen begonnen, in einem Ton, als rede er über das Selbstverständlichste von der Welt, »denn früher einmal war sie ein Menschenweib, eine Zauberin, aber als sie alt wurde und den Unfug des menschlichen Lebens nicht mehr ertragen wollte, da verwandelte sie sich in diese Katze, und wenn sie will, kann sie immer noch nach Menschenart reden. Doch nur ganz selten will sie. Sie ist zufrieden mit dem Katzenleben – warum sollte sie sich noch in menschliche Angelegenheiten einmischen?«

Obwohl Tom nicht wußte, was er von dieser Erklärung halten sollte (meinte der Mann das wirklich, was er da sagte, oder glaubte er, er könne ihn auf den Arm nehmen?), hatte er nie mehr versucht, der Sache auf den Grund zu kommen, denn jedesmal, wenn er mit dem Mann über Felizitas sprach, war die Katze herangekommen und auf ihren Stuhl gesprungen und hatte die beiden Menschen aufmerksam aus ihren großen Augen angeschaut, als verfolge sie gespannt die Entwicklung des Gesprächs.

Jetzt fuhr Felizitas mit einem Ruck hoch und sprang (wieder weich und kraftgeladen zugleich) ins Zimmer und ging auf den Alten zu, der mit einem Tablett zur Tür hereinkam.

»Heut gibt's Hagebuttentee, selbstgemacht«, sagte er und stellte zwei alte Tassen und eine bauchige Kanne auf den Tisch. »Es ist der letzte Hagebuttentee, den ich noch hab. Den trink ich mit dir!«

»Der letzte?« fragte Tom. Was wollte der Alte damit sagen?

»Ja, der allerletzte!« erwiderte der Mann bestimmt. »Wir wollen ihn in Ruhe und Aufmerksamkeit trinken. Reden können wir später immer noch.«

Wie bei allen Tees im Haus des Alten Mannes gab es auch zu diesem keinen Zucker. Tom war schon daran gewöhnt. Er genoß die milde Säuerlichkeit, obwohl es ihm fast bei jedem Schluck den Mund verzog. Sie saßen einander nicht gegenüber, denn auf der Fensterseite des Tisches waren nie Stühle aufgestellt. Der Gastgeber hatte an dem von Tom aus gesehen rechten Ende des Tisches Platz genommen, Felizitas saß auf dem gegenüber stehenden linken Stuhl. Ihre Augen folgten wachsam jeder der Bewegungen, mit denen die beiden Menschen ihre Tassen hoben und wieder senkten.

Nachdem sie die Kanne schweigend leergetrunken hatten – für Tom war das Haus der Jungen Hoffnung schon in weiter Nebelferne –, stand der Alte auf und holte sich von einem Bord eine Pfeife samt Tabaksdose und einem Holzkästlein, in dem er seine Rauchutensilien aufbewahrte.

»Bevor wir reden, stopf ich mir noch eine«, sagte er, »mit der vorletzten Prise Tabak, die noch übrig ist.«

Das Zeremoniell, zu dem der Alte Mann das Pfeifenrauchen machte, hatte Tom schon öfter beobachten können, aber es faszinierte ihn heute wie beim ersten Mal, wo der Einsiedler jede seiner Hantierungen mit Erläuterungen begleitet hatte wie: »Das Pfeifenrauchen ist eine Übung im Umgang mit den Elementen. Ja, die alten Chinesen betrachteten auch das Holz als ein Element, als das erste der Elemente sogar, und das erste, was ich brauch, ist das Pfeifenholz. Da lerne ich, wie man mit dem Element des Holzes umzugehen hat. Und dann kommt das Feuer, und wenn ich einziehe: das ist die Luft. Wenn ich auf Feuer und Luft recht achtgebe, dann geht es dem Holz gut.«

»Und wo bleiben die Elemente Wasser und Erde?« hatte Tom gefragt.

»Wasser«, hatte der Pfeifenraucher mit verschmitztem Grinsen erklärt, »ist mein Speichel, ist das Kondenswasser, der Tabaksaft. Auf dies Element muß ich auch achthaben, sonst geht beim Rauchen nix.« Und dann, als er nach einer Stunde die Asche aus der erloschenen Pfeife kratzte, sagte er, auf den Aschenbecher zeigend: »Schau her, das ist die Erde. Nicht wahr, Pfeifenrauchen heißt: mit Hilfe von Feuer und Luft und unter Beherrschung des Wassers bringe ich im Holz Erde hervor. Und die alten Chinesen haben noch das Metall«, er hielt seinen Pfeifenstopfer hoch, »als ein Element gesehen, und auch das hat beim Pfeifenrauchen seine Funktion.« Auf Toms verdutzten Blick hatte er gelacht und angefügt: »Jaja, es geht halt nichts über die gute alte Alchymie, und selbst so ein geringes Werk wie der Genuß des brennenden Krautes ist eine Übung der Königlichen Kunst. Aber . . .« – er schaute Tom mit gespielter Strenge an – »noch ist die Pfeife nichts für dich, denn wer vom Weibe noch nichts weiß, kann mit der Pfeife noch nicht umgehen. Solch eine Pfeife ist ein Weib aus Holz, und sie kennenlernen und mit ihr zurechtkommen ist fast so schwer wie mit einem Weib aus Fleisch und Blut.«

Darauf hätte Tom allerhand erwidern mögen: Daß in einer Männergesellschaft wie im Haus der Jungen Hoffnung wohl kaum Aussicht bestünde, den Umgang mit einem Weib aus Fleisch und Blut zu erlernen. Oder: Wo denn das Weib bei ihm sei, dem einsiedlerischen Hagestolz, der nach eigenem Bekunden schon mehr als drei Jahrzehnte allein in diesem Holzhaus lebte. Aber Tom hatte nichts dergleichen gesagt, denn wie bei vielen Aussprüchen des Alten war er sich auch bei diesem nicht im klaren, wieviel Ernst der Mann tatsächlich in seine Worte gelegt hatte, oder ob nicht alles nur ein Scherz war. Gerade diese Ungewißheit über die wahren Hintergedanken machten ihm diesen Alten so anziehend, so schätzenswert. Beim Präfekten des Hauses der Jungen Hoffnung wußte er nur allzu gut, was der meinte, und wußte es schon, bevor der Präfekt nur das erste Wort ausgesprochen hatte.

Heute enthielt sich Toms Gastgeber jeglichen Kommentars, während er die Pfeife richtete und anzündete, als vollziehe er eine heilige Handlung. Als dann die ersten Rauchwölkchen würzig duftend zur Zimmerdecke schwebten (aufmerksam verfolgt von den Augen der Katze), stand der Alte auf und holte aus einem der unteren Regalfächer einen altertümlichen Kassettenrekorder hervor, ein Gerät von Ausmaßen, die heute ein komplettes PRD mit seinen Rechen- und Speichermodulen umfaßte. Er stellte das altmodische Ding auf den Tisch und sagte: »Ich glaub, die Batterie reicht noch für soviel. Bevor wir reden, hören wir uns noch ein wenig Musik an.«

Tom hatte nichts einzuwenden: auch dies hatte schon zur Tradition seiner Besuche im Haus des Alten Mannes gehört, daß der ihm mit seinem alten Kassettengerät Musik längst vergangener Zeiten vorspielte. Heute allerdings schien dies eine besondere Bedeutung zu haben, denn bevor er den Apparat startete – der Zeigefinger lag schon auf der Einschalttaste –, gab er (was er sonst nie getan hatte) einen Hinweis darauf, was für ein Stück er Tom jetzt hören lassen werde:

»d-Moll . . . Bach-Werke-Verzeichnis 596 . . . Variationen über ein Thema von Vivaldi . . .« Und dann, nach einer sekundenlangen Pause, während der Greisenfinger auf der abgeschabten Metalltaste leicht zitterte: »Hab ich selbst gespielt . . . vor mehr als vierzig Jahren . . .«

Während Tom der Orgelmusik lauschte, die aus dem alten schwarzen Kasten hervorsprudelte, war ihm, als gäbe es den zeitlichen Abstand von vierzig Jahren gar nicht, als wäre er in dem Augenblick, in der Kette von Augenblicken zugegen, da diese Orgel wirklich spielte, oder als spielte die Orgel jetzt, hier in diesem alten, duftgeschwängerten, mit Büchern vollgestopften Raum. Der Alte Mann hatte nie etwas davon verlauten lassen, daß er vor langer Zeit selbst ein Instrument gespielt hatte, ja, daß er ein regelrechter Orgelvirtuose gewesen sein mußte, wie diese Aufnahme bewies.

Tom wendete seinen Blick vorsichtig nach rechts, zu dem Einsiedler. Der saß kerzengerade auf seinem Stuhl (die hohe, senkrechte Lehne berührte er nicht einmal), hatte aber die Augen geschlossen und zog an der Pfeife nur soviel, wie nötig war, damit sie nicht ausging. Auch er fühlte sich anscheinend in die Zeit zurückversetzt, in der er diese Töne der Königin der Instrumente entlockt hatte: mit jedem Akkord, mit jeder Tonfolge wirkte sein runzeliges, graubraunes Gesicht jünger – als verwandle das andächtige Lauschen ihn zurück in den Mann am Zenith seines Lebens, der er gewesen sein mußte, als er diese Aufnahmen einspielte. Diese augenfällige Verjüngung schien tatsächlich stattzufinden – würde nach den Schlußfloskeln der Orgel sein alter Freund um vier Jahrzehnte jünger aufstehen? Verwirrt und befremdet wandte Tom den Blick ab; zugleich erschien es ihm unziemlich, fast unkeusch, die Wirkung zu beobachten, die die Gegenwart der Musik und die Erinnerung an die Vergangenheit auf den Zügen des Alten zeitigte.

Tom schaute nach links zu der Katze – und mußte unwillkürlich lächeln: Als ahme sie ›ihren Menschen‹ nach, saß die Katze ebenfalls kerzengerade aufgerichtet, ganz Ohr für die Töne, die im Raum vibrierten. Auch sie hatte die Augen geschlossen – oder fast geschlossen: ein paarmal sah es aus, als blinzele sie ganz leicht, um sich der Haltung ihres menschlichen Gegenübers zu vergewissern.

Tom blickte durch die Fenster in den Garten. In diesem Moment, in dieser Zeitspanne der Zeitlosigkeit, wünschte er sich aus tiefstem Herzen, die Zeit ließe sich tatsächlich um vier Jahrzehnte zurückdrehen und er könnte – so wie er jetzt war – damals leben: damals, als es noch kein Haus der Jungen Hoffnung gab, damals, als der RETTER noch nicht der RETTER war, damals, als viele Menschen noch vom Flug zu fremden Sternen und von ähnlichen Abenteuern träumten. Damals, als das Leben noch vielfältiger und bunter gewesen war als heute, als der Besitz von Büchern noch nicht als Zeichen von UNZUVERLÄSSIGKEIT gegolten hatte und die individuellen Lebensäußerungen der einzelnen Menschen noch nicht der nahezu lückenlosen Kontrolle durch Präfekten und Tutoren und Universale Kommunikations-Terminals unterworfen waren.

Tom seufzte leise. Es ließ sich nicht ändern, daß er in dieser späten, schalen Zeit lebte: er mußte sich damit abfinden, einen Ausweg gab es nicht – nicht einmal den Ausweg des Alters, denn bis er so alt wäre wie etwa dieser Mann hier, standen ihm noch mehr als sieben lange Lebensjahrzehnte bevor.

Die Orgeltöne verebbten: das Stück war zu Ende. Mit einem Griff, dessen Flinkheit in seltsamem Kontrast zu seiner vorhergehenden Versunkenheit stand, schaltete der Alte das Gerät aus, zog dann ein paarmal heftig an seiner Pfeife und blies dichte Rauchwolken ins Zimmer.

Tom wandte sich langsam dem Einsiedler zu und schaute ihm ins Gesicht: er trug jetzt wieder die vertrauten Greisenzüge. »Das – das haben Sie gespielt?« fragte er gedehnt. In seiner Stimme klang die Bewunderung, die er dem Orgelspieler entgegenbrachte.

Der Alte paffte erst noch einige kräftige Züge, bevor er zur Antwort ansetzte: »Ja, das habe ich gespielt, als ich ein Mann ›in den besten Jahren‹ war, wie man so sagt.« Er lachte wieder, doch in diesem Lachen schwang ein Ton von Bitterkeit mit. Hatte die Musik in ihm Emotionen aufgewühlt, derer er nun erst Herr werden mußte?

»Waren Sie Musiker?« versuchte Tom vorsichtig das Gespräch in Gang zu halten.

Der Alte schwieg, als habe er die Frage nicht gehört oder als sei ihm das Rauchen jetzt wichtiger als das Reden. Nach einer Weile (die für Tom einer kleinen Ewigkeit gleichkam) sagte er schließlich: »Nein, ein Musiker war ich nicht, das heißt: kein Musiker von Beruf. Liebhaber schon, *amateur, dilettanto, musicam amans, musicâ delectans* ...« Er stopfte langsam seine Pfeife nach und zündete sie noch einmal mit einem Streichholz an, mit dem letzten der fünf Hölzchen, die er sich zu Beginn bereitgelegt hatte. (Tom erinnerte sich, wie der Alte bei seinem ersten Besuch gesagt hatte: »Ich gehöre zur Schule der Fünf Hölzer: das fünfte Streichholz ist das letzte; damit muß ich auskommen für eine Pfeifenfüllung.«)

›Das letzte‹ – dieses heute so häufig gefallene Wort ließ ein Unbehagen in Tom aufsteigen: wollte der Alte ihm mit dieser penetranten Wiederholung andeuten, dies sei heute das letzte Mal, daß er ihn besuchen konnte? Er schob den Gedanken beiseite und sammelte seinen Mut zu einer Frage, die er schon lange stellen wollte, die er aber immer wieder zurückgehalten hatte, weil er – ohne genau sagen zu können, warum – das Gefühl hatte, der Alte würde sie als aufdringlich empfinden: »Aber was waren Sie dann eigentlich – früher ...?«

Der Greis schaute Tom in die Augen. In seinen Mundwinkeln spielte ein amüsiertes Lächeln: »Ich war ... das heißt eigentlich: ich bin ...«

Er hielt inne, als müsse er überlegen, ob er dieses Geheimnis dem Jungen verraten dürfe, dann machte er eine wegwerfende Geste und blies eine Rauchwolke aus, als wolle er sich hinter dem zartblauen Schleier verbergen: »Ach was, heute kann ich es dir ja sagen, also: ich bin ...« – und er nannte einen aus der Geschichte vor der Jahrtausendwende nur allzugut bekannten Namen. Tom war starr vor Staunen: wenn das stimmte, was der Alte Mann sagte – und es gab keinen Grund, warum er ihn anlügen sollte –, dann war sein Gegenüber einer der engsten Mitarbeiter des RETTERS gewesen, damals vor fast vierzig Jahren, als der RETTER die Regierung des Landes neu gestaltete. Und dann müßte er eigentlich doch schon tot sein – hatte Tom nicht im Geschichtsunterricht gelernt, dieser Mann, der zugleich der Begründer des Hauses der Jungen Hoffnung gewesen war, sei vor drei Jahrzehnten von einem verbrecherisch UNZUVERLÄSSIGEN, von einem Feind der Regierung des RETTERS, ermordet worden?

Der Alte Mann schien sich an Toms Verblüffung zu weiden: mit einem spitzbübischen Grinsen, das nicht nur die Lippen, sondern auch Wangen und Augenwinkel kräuselte, schmauchte er stillvergnügt seine Pfeife weiter.

»Aber ... aber ... Sie leben ja noch!« stieß Tom schließlich hervor.

»Ja, ich weiß, was man dir drüben in dem Käfig beigebracht hat«, sagte der Alte endlich und sein Gesicht wurde ernster, »aber es ist die Wahrheit: ich lebe noch und der RETTER lebt schon lange nicht mehr.«

Diese Feststellung steigerte Toms Verwirrung auf den Gipfel: hatte er nicht heute vormittag erst den RETTER höchst lebendig auf der riesigen Videowand reden sehen?

»Unfug, Lug und Trug!« erwiderte der Einsiedler. »Ich sage dir die Wahrheit, du kannst mir glauben: den RETTER gibt es schon lange nicht mehr. Was die euch da vorspielen, sind nichts anderes als uralte Archivaufnahmen. Die wahren Herrscher dieses Landes halten sich im Hintergrund; sie beuten den Mythos des RETTERS aus und verstecken sich hinter seiner breiten und unanfechtbaren Gestalt.«

Der Alte wurde gesprächig: er erzählte Tom, der RETTER sei schon ein Jahrzehnt vor der Jahrtausendwende gestorben, einen ganz banalen Tod: sein fettes Herz hatte eines Tages einfach aufgehört zu schlagen. Doch die Clique der engsten Mitarbeiter des RETTERS, farblose Gestalten, die ihren Rang nur ihrer bedingungslosen Botmäßigkeit gegenüber der allgewaltigen Führerfigur verdankten, hätten nicht gewagt, dem Volk die Wahrheit mitzuteilen über das entstandene Vakuum, und sie hätten es für den Fortbestand ihrer Herrschaft nützlicher empfunden, den RETTER mit Hilfe der Videoprojektionen und Kabelkommunikationsterminals weiter im Bewußtsein der Volksmasse leben zu lassen. Dieses System habe sich, wie man ja sehen könne, bewährt: Gegen Worte des RETTERS Kritik zu äußern, würde niemand im Lande wagen, und kein Nachfolger in der Position des Ersten Mannes bräuchte sich vor den Augen der an den RETTER gewöhnten Öffentlichkeit an dieser überragenden, übermächtigen Gestalt messen.

»Und wer sind dann die Leute, die das Land wirklich regieren?« wollte Tom wissen.

Der alte Mann schüttelte kurz und energisch ruckend den Kopf und preßte die Lippen aufeinander, als sei diese Frage nicht der Antwort wert. Nach einigen Atemzügen Schweigen sagte er dann: »Komm, reden wir lieber von mir und von dir, denn dies ist das letzte Mal, wo wir so beieinander sitzen.«

»Das letzte Mal? Warum?« Tom schreckte hoch.

»Ach weiß du«, das Lächeln des Alten hatte jetzt eine Beimischung von Wehmut, »damals bin ich nicht gestorben (entgegen dem, was du in der Schule gelernt hast), sondern man hat mich kaltgestellt, weil ich es zum wiederholten Male gewagt hatte, den

RETTER zu kritisieren. Man sicherte mir zu, ich würde für den Rest meines Lebens unbehelligt bleiben, wenn ich nur von der Bühne verschwände, denn schließlich hatte ich mir doch zu viele Verdienste um den RETTER und sein System erworben, als daß man mich liquidiert oder eingesperrt hätte. Liquidieren hat der RETTER kaum jemanden lassen – dazu hatte er zuviel abergläubische Angst vor den Seelen der Toten –, aber eingesperrt wurden auf seine Weisung viele. Ich habe mich selbst eingesperrt, hier in diesem Refugium, und ich habe versucht, zu tun, was ich konnte, ohne zu tun ...«

Er fiel ins Schweigen zurück und rauchte, in Gedanken versunken, seine Pfeife zu Ende. Tom schien es, als wolle der Alte den Mund nicht mehr zum Sprechen auftun. Deshalb bohrte er weiter: »Warum ist das heute das letzte Mal, daß ich Sie besuchen kann?« Wußte der Alte etwas aus dem Haus der Jungen Hoffnung: sollte Tom etwa in ein anderes Internat versetzt werden – und der Alte hatte das über irgendwelche verborgenen Kanäle erfahren?

»Tom, damals bin ich nicht gestorben, aber jetzt spüre ich, daß ich bald sterben werde. Ich habe jetzt mehr als neunzig Jahre auf diesem Buckel, und ich weiß, daß ich in wenigen Tagen aus dieser Welt weggehen muß. Ich freu mich darauf, denn hier bin ich nur noch ein Überbleibsel, ein Fossil, das man gerade noch geduldet hat. Dort aber ...« Er schwieg wieder, viele Herzschläge lang, und seine Augen schauten in die Ferne, als könne er schon sehen, wohin er aus dieser Welt weggehen würde. Dann sprach er langsam weiter, den Blick auf seinen jungen Gast richtend: »Es schmerzt mich aber auch, daß ich gehen muß, zum Beispiel wegen dir, Tom. Wenn ich noch jünger wäre, hätten wir noch viel miteinander reden, viel voneinander lernen können, aber das war uns, scheint's, nicht bestimmt. Und trotz dieses Schmerzes freue ich mich doch, daß ich wenigstens ein bißchen von dem abtragen konnte, was ich früher da aufgehäuft habe.« Er wandte sich in die Richtung, wo das Haus der Jungen Hoffnung lag und deutete abschätzig mit der erloschenen Pfeife: »Ich fühle mich mitverantwortlich für den Unfug, der dort getrieben wird. Von diesem Karma haftet vieles auch an mir.« Dann kratzte er mit aller Sorgfalt und Aufmerksamkeit die Asche aus dem Pfeifenkopf, stand auf und trat mit dem Aschenbecher zum Fenster.

176

»Asche zu Asche, Erde zu Erde!« rief er und schüttete die schwarzen Krümelchen hinaus in den Garten. Dann drehte er sich wieder Tom zu und sagte: »Ja, so ist das eben, Tom. Mutter Erde will diese alten Knochen wiederhaben und in sich aufnehmen, das spüre ich ganz deutlich. Vorher aber möchte ich dir noch ein Geschenk machen, damit du mich nicht vergißt, wenn meinen alten Korpus der Rasen deckt.« Er breitete die Arme aus und wies mit den ausgestreckten Händen auf die Bücherreihen an den Wänden: »Ein Buch kannst du dir aussuchen und mitnehmen, als Erinnerung an mich.« Er setzte sich wieder auf seinen Stuhl.

›Ein Buch? Warum nur ein Buch?‹ schrie eine Stimme in Tom auf. Wenn es stimmte, daß der alte Mann bald sterben würde, warum vermachte er dann nicht alle Bücher ihm, dem einzigen Hinterbliebenen, für den sich Tom hielt? Solange er noch im Haus der Jungen Hoffnung lebte, konnte Tom doch immer wieder hier ins Dickicht schlüpfen und in der Bibliothek sich der fortdauernden Gegenwart ihres früheren Besitzers versichern?

Als könne er die Gedanken des jungen Mannes lesen, sagte der Alte bestimmt und ruhig: »Mehr als ein Buch bringst du in den Käfig nicht hinein. Und wenn man weiß, daß ich nicht mehr bin, wird man das Haus hier schnell abreißen, und von den Büchern bleibt nichts übrig. Es geht nicht anders. Du mußt wählen.«

»Kommen dann diese ganzen Bücher in die Staatsbibliothek?« Tom wußte, daß die Gesetze vorsahen, wie mit Büchern in einem Nachlaß zu verfahren sei: sie gingen ausnahmslos in Staatsbesitz über, und es hieß, sie würden in der Staatsbibliothek für das Volksganze aufbewahrt.

»Ach Tom, eine öffentlich zugängliche Staatsbibliothek gibt es schon lange nicht mehr!« sagte der Einsiedler mit einem nachsichtigen Lächeln über soviel jugendliche Naivität. »Die Staatsbibliothek ist nur noch für eine kleine Clique da, und alle Bücher, die denen unnütz erscheinen, werden schlicht und einfach verbrannt.«

»Dann werden auch diese Bücher hier alle verbrannt, wenn Sie einmal nicht mehr am Leben sind?«

»Ja.« Der Alte nickte ernst. »Alle werden verbrannt, bis auf das eine, das du auswählst. Das Element des Feuers wird triumphieren – aber nicht restlos: die Luft, der Wind, die werden in deiner

Gestalt eines der Bücher retten. Und deshalb mußt du gut überlegen, welches du mitnimmst, welches Buch du über das Feuer siegen läßt.«

Toms Blick wurde wässerig, vor Schmerz und Wut, als er mit den Augen die Buchreihen in den Regalen absuchte, um das Eine Buch zu finden, das er vor dem Untergang retten würde. Welches sollte er denn nur nehmen? Welches war mehr wert als die anderen, weiter seiner vorgegebenen Bestimmung zu dienen? Der fahrige Blick blieb immer wieder hängen an Bänden, auf die Tom schon früher ein begehrliches Auge geworfen hatte: »Macht und Geheimnis der Pflanzen« von Brendan Behane, dem Kunstband »Feminine Beauty« von Kennetth Clark, dem dicken Foliant der »Encyclopaedia Bramlitzeriana«, dem geheimnisvollen »Buch der Blüten« wie dem nicht minder geheimnisvollen »Buch vom Auge des Phönix« und ... und ... und ...

In einer Mischung aus Zorn und Ohnmacht starrte Tom auf diejenigen Bücher, die sich von selbst von der Wahl ausschlossen, weil sie aus mehreren Bänden bestanden: »The Well at the World's End« von William Morris, »Bi-Yän-Lu – Die Niederschrift von der Smaragdenen Felswand«, »Die Chroniken der Großen Sonne An-Râ«, »The Collected Works of J. R. R. Tolkien«, oder sogar die »Viae et Vitae Merlini Magi Semper Redivivi« von Vallis Matutina und ... und ... und ...

Tom war ratlos, hilflos: Nach welchem Kriterium sollte er auswählen? Wie könnte er jetzt in diesem Augenblick schon sicher wissen, welcher von den -zigtausend Bänden, die hier gestapelt waren, sich wirklich als der wichtigste, absolut unverzichtbare erweisen würde? Die Qual der Wahl hatte er in seinem bisherigen Leben kaum erfahren: nur selten hatte er bisher zu wählen gehabt, und wenn überhaupt, dann zwischen zwei Alternativen, die er klar abwägen konnte. Aber nun erlebte er zum ersten Mal die Höllenqual der Unfähigkeit zur Entscheidung: er saß regungslos auf dem ärmlichen Sofa, aber in seinem Inneren tobte ein Chaos widerstrebender Wünsche und Befürchtungen.

Schließlich wandte er sich dem Alten zu und starrte ihn stumm an. Er versuchte, in seine Augen einen stillen Vorwurf zu legen: ›Warum haben Sie mir das angetan? Warum haben Sie nicht selber einfach ein Buch genommen und es mir geschenkt? Und warum haben Sie mir überhaupt gesagt, daß alle anderen Bücher vernichtet werden? Dieses Wissen ist es doch, was die Sache für mich so unendlich schwer macht.‹

Mit nicht dem geringsten Zeichen in seiner Miene verriet der Alte, ob er diese Gedanken ebenfalls hatte lesen können, ob er ahnte, in welchen Konflikt er Tom gestoßen hatte. Statt dessen zeigte er lächelnd zum Fenster und sagte im allerruhigsten Ton: »Schau hin, jetzt bekommen wir noch einen Besuch!«

Durch das offene linke Fenster kam ein gelber Schmetterling hereingeflattert. Langsam flog er mehrere Runden in der Zimmermitte, als wisse er genau, wo er sich befand, als habe er sich keineswegs verirrt in die menschliche Behausung, sondern als gehöre auch die ganz selbstverständlich zu seinem Lebensbereich.

»Was für ein Schmetterling ist das?« fragte Tom.

»Ein Zitronenfalter. Kam früher in Europa und Asien vor. Jetzt eigentlich nur noch in Asien. Dies hier ist, glaube ich, der letzte seiner Art in unserem Land. Sein Name ist Dschuang-dsi.«

Ein Schmetterling mit Namen – wieder eine dieser kryptischen Bemerkungen des Alten, bei denen Tom nicht zu unterscheiden vermochte, ob sie Ernst waren oder Spaß. Aber – vielleicht gab es den gewohnten Unterschied von Ernst und Spaß für diesen seltsamen Mann gar nicht?

Der gelbe Falter flatterte jetzt auf die Reihen der Bücherrücken zu. Hielt er etwa das vielfarbige Bunt der Buchhüllen für Girlanden von Blüten? Ganz sacht schwebte ›Dschuang-dsi‹ an Bücherbrett um Bücherbrett vorbei, so als inspiziere er das dort versammelte Wissen.

Auf einmal blitzte der rettende Gedanke in Toms Kopf auf: Ich laß den Schmetterling wählen! Das erste Buch, auf das er sich setzt – das nehme ich einfach. Dann bin ich die Entscheidung los. Bitte, Dschuang-dsi, setz dich wo hin, bleib einen Augenblick still auf irgendeinem Buch!

Alle drei, Tom, der Alte Mann und Felizitas, verfolgten die gelassenen Schnörkel, die der Zitronenfalter über die Buchwände zog. Da – auf einmal verharrte das gelbe Flattern über einem schmalen, hohen Band, und dann ließ sich der Schmetterling sanft auf dem Buch nieder.

Tom sprang mit einem Ruck in die Höhe, doch dann zügelte er sich und trat langsam an das Regal heran. Der lederne Buchrükken war nicht beschriftet: erst wenn der Falter wieder aufflog, würde er dessen Wahl erfahren. Tom betrachtete geduldig das gelbe Insekt: die Flügel mit den rötlichen Punkten und den Netzen feiner Äderchen hielten ganz still, der Hinterleib bewegte sich sacht im Rhythmus der Atmung, die antennenartigen Fühler zitterten leicht, als nähmen sie aus der Umgebung eine Botschaft auf.

»Danke, Dschuang-dsi«, sagte Tom und hauchte ganz vorsichtig in Richtung des Falters. Ihm war bruchstückhaft etwas vom Biologieunterricht eingefallen, über die Bedeutung der Geruchswahrnehmung bei Schmetterlingen (ja, obwohl die einheimischen Netzflüglerarten fast gänzlich ausgestorben waren, lernte man trotzdem noch so etwas in der Schule) –, vielleicht spürte das Tier in diesem Hauch, welche Erleichterung es dem unschlüssigen Menschen gebracht hatte?

Nach einigen Dutzend Schmetterlingsatemzügen bewegte der Falter wieder seine gelbgeschuppten Flügel und hob sich leicht von dem alten Leder und Papier, flog noch eine ovale Schleife über dem Tisch und flatterte dann zum rechten Fenster hinaus – er hatte sein Werk getan.

Das Buch, das durch das Schmetterlingsorakel bezeichnet worden war, hatte Tom noch nie in Händen gehabt. Er zog es vorsichtig zwischen den anderen Bänden hervor und schlug die Titelseite auf. Sie war in altertümlichen Lettern gedruckt, teils in Fraktur mit zierlichen Schnörkeln, teils in Antiqua von klassischer Einfachheit. Tom las halblaut den vielzeiligen Titel:

»VON DEN NEUN PFORTEN IN DER BILIL TAL
oder
UNTERWEISUNG ÜBER DEN GEHEIMEN PFAD
ZUR INSUL DER KÖNIGIN

Aus dem Englischen des
Thomas Philemon Morlay
Cosmopolita zu Londinium
verfertiget von
Plenidonatus a Campo Stellae
nebst

TRANSMUTATIO MAGNA
vel
ASCENSIO AD STELLAM MINALIL

Gedruckt zu Saltzburg im Jahre des Herrn 1682
in der Officina Typographica des
Johannes Andreas Volkthor
mit fürsterzbischöflichem Privilegio«

Dann blätterte er es flüchtig durch: 126 Seiten waren paginiert;
das Buch schien aus drei Teilen zu bestehen: der erste, knappste
war in barockem Deutsch gehalten, dann folgte ein etwas längerer
in Latein, zwei Drittel des Textes waren jedoch in einer Sprache
gehalten, von der er nicht einmal die Schrift kannte. Die rund drei
Dutzend lateinischer Seiten enthielten auch eine Folge von Illustrationen in Form von Kupferstichen; zwischen den Zeilen der
unbekannten Schrift waren an manchen Stellen Diagramme ein-
gestreut, als handle es sich dabei um eine geometrische oder
astronomische Abhandlung.

Tom war verwundert, daß ausgerechnet dieses Buch ihm zufal-
len sollte, damit er es vor der Vernichtung bewahrte. Was sollte
er damit anfangen? Er wandte sich dem alten Mann zu und zeigte
ihm das Titelblatt: »Dieses Buch hier nehme ich. Kennen Sie es?
Haben Sie es wirklich gelesen?«

Der Alte schaute nur ganz kurz auf das Gedruckte, dann lächelte er Tom wohlwollend zu: »Das ist ganz recht, daß dies Buch
dich nimmt. So hat sie dich also angenommen. Dann ist alles gut.«
Er erhob sich und sprach langsam, als rezitiere er einen liturgi-
schen Text, den man nicht durch nachlässige Aussprache profa-
nieren dürfe:

> »Die Talfee stirbt nie,
> und ihrer Dunklen Weibheit Pforte
> ist Himmels und der Erde Wurzel.
> Ohn' Ende webt sie,
> jung und gegenwärtig:
> ihr Wirken ist ganz sonder Müh'.«

Nach einem Atemzug Schweigen fügte er leise hinzu: »Ja, sie hat wieder ohne Mühe gewebt.« Er blickte Tom ernst an: »Du hältst des Fadens eines Ende in der Hand.«

Zu fragen, was er mit diesen Worten sagen wollte, dazu fehlte Tom auf einmal der Mut. Wie in einer Anwandlung von schwachem Protest stotterte er nur: »Aber, sehen Sie doch, diese Sprache hier: die kenne ich überhaupt nicht!«

Der alte Mann lachte leise: »Tom, Tom, wozu hast du drüben im Käfig deinen großen elektronischen Diener, den schlauen Computer, den unermüdlichen Datenknecht?« Dann wurde er wieder ernst: »Jetzt ist es Zeit, daß du gehst; wir haben getan, was wir in dieser Stunde zu tun hatten, und dein Ausgang ist sowieso bald um.«

Tom folgte dem Alten zur Tür, wie in einer Trance aus Wehmut und unerklärlichem Glück. Der Alte begleitete ihn ein Stück unter dem Baldachin der Baumkronen, dann hielt er inne, auf halbem Weg zu der Pfadschneise im Gestrüpp.

»Eigentlich wollte ich dir hier noch etwas sagen zum Abschied, aber ich habe schon geahnt, daß ich das jetzt nicht mehr kann. Dafür hab ich's dir aufgeschrieben.« Er holte einen mehrfach gefalteten Zettel aus der Brusttasche seines groben Hemdes und schob ihn zwischen die Seiten des Buches, das Tom in Händen hielt: »Lies das später, wenn du in deinem Zimmer im Käfig bist!« fügte er hinzu. »Lern es am besten auswendig. Da ist alles drin, was ich dir je gesagt habe und was ich dir noch je sagen könnte. Geh jetzt, Tom, und leb wohl!«

»Leben auch Sie wohl!« Tom errötete, als er sich bewußt wurde, was er da gewünscht hatte, obwohl doch der Mann gesagt hatte, er hätte nicht mehr lang zu leben. Seine Kehle war wie zugeschnürt, und er lief auf das Dickicht zu. An der Einmündung des Pfades schaute er sich noch einmal um: der Alte Mann stand noch am gleichen Platz und winkte ihm, dann kehrte er sich um und ging auf das Haus zu. In der Türöffnung wartete Felizitas. Sie blickte wie unbeeindruckt von der Szene menschlichen Abschieds dem Alten entgegen, dann begann sie wieder, ihr glänzendes blauschwarzes Fell zu putzen.

Nachdem Tom ein Dutzend langsamer Schritte in die Buschwildnis getan hatte, blieb er stehen und lauschte. Vom Sportplatz kamen keine Geräusche spielender Schüler mehr. Insekten summten und brummten durch das Blätter- und Rankengewirr, dann und wann flog zeternd ein Vogel auf, ein Windhauch machte Blätter rascheln. Nach einer Weile ertönte wieder das rhythmische Quietschen der Schaukel.

Nicht wissend, ob er lachen oder weinen sollte, setzte Tom seinen Rückweg zum Haus der Jungen Hoffnung fort.

Entscheidung zwischen den Flüssen

Unter dem breiten, wuchtigen Bogen des Stadttores hemmte der junge Mann seinen Schritt, hielt unschlüssig inne im Schatten des Zwingers und blickte sehnsüchtigen Auges zurück zu den Türmen und Giebeln der so großen und so reichen Stadt. Thomas Dornblüth zögerte, seinen Rückzug anzutreten durch das Tor nach Westen, zu dem kleinen, unbedeutenden Marktflecken Fürth. Gewiß, dort wartete in der gemieteten Kammer im Wirtshaus zum Engel mit wachsender Ungeduld der Meister auf die Botschaft, die sein Schüler ihm überbringen sollte. Aber wie würde der berühmte und zugleich gefürchtete Mann den demütigenden Bescheid annehmen, der so ganz anders lautete, als er es sich erhofft hatte noch am frühen Morgen dieses sonnigen Maitages, da er den Schüler losgeschickt hatte, um Antwort einzuholen von Herrn Lazarus Spengler, dem Vordersten Ratsschreiber der Freien Reichsstadt Nürnberg?

Allerdings, nicht nur Furcht vor Unwillen, ja Jähzorn des Meistes ließ Thomas Dornblüth zaudern. Ihn bedrückte auch die Aussicht, diese Stadt nie wieder betreten zu können, sie, die größte, schönste und lebhafteste unter den deutschen Städten, die er in den nunmehr 23 Jahren seines Lebens gesehen und erlebt hatte. Zu lange hatte er in den letzten Monaten, als sie im Gebiet des Bischofs von Bamberg umhergezogen waren, in seinem Herzen die Hoffnung genährt, das unstete Reise- und Wanderleben, das er jetzt schon an die sieben Jahre im Dienste des Meisters führte, hätte ein Ende in der wohlhabenden und weitgerühmten Stadt, in diesem Schatzhaus des Wissens und der Künste.

Nicht immer wieder in wechselnden Wirtschaften und Gasthöfen mit oft so gemeinem Volk zusammen übernachten müssen! Sondern in einem ansehnlichen und ruhigen Haus, wie es der Bedeutung eines so großen Gelehrten, Doktor und Magister der Künste wohl entsprach, beschaulich sich den Studien und der Geheimen Arbeit widmen und Austausch pflegen können mit anderen Adepten der Ars Magna et Ultima! – Diesen Wunschtraum hatte er sich immer wieder farbig ausgemalt, und besonders lebhaft hatte er in den Tagträumereien seine eigene Rolle in diesem neuen Leben ausgestaltet: Als Famulus des großen Mannes bei Gelehrten und Künstlern, bei Patriziern und gewöhnlichen Leuten in Ansehen stehen, teilhaben an Ruhm und Achtung, die dem Meister entgegengebracht wurden!

Einen Diener würde man haben in diesem Haus, einen Pferdeknecht für den Stall und eine Köchin am Herd, und er, Thomas Dornblüth, hätte mehr Zeit frei für Wissenschaft und Studium, für Lernen und Experimentieren, weil er nicht mehr all die niederen Dienste würde verrichten müssen, die er bisher noch dem Meister auf Reisen geleistet und aus Achtung für seinen Lehrer ausgeführt hatte, klaglos zwar, aber doch mit einem beträchtlichen Aufwand an kostbarer Zeit und Kraft, die er lieber auf diejenigen Künste und Wissenschaften verwendet hätte, in die unter Anleitung des Meisters tiefer einzudringen ja sein sehnlichster Wunsch war:

Das Wissen um die verborgenen Kräfte der Kräuter, Pflanzen und Mineralien, und wie sie zu Heil oder Unheil gebraucht werden konnten; das Ablesen des Weltenlaufs aus der Bahn der Sterne, und was man über das Wesen und Schicksal eines Menschen erkennen würde, wenn man die Linien seiner Hand, die Züge seines Gesichtes und die Zeichen in der Iris seiner Augen lesen konnte; wie man mit Feuer- und Wasserschau, durch Beobachtung des Vogelfluges und durch tiefen Blick in die Kristallkugel die Zukunft erahnen und sich somit dienstbar machen konnte. Und dann die höheren Künste: Der Umgang mit Dämonen und Geistern, das Herbeirufen der Seelen Verstorbener, um ihnen Geheimnisse zu entreißen, und die königliche Kunst, aus unedlem Material das reine, glänzende Gold herzustellen und – was noch mehr war! – das Arcanum, das Geheimnis aller Geheimnisse, die Bereitung des Steines der Weisen, des Lebenselixiers, das unsterbliches Leben hier auf Erden verhieß.

Immer hatte der Meister ihn vertröstet, wenn Thomas um eingehendere Unterweisung bat: Das würde alles kommen, wenn sie am Ziel angelangt wären, an jenem Ort, den die Sterne ihm zu bleibendem Aufenthalt weisen würden. Über den Namen dieses Ortes schwieg der Meister sich beharrlich aus, aber hatte er in den letzten fünf Jahren nicht ständig an Nürnberg gedacht und Erkundigungen über die Verhältnisse in der Stadt eingezogen?

Im Jahre des Herrn 1527 war der Bamberger Bischof gestorben, Georg III. Schenk von Limburg, der ein Gönner und Förderer des Meisters gewesen war und ihn besonders ob seines Wissens in der Astrologie geschätzt hatte. Zwar war der Nachfolger, Bischof Weigand von Redwitz, dem Meister nicht bös gesinnt, aber er schien nicht so viel Wert auf dessen Rat und Wissen zu legen, und der Meister war unruhig geworden: Sie hatten die Stadt Bamberg verlassen und waren von Kloster zu Kloster gezogen, wobei der Meister einen schwarzen Mantel mit dem weißen achtspitzigen Kreuz der Johanniter getragen und den Äbten und Prioren erzählt hatte, er sei Komtur einer kleinen Niederlassung dieses Ritterordens im Lande Krain gewesen, die durch den Ansturm der ungläubigen Türken zerstört worden sei. Jetzt ziehe er umher zu den Klöstern im Heiligen Römischen Reiche, um Geld zu sammeln für einen neuen Zug gegen die Heiden. Woher der Meister diesen Ordensmantel besorgt hatte, blieb Thomas verborgen, nicht aber die Tatsache, daß er schon lange allen Johanniterrittern aus dem Weg gegangen war und somit die gutgläubigen Mönche doch täuschte.

»Es gilt, der Pfaffen und Mönche Dummheit auszunutzen!« rechtfertigte er sein Vorgehen. »Sie sitzen in ihren Klöstern und auf ihren Pfründen und mästen sich von den Spenden und Opfern der einfältigen Leute! Sie geben sich den Anschein großer Frömmigkeit und Weisheit, aber in der Wahren Kunst sind sie ganz ungelehrt. Deshalb ist es recht, daß der Adept ihnen den Mammon entreißt, um so das Studium der Wahren Weisheit ausführen zu können.«

Thomas Dornblüth hatte diese Begründung des Meisters nicht mit ganzem Herzen annehmen können, denn er erinnerte sich zu gut seiner Zeit als Klosterschüler bei den Benediktinern zu Aura an der Saale, und er dachte heute noch mit Dankbarkeit an Belehrung und Unterricht, die ihm dort Abt Georg hatte zuteil werden lassen; er vermutete vielmehr, der Meister könne es heute noch nicht verwinden, daß vor 25 Jahren der berühmte Abt Johannes Trithemius in einem Schreiben an den Astrologen Johannes Wirdung aus Haßfurt sich so abschätzig und verächtlich über ihn geäußert hatte, und daß dieses Urteil des hochgelehrten und angesehenen Abtes von St. Jakob in Würzburg zu nicht wenigen Klöstern und Abteien gedrungen war, die daraufhin den Meister von ihrer Pforte abgewiesen hatten. Trithemius war schon sechzehn Jahre tot, aber die Wunden, die seine Schmähung und Ablehnung in der Seele des Meisters geschlagen hatte, waren noch nicht verheilt.

Die Rolle des Johanniterkomturs hatte er zum erstenmal im Juni A. D. 1528 bei den Augustinerchorherren in Rebdorf im Eichstättischen gespielt; der dortige Prior, ein Pater Kilian Leib, war sehr angetan gewesen von dem edlen und welterfahrenen Gast, vor allem von seinem Geschick in der Sterndeutung: der Meister hatte eine tiefgründige Darlegung seines Wissens über die Planetenkonjunktionen gegeben, so über das Zusammenkommen von Sonne und Jupiter, das die Geburt von Propheten und Wahrsagern anzeige; ganz geschickt hatte er eingeflochten, eine solche Konjunktion habe bei seiner eigenen Geburt im Jahr des Heils 1480 geherrscht ...

Wohlgenährt und reich belohnt waren sie dann weiter nach Ingolstadt gezogen, auf dessen Hoher Schule der Meister einst eine Zeitlang studiert hatte: Medizin, Astrologie und Alchemie. Er hatte gehofft, man werde ihn als Präzeptor oder gar Professor mit eigener Lehrkanzel an die Universität berufen, ihn, dem die hochberühmte Universität von Heidelberg den Doktortitel verliehen hatte. Die Herren Doctores und Professores der Ingolstädter Universität waren an gelehrtem Disput und geheimer Einweihung durch den Meister interessiert gewesen, aber böswillige Neider hatten beim Rat der Stadt sein Wirken als gefährliche Wahrsagerei verleumdet. Nach nur wenigen Tagen Aufenthalt mußten sie plötzlich auf Weisung des Ingolstädter Rates die Stadt verlassen und waren dann donauaufwärts nach Regensburg gezogen, von dort nach etlichen Monaten hinauf in die Oberpfalz, bis sie wieder auf bambergischem Territorium angelangt waren, wo man dem Meister noch recht freundlich entgegenkam.

So hatten sie einen großen Kreis geschlagen um die reiche Patrizierstadt an der Pegnitz, und immer hatte der Meister alle Reisenden, die von dort kamen, ausgefragt und ausgelauscht. Er hatte Briefe an angesehene Persönlichkeiten in Nürnberg gerichtet, so an den Ratsschreiber Lazarus Spengler und an den Medikus Erhard Etzlaub, den er von seiner Lehrtätigkeit in Erfurt kannte und wegen dessen Fertigkeit im Herstellen astronomischer Instrumente schätzte. Begierig war er gewesen auf Nachrichten über das Leben und Treiben der gelehrten Männer dieser Stadt: Die Kunde vom Tod des Willibald Pirckheimer (A. D. 1530) hatte ihn betrübt, da er gehofft hatte, in diesem Manne einen Fürsprech zu finden. Er erfuhr auch, daß man den weitbekannten Arzt und Alchimisten Theophrastus von Hohenheim, der sich neuerdings Paracelsus nannte, im gleichen Jahre aus der Stadt gedrängt hatte: Hohenheim hatte die Ärzteschaft der Stadt sowie die Kontore der Fugger und Welser gegen sich aufgebracht, weil er eine neue Behandlungsweise der Syphilis vorgeschlagen hatte, die Ärzte und Arzneienhändler um ihren guten Verdienst gebracht hätte. Da hatte der Meister sich gefreut und gesagt: »Zwei Hähne können nicht auf demselben Mist krähen!«

Damit hatte er doch wohl sagen wollen, daß er in diesem Paracelsus einen unerträglichen Nebenbuhler sah, und daß er hoffte, er könnte dessen Stelle in Nürnberg einnehmen, wenn er es nur geschickter und klüger einfädelte als dieser schweizerische Brausekopf Hohenheim! Hatte nicht aus solcher Klugheit heraus der Meister seinen wahren Namen verheimlicht, als sie jetzt vor gut einer Woche, Anfang Mai im Jahre des Heils 1532 endlich in Richtung Nürnberg gezogen waren und sich in dem kleinen Ort Fürth einlogiert hatten, diesem kuriosen Marktflecken, der drei Herren zugleich untertan war, dem Bischof von Bamberg, dem Markgrafen von Ansbach und dem Rat der Freien Reichsstadt Nürnberg?

Wohlweislich hatten sie Wohnung genommen am Marktplatz im Wirtshaus zum Engel, das bambergisch war, aber nicht einmal der domprobsteiliche Amtmann in Fürth, ein Herr Sparhelmling, wußte, wer sich da unter dem Namen eines Dr. Helmitheus aus Heidelberg aufhielt. Der Meister war meist in der Kammer geblieben, besonders bei Tage, und sogar das Essen hatte er dort eingenommen, damit neugierige Augen ihn möglichst nicht zu Gesicht bekämen. Alle Besorgungen und Gänge hatte Thomas Dornblüth, sein Schüler und Famulus, tun müssen, und er hatte auch den Leuten zu erzählen, sein Herr sei ein gar hochgelehrter Arzt und Medikus, der auf einer weiten Reise von den Niederlanden nach Italien begriffen sei, jetzt aber an einer leichten Unpäßlichkeit durch die Strapazen der Reise leide und deshalb hier beim Engelwirt sich ausruhe und erhole, bevor er die Reise fortsetzen wollte.

In Wirklichkeit hatte der Meister eine Botschaft geschickt an Herrn Spengler, den Ratsschreiber, von dem er wußte, daß er ein Förderer des Paracelsus gewesen war, und deshalb hoffte, der werde bereit sein, einen anderen berühmten Gelehrten und Magister in die Stadt zu holen, zumal er es geschickter anstellen wollte als dieser Theophrastus Bombastus Paracelsus, der allzu selbstherrlich die an alter Lehr- und Heilweise hängenden Ärzte verspottet und damit sich zu Feinden gemacht hatte.

Tags zuvor, am Donnerstag den 9. Mai, war dann des Nachmittags ein Bote des Nürnberger Rates gekommen und hatte den Dr. Helmitheus aufgefordert, er solle anderentags in der Früh seinen Famulus zum Ratsschreiber schicken: Dort liege ein Beschluß des Hohen und Ehrbaren Rates der Stadt für ihn bereit.

Vor freudiger Erregung hatte der Meister kaum Schlaf gefunden in der Nacht, und zu später Stunde mußte Thomas vom Wirt noch einen großen Krug schweren Weines holen als Schlaftrunk für seinen Herrn. Und er selbst hatte auch kaum ein Auge zugetan in seiner engen Schlafkammer und sich unruhig hin- und hergewälzt und wieder mit reger Phantasie sich ausgemalt, welches Herrenleben er jetzt mit seinem Meister in der reichen Stadt führen würde.

Schon kurz nach Sonnenaufgang war er losgegangen auf den ungefähr zwei Stunden langen Weg zur Stadt; er hatte gepfiffen und gesungen beim Gehen, und wenn er gerade allein war auf der Straße, nicht beobachtet von einem ochsentreibenden Bauern oder einem vorbeitrabenden Reiter, dann hatte er Luftsprünge der Freude getan und einige Male sich sogar tanzend im Kreise gedreht.

Jetzt aber war Thomas Dornblüth nicht zum Singen zumute und nicht zum Hüpfen und Tanzen. Bedrückt und ratlos stand er da im Schatten des Torbogens, ohne auf den lebhaften Verkehr zu achten, der durch das Stadttor zog. Schließlich raffte er sich auf und begann nach Westen zu trotten. Aber er wollte nicht auf der Straße gehen, er wollte niemanden sehen und von niemandem gesehen werden. Er würde jetzt an der Pegnitz entlang gehen, flußabwärts, und den Heimweg möglichst in die Länge ziehen, damit er Zeit hätte, Herr über seine Enttäuschung zu werden und auch die Worte zu finden, mit denen er seinem Meister die schroffe Ablehnung des Nürnberger Rates etwas weniger verletzend mitteilen konnte.

Dem Dr. Faust zu Fürth werde Geleit abgelehnt, hatte der Magistratsbeamte eröffnet (einer der ›scabini‹, der sogenannten Jüngeren Bürgermeister) und dabei den Meister einen großen Sodomiten und Nigromanten genannt. Herr Lazarus Spengler war schweigsam daneben gesessen; erst nachdem der Bürgermeister sich wieder zurückgezogen hatte, begann er, dem bestürzten Famulus die Gründe für die Abweisung des Rates zu erläutern.

Er hatte eine Menge Blätter vor sich auf dem Schreibpult liegen gehabt und aus ihnen vorgelesen; der Rat dieser Stadt mußte schon seit Jahren alle Gerüchte und alle üblen Nachreden über den Meister gesammelt haben, denn da kam wieder alles zutage, angefangen mit jenem Schmähbrief des Johannes Trithemius aus dem Jahr 1507, worin er, der es doch hätte besser wissen müssen, den Meister einen Landstreicher, leeren Schwätzer und betrügerischen Strolch genannt hatte; dann die Äußerungen des hochmütigen Herrn Mutianus Rufus, der dem Meister 1513 in Erfurt begegnet war und ihn wohl aus verletzter Eitelkeit einen ›bloßen Prahler und eitlen Narren‹ genannt hatte. Und zu guter Letzt noch der Vermerk des Ingolstädter Ratsprotokolls vom 17. Juni 1528 über die dortige Ausweisung.

Offensichtlich staken die eitlen Gelehrten und die um Ruhe und Frieden besorgten Stadtbürger alle unter eine Decke, wenn es darum ging, einen der größten Wissenden, Magier und Adepten ihrer Zeit von ihren ruhigen Geschäften fernzuhalten.

Thomas Dornblüth war ungehalten geworden und hatte mit erregter Stimme begonnen, all diese Vorwürfe zurückzuweisen. Ein Sodomit sei der Meister gewiß nicht; schon sieben Jahre sei er sein Lehrer, und nie habe er sich in unschicklicher Weise dem Schüler genähert – im Gegensatz zu manch frömmelndem Mönch: Er, Thomas, sei schließlich sechs Jahre Klosterschüler gewesen und wisse wohl, wieviel Geilheit sich unter mancher Mönchskutte verberge. Und was den Abt Trithemius anlange, der habe doch selber solche Wundertaten für sich in Anspruch genommen, deren Behauptung er dem Meister jedoch nur als freche Großsprecherei angekreidet hatte. Der fromme Büchersammler sei wohl beleidigt gewesen, daß da ein weltlicher Lehrer aufgestanden war, der alle Mönche und Kleriker an geheimem Wissen und magischer Kunst übertraf.

Der Mutianus Rufus sei wohl eifersüchtig gewesen, weil die Studenten in Erfurt von des Meisters Weisheit und Kraft in Bann geschlagen gewesen waren und gespürt hatten, daß in ihm mehr war als nur muffiges Bücherwissen und am toten Buchstaben klebende Professorenlehre.

Berühmte Lehrer habe der Meister gehabt wie kaum einer dieser Kritikaster: In zarter Jugend schon habe er von dem großen italienischen Magus Pico della Mirandola die geheimen Lehren Platons empfangen, dazu die chaldäische Orakelkunst, die Vogelschau der alten Etrusker und das orphische Wissen um die Magie der Musik. Von Professor Johannes Reuchlin, dem Verfasser des berühmten Buches »De Verbo Mirifico«, habe er die Weisheit der Kabbala gelernt, mit der man nicht nur die Geheimnisse der hebräischen Schriften der Bibel entschlüsseln könne, sondern auch herrschen über das Reich der Dämonen und Geisterwesen; und der erfahrene und bedeutende Alchemist Salomon Trismosinus habe ihn eingeweiht in die Kunst der Transmutation von Blei zu Gold und in die Herstellung der Panacee, des Arcanums, des Allheilmittels, das dem Menschen ein unvorstellbar langes Leben gewährt.

Es gebe heutzutage keinen Adepten, der sich seinem Meister vergleichen könnte, selbst Heinrich Agrippa von Nettesheim, von dessen Buch »De Occulta Philosophia« man nun allenthalben soviel rede, sei ein unwissender Zwerg im Vergleich zum Meister. Man müsse schon weit zurückgehen in der Geschichte, um Männer gleicher Größe zu finden: Der Meister setze fort, was Raimundus Lullus und Albertus Magnus begonnen hätten. Alle Verleumdungen und falschen Anschuldigungen beruhten nur auf Neid, Mißgunst und Eifersucht! Wer die Wahrheit erfahren wolle, dürfe sich von solchem Gerede nicht beeinflussen lassen, sondern müsse sich selbst ein Urteil bilden über das Wirken dieses bedeutenden Mannes. Das könnte der Rat von Nürnberg leicht, wenn er nur bereit wäre, den Meister in der Stadt wohnen und vielleicht ein halbes Jahr arbeiten und lehren zu lassen, dann werde man sehen, welch ein Gewinn ein so großer Gelehrter und Wissender für diese wohlhabende und berühmte Stadt bedeute.

Thomas Dornblüth hatte sich in jugendlichem Ungestüm und aus dem Wunsch, den Meister zu verteidigen, in immer hitzigere Erregung geredet, als der Ratsschreiber ihn mit einem leichten Lächeln und einer sanften Handbewegung unterbrach:

»Haltet ein, Herr Studiosus! Das Verlangen, eurem Meister zu helfen, versteh ich wohl, doch liegt die Sach nicht ganz so, wie ihr vermutet. Was die Urteile anderer gelehrter Herren über ihn angeht, so möchte ich da nicht urteilen und entscheiden. Es ist nur meine Pflicht als Schreiber des hochwohllöblichen Rates, alles zusammenzutragen, was an Nachrichten die Belange unserer Stadt berühren kann. Daß ich kein Feind der Adepten und Alchemisten bin, das wißt ihr ja: Dem Dr. Hohenheim hab ich geholfen, aber als er fast alle Doctores und Scribentes in Medicinis verlacht hat und so Ärzte und Gelehrtenschaft gegen sich aufgebracht, da konnt auch ich ihn nicht mehr halten in der Stadt. Ich möcht nicht noch einmal ein solches erleben. Und wenn es euch nicht tröstet, daß die Nürnberger den Paracelsus nicht litten innerhalb ihrer Mauern, dann wißt, daß wir sogar Herrn Martinus Luther kein Geleit durch unsere Tore gewährten, wiewohl wir uns seinem Glauben angeschlossen haben, aber wir dachten, es sei klüger, Rücksicht zu nehmen auf Kaiser und Reich.

Ihr müßt verstehen, wir sind eine Stadt des Handels mit der ganzen Welt, wir wollen keinen unnützen Streit und keine Unruh im Volk. Ärzte haben wir genug, einen weiteren brauchen wir nicht. Da wir dem erneuerten Glauben anhangen, wollen wir auch keinen Papstfreund in der Stadt dulden, und mit Bischöfen und Äbten versteht es euer Meister doch allzugut! Und hat er sich unlängst nicht als Johanniterritter ausgegeben? Da müssen wir ja fürchten, er wolle den Deutschherren vom Elisabethspital zu Hilfe kommen, mit denen wir im Streit liegen, weil sie den römischen Irrglauben nicht aufgeben wollen.

Jetzt haben wir einen Friedstand mit dem Kaiser erreicht, wegen der Türkengefahr hat er uns Zugeständnisse gemacht zum Frieden über die Religion, und glücklich, nach mancher Fährnis, haben wir die Reformatio Ecclesiae zum Abschluß gebracht mit der neuen Kirchenordnung, die unser Prediger, Herr Andreas Osiander, abgefaßt hat.

Da wollen wir nun keinerlei Ärger mehr in der Stadt, kein Aufsehen und keinen Aufruhr. Die maßgeblichen Familien dieser

Bürgerschaft, die alten Geschlechter des Patriziats, die Tucher, Haller, Holzschuher, Pfinzing, Imhoff und die anderen, die wollen, daß Friede und Ruhe, Anstand und Gesittung herrschen unter den Bürgern und dem einfachen Volk. Ihr müßt einsehen, Herr Dornblüth, für einen Menschen wie euren Meister ist kein Platz in unserer Stadt.«

Damit hatte der Ratsschreiber sich erhoben und somit angezeigt, daß für ihn das Gespräch beendet sei und weiterer Disput nutzlos und verschwendet wäre. In ohnmächtiger Wut hatte Thomas Dornblüth das Rathaus verlassen, in dem er vorher voll froher Zuversicht so lange auf dieses Gespräch gewartet hatte, und war dem Westtor zugestrebt, und während er durch die Gassen der Stadt geschritten war, hatte sich die Wut in Wehmut und Enttäuschung gewandelt.

Jetzt stapfte er am Pegnitzfluß entlang, vorbei am Himpfelshof und an der Kleinweidenmühle, ohne Blick für das üppige Grünen und Blühen am Flußufer, ohne Gespür für die sanfte Wärme des Mainachmittags, ohne Gehör für das Rascheln im Schilf, das Plätschern des Flusses, den Gesang der Vögel. Quälende Ungewißheit begann in ihm aufzusteigen, wie das jetzt weitergehen sollte mit dem Meister und ihm. Die Angst vor der Zukunft veranlaßte seine Gedanken, in die Vergangenheit zu schweifen und wieder nachzuerleben, wie er dem Meister das erste Mal begegnet war und welche Folgen das für sein Leben gehabt hatte.

Am Weißen Sonntag des Jahres 1525, dem 23. April, waren der stille Friede und die ruhige Beschaulichkeit des Klosters Aura unweit der Trimburg jäh zu Ende gebracht worden: Noch vor Sonnenaufgang war ein angsterfüllter Mönch aus dem Kloster Maria Bildhausen durch die Klosterpforte geschlüpft und hatte berichtet, wie am Mittwoch vor dem Gründonnerstag aufrührerische Bauern aus Burglauer und Münnerstadt, ein wüster und wütender Haufen von dreihundert Mann, mit Waffen bedrohlich fuchtelnd und mit Trommeln und Pfeifen zum Beinerweichen lärmend, das Kloster gestürmt hatten. Abt und Konvent seien nach Königshofen geflohen, ihn, Frater Stephanus, habe der Vater Abt beauftragt, die Brüder von Aura zu warnen. Nur unter dem Schutz der Dunkelheit habe er sich abseits der Wege langsam vorangeschlichen; bei Tageslicht habe er sich in den Wäldern verborgen, da allenthalben die Bauern sich erhöben und Jagd machten auf Mönche wie Ritter. Das sei alles das Werk des Abtrünnigen von Wittenberg, dieses Dr. Martinus Luther, der in seinen Schriften das Volk aufhetze gegen die gottgewollte Ordnung der Heiligen Kirche.

Abt Georg von Aura hatte diese Nachricht mit ernster, sorgengefurchter Miene entgegengenommen. Zwar kam sie nicht ganz unvermutet, denn schon seit dem Beginn des Jahres 1525 waren Gerüchte umgegangen von der Empörung der Bauern im Allgäu, in Schwaben und in Württemberg. Ende März hatte die Lohe des Aufstandes schon übergegriffen auf die Gegend von Rothenburg; um den Sonntag Laetare hatten Bauernhaufen Mergentheim besetzt und das Schloß Lauda verbrannt. Nun aber drohte der Aufstand auch vom Norden, vom Thüringischen und vom Grabfeld her, und wenn schon das Kloster von Bildhausen Beute der plündernden Bauern war, würde Aura nicht mehr lange verschont bleiben. Dem Abt lagen schon Warnungen aus dem Dorfe Aura vor, daß auch hier der Funke der Empörung zu glimmen beginne.

Abt Georg beschloß, die älteren und gebrechlichen Mitglieder des Konvents zur Trimburg zu schicken, wo die Mauern des festen Schlosses ihnen Schutz böten; die jüngeren und kräftigeren Confratres sollten im Kloster oder zumindest in dessen Nähe ausharren, um so den Schaden, den die Bauernhaufen anrichten würden, vielleicht doch gering halten zu können. Die jungen Klosterschüler aber, die noch nicht die ewig bindenden Mönchsgelübde abgelegt hatten (zu ihnen gehörte auch der sechzehnjährige Thomas Dornblüth), sollten sich gewöhnliche Kleider anlegen und versuchen, unerkannt in ihre Heimatorte zurückzukehren und dort abzuwarten, bis es der Obrigkeit, also dem Fürstbischof von Würzburg, gelungen sei, des Unwesens Herr zu werden.

Thomas war jedoch Waise; nach dem Tod seiner Eltern vor sechs Jahren hatte ihn der Pfarrer seines Heimatdorfes Kreuzthal nach Aura gebracht, weil keine Verwandtschaft mehr dagewesen war, die sich des Jungen hätte annehmen können. Deshalb hatte ihm der Abt vorgeschlagen, er solle, als fahrender Scholar gekleidet, sich nach Würzburg durchschlagen und dort, durch ein Begleitschreiben des Abtes ausgewiesen, um Aufnahme im Kloster St. Jakob ersuchen. Würzburg, die befestigte Stadt mit der Bischofsburg auf dem Marienberg, werde gewiß dem Ansturm der aufständischen Bauern standhalten; danach möge Thomas entscheiden, ob er in St. Jakob bleiben wolle oder zurückkehren nach Aura.

So hatte Thomas Dornblüth nach dem Mittagsmahl des Weißen Sonntags den schwarzen Klosterhabit abgelegt und die fröhlicheren Kleider eines umherziehenden Studenten angezogen, aber ihm war nicht fröhlich zumute, denn das Kloster war ihm zur Heimat geworden, zu dem sicheren und festen Punkt im Getriebe des menschlichen Lebens, und er fühlte sich jetzt wie jemand, der in einem kleinen Schifflein hinausfahren muß auf ein stürmisches Meer und nicht weiß, ob er jemals wieder in den sicheren Hafen zurückkehren wird.

Zum Abschied hatte der Abt ihn aufgefordert, sich einige Bände aus der Klosterbibliothek mitzunehmen in seinem Scholarenranzen, denn ein fahrender Schüler mußte schon einen solchen Beweis seines Wissensdurstes mit sich führen. Der Ehrwürdige Vater Abt, der ihm aufgab, diese Bücher dann dem Kloster von Sankt Jakob anzuvertrauen, hatte wohl vermeint, der Schüler würde einen der lateinischen Kirchenväter oder vielleicht Vergil oder Horaz oder einen anderen der altrömischen Dichter auswählen, aber er nahm sich den »Herbarius«, ein Buch mit lateinischer Beschreibung von 150 Arten von Heilpflanzen, dazu den »Hortus Sanitatis – Gart der Gesuntheit«, das erste Kräuterbuch in deutscher Sprache, und als drittes »Das Buch der rechten Kunst zu destillieren« des Hieronymus Brunschwig. So wollte er als Student der Heilkunst erscheinen, und dies entsprach auch seinem tatsächlichen Wissensdurst: Mehr als die Lehrer der heiligen Väter und die Dichtungen der heidnischen Römer schlugen ihn alle Bücher in Bann, die von den verborgenen Kräften der Natur zu berichten wußten; erst unlängst hatte er begonnen, unter Anleitung des Apothecarius des Klosters die Heilkräuter zu studieren.

Er hatte vorgehabt, von Aura das Saaletal abwärts zu wandern bis nach Gemünden, wo der Fluß sich in den Main ergoß. Dann wollte er mainaufwärts reisen bis zum schützenden Würzburg. War ihm bei den ersten Schritten das Herz noch schwer gewesen, weil er nicht wußte, wann er wieder in den Frieden und die Beschaulichkeit der Klostergemeinschaft zurückkehren würde, so hatte nach einigen Meilen Weges im heiter blühenden Frühling sein Gemüt sich aufgehellt; das Wandern in den von Wachstum strotzenden Uferauen erschien ihm bald nicht mehr als Flucht vor drohender Gefahr, sondern als Exkurs in das große Lehrbuch der Natur; er begann da und dort die Kräuter, Blumen und Sträucher einer genauen Betrachtung zu unterziehen und sich immer wieder niederzulassen, um in den mitgeschleppten Büchern nachzuschlagen, ob diese Pflanzen darin verzeichnet seien und was der »Herbarius« und der »Hortus Sanitatis« über ihre heilenden Wirkungen zu erzählen wußten.

So hatte der erste Abschnitt seiner Reise bis Gemünden über eine Woche gedauert statt der zwei Tage, die er bei zügigem Marsch nur gebraucht hätte. In einer Schenke der Stadt, wo Saale und Sinn in den Main flossen, war er am 3. Mai eingekehrt und hatte Neuigkeiten gehört, wie es stand mit den Unruhen im Lande. In Karlstadt, das fast auf halbem Wege nach Würzburg lag, hatte die fürstbischöfliche Besatzung am 22. April die Karlsburg geräumt, weil Unmut und Unbotmäßigkeit der Bauern auch auf die Bürgerschaft übergegriffen hatten; das Volk redete davon, man solle die Burg in Brand stecken und dann gen Würzburg ziehen, in dessen Umgebung, bei Heidingsfeld, Höchberg und Zell, sich schon die Bauernhaufen aus dem fränkischen Land zu sammeln begannen.

Thomas Dornblüth wurde klar, daß er kostbare Tage verloren hatte durch sein gemächliches Spazieren; die Zeit drängte, wenn er in die Bischofsstadt gelangen wollte, bevor sich dort der Belagerungsring vollends geschlossen hatte. Jetzt durch Karlstadt zu ziehen wagte er aber nicht: Er wollte weder von Bauern oder aufständischen Stadtleuten zur Teilnahme an ihrer Erhebung gepreßt werden, noch wollte er als Klosterschüler erkannt und dann als Pfaffenlehrling gepeinigt werden. So beschloß er, bei Adelsberg das Maintal zu verlassen und entlang der Wern, eines Nebenflusses, zu wandern. Auf diese Weise konnte er Karlstadt umgehen, bei Thüngen die Wern verlassen und dann am Rande des Gramschatzer Waldes sich Würzburg nähern.

Am Abend des 5. Mai war er in Eußenheim angekommen, dem Dorf am Eingang zu einem Seitental der Wern, das ›der Bachgrund‹ hieß. Hier hatte er im Dorfwirtshaus haltgemacht. Das ganze Dorf war in Unruhe und Aufregung: Die rötliche Färbung des südwestlichen Himmels stammte nicht vom schon verglühten Sonnenuntergang, sondern war der Widerschein der Flammen in der brennenden Karlsburg, wie ein Bursche berichtete, der auf dem langen Hügelrücken zwischen Karlstadt und Eußenheim Ausschau gehalten hatte.

»Jetzt geht's gegen Würzburg! Den Bischof und seine Leute werden wir rösten in seiner Festung!« johlten übermütige, schon angetrunkene Bauernknechte, und sie fuchtelten mit ihren langen Dolchen und Messern, als säßen die gehaßten Pfaffen und Edelleute hier in der Schenke, bereit, abgeschlachtet zu werden. Thomas Dornblüth hatte sich an einen Tisch neben dem Ofen im Hintergrund der Wirtsstube zurückgezogen und überlegte, ob er hier noch übernachten sollte oder lieber gleich bei Nacht weiterwandern, um dem Bauernhaufen zuvorzukommen.

Aus seinen Gedanken gerissen wurde er von einigen Burschen, die sich drohend vor ihm aufbauten und ihn herausfordernd anblickten: »Nun, Herr Studente, zieht ihr auch mit gegen den Statthalter des Antichrist, den gottlosen und heuchlerischen Bischof zu Würzburg?« Thomas versuchte abzuwehren: »Kämpfen und Töten sind meine Sache nicht, ich bin ein Scholar und nur in Wissenschaft und Heilkunst bewandert!« Doch seine Ausrede verfing nicht, die Bauern murrten, dann schob sich einer dazwischen und rief: »He Brüder, das Männlein kenn ich doch! Das ist ein Mönchlein von Aura, der ist geflohen, als der Auraer Hauf, zu dem ich gehör, vor ein paar Tagen den dortigen Pfaffenkobel ausgeräuchert hat!«

Thomas glaubte jetzt, das Gesicht des Sprechers wiederzuerkennen: War das nicht einer der dem Kloster dienstbaren Bauern gewesen, der den Konvent hatte immer mit Brennholz versorgen müssen?

»Na, Herr Mönch, euch war wohl die Trimburg nicht sicher genug, wo eure Brüder hingeflohen sind. Da habt ihr recht, denn die Haufen von Aura und von Bildhausen werden jetzt auch die Trimburg anstecken, damit Schluß ist mit Ritterei und Pfäfferei in unserem Gau. Und euch werden wir hier den Hals herumdrehen, bevor ihr zu eurem Bischof laufen könnt und bei ihm zetern und klagen!«

Damit hatte der vierschrötige Mann sich ganz nah an Thomas herangedrängt und begann, mit schwieligen Pranken den Klosterschüler an seinem Kragen in die Höhe zu ziehen. Thomas schlug das Herz bis in den Hals, der Schweiß trat ihm auf die Stirn. Er war den Griffen des kräftigen Mannes hilflos ausgeliefert und glaubte schon, sein letztes Stündlein habe geschlagen.

Da erscholl aus einer anderen Ecke der Wirtsstube plötzlich ein lauter, gebieterischer Ruf: »Halt ein, du frecher Bauerntölpel, du!« Ein Mann, gekleidet in einen schwarzen Mantel, hatte sich erhoben und trat rasch zu dem Bauern aus Aura, der noch mit festem Griff den Kragen des Klosterschülers hielt. Verdutzt wandte der Bauer sich um und musterte den Fremden, dessen schwarzes Haar wirr und struppig nach allen Seiten hing. Ein dichter schwarzer Schnurrbart gab seinem Gesicht einen herrischen Zug, unter den buschigen schwarzen Augenbrauen blickten kalte, durchdringende Augen den Unruhestifter an.

»Laß diesen Jungen los!« herrschte der Schwarze den Bauern an, doch der grinste höhnisch und erwiderte: »Warum wohl, seid ihr auch ein Pfaff oder Pfaffenknecht?«

»Du wirst gleich merken, wer ich bin!« zischte der Fremde, hob die rechte Hand mit gespeizten Fingern zu einer schnellen, geheimnisvollen Geste, blickte dem Burschen noch schärfer in die Augen und brüllte plötzlich mit unerwarteter Heftigkeit und Lautstärke ein Wort, das keinem menschlichen Klang glich, sondern der Kampfruf eines wilden Tieres schien. Der Bauer erstarrte und stand stocksteif, als sei er in eine Statue verwandelt, nur die Klammern seiner Hände lösten sich, so daß Thomas aufatmend auf die Bank zurücksinken konnte.

Der Bauer stand immer noch da, ohne sich zu rühren, mit offenem Mund, als sei er aus Holz oder Stein. Seine Kumpane waren einige Schritte zurückgewichen und begannen beunruhigt zu murmeln, der eine oder andere griff nach dem Dolch und nahm gegen den schwarzen Fremden eine drohende Haltung ein. Doch der ließ sich nicht davon beeindrucken, sondern rief abermals mit gebieterischem Ton: »Hallo, Junker Volland!«

Unter dem Tisch, an dem der schwarze Mann gesessen hatte, kam ein großer, ja riesiger schwarzer zottiger Hund hervor, der – während er sich schüttelte – noch zu wachsen schien, sich dann aufrichtete und mit den Vorderpfoten auf dem Tisch vor dem starr stehenden Bauern aufstützte. Das schwarze Ungetüm hatte so fast die Größe eines Menschen erreicht; er knurrte leise und blinzelte die gedrängt stehenden Männer mit klugen Augen an, als suche er herauszufinden, wer von den Zweibeinern am vorwitzigsten sei und deshalb als erster die Hundezähne an seiner Gurgel spüren müßte.

Erschrockenes Schweigen breitete sich in der Wirtsstube aus. Wer seine Waffe gezogen hatte, ließ sie sinken und versuchte, sie unauffällig wegzustecken. Herr und Hund blickten siegessicher in die Runde.

»Damit ihr wißt, ihr Tölpel von Erdwürmern, dies ist kein gewöhnlicher Hund, dies ist der Leibhaftige selbst, der Satanas. Der ist unverwundbar für menschliche Waffen; wenn er einem den Hals durchbeißt, so fährt derselbige schnurstracks zur Hölle. Ich bin Doktor Faustus der Mächtige, der Oberste aller Zauberer und Schwarzkünstler. Gegen mich vermögt ihr mit euren Spatzenhirnen und Hasenherzen nichts, denn ich gebiete den Dämonen und Geistern nach meinem freien Willen. Laßt also ab, warne ich euch, von diesem jungen Mann hier, den ich unter meinen Schutz stelle! Wenn ihr noch einmal versucht, ihm ein Leid anzutun, dann werde ich mich an euch rächen, als hättet ihr es mir getan! Habt ihr das alle gehört, ihr Strohschädel?«

Auf den Gesichtern der Männer zeichnete sich abergläubische Furcht ab, Angst vor der Zauberei, wider die Muskelkraft und Mannesmut nichts vermochten. Sie zogen sich, einer nach dem anderen, langsam zu ihren Plätzen zurück, etliche verließen sogar die Schankstube, froh, aus dem Bannkreis des Unheimlichen zu entweichen.

Jetzt trat Doktor Faustus der Mächtige, wie sich der Fremde genannt hatte, zu dem noch immer erstarrten Manne und tippte ihm leicht mit dem linken Zeigefinger auf die Stirn. Der Bauer begann sich schwerfällig zu rühren, als erwache er aus einem tiefen Schlaf, blickte benommen um sich, schüttelte verwirrt den Kopf, als könne er sich an nichts von dem Vorgefallenen erinnern, schließlich wankte er, unsicher vor sich hinglotzend, zur Tür und verschwand im Flur der Wirtschaft.

Der Magier ließ sich an Thomas Dornblüths Tisch nieder, winkte dem eingeschüchterten Wirt, er solle die Bierhumpen neu füllen, und als der Klosterschüler ansetzte, sich für die Rettung zu bedanken, wischte Dr. Faustus die Angelegenheit vom Tisch, indem er sagte:

»Ach, dies war nicht der Rede wert! Es wär doch schlimm, wenn so ein hoffnungsvoller Studiosus durch einen ungeschlachten Bauernrüpel zu Schaden käme. Kein Wort mehr davon! Erzählt mir lieber, wie ihr in dieses Nest hier geraten seid, was euch hierhergeführt hat und wohinaus euer Weg gehen soll.«

Von Dankbarkeit beflügelt, berichtete Thomas ausführlich über das Kloster, über die Bedrohung durch die aufständischen Bauern und über seine Absicht, nach Würzburg zu gelangen. Während er sprach, bemerkte er, daß Junker Volland, der große schwarze Hund, sich vor dem Tisch am Boden niedergelegt hatte und ihn anblickte, als könne er jedes Wort des jungen Menschen verstehen und mache sich über den Bericht seine eigenen Gedanken.

»Geht nicht nach Würzburg, ich rat euch ab!« Die Stimme des Doktors nahm einen beschwörenden Ton an.

»Warum denn? In Würzburg wird man sicher sein. Die festen Mauern schützen doch die Stadt!«

»Nein, ich rat euch ab! Das Volk der Stadt wird sich wider den Bischof erheben, aber sie werden seine Burg nicht nehmen können, und er wird dann Rach und Blutgericht üben an ihnen.«

»Woher wißt ihr dies alles, doctissime Magister?«

»Ich achte auf den Lauf der Sterne und lese daraus, was kommen kann. Und der Blick in die Tiefen der kristallenen Kugel zeigt mir viele zukünftige Bilder, die ich wohl zu deuten weiß.« Der Doktor verstummte und schaute versonnen auf die abgekratzte Tischplatte, als lese er auch in der Maserung des Holzes.

Thomas blickte ihn verwundert an, versuchte die Gedanken hinter der tief gefurchten Stirn des schwarzhaarigen Mannes zu erkennen und fragte dann, leise und zögernd: »Und wenn ihr so in die Zukunft sehen könnt, was ratet ihr mir dann?«

Dr. Faustus hob das Gesicht und heftete seinen ruhigen, kühlen Blick auf die Augen des jungen Mannes: »Ich rat euch nur von etwas ab, ich rat euch nicht zu etwas zu. Um zuraten zu können, da müßt ich erst euch eine Nativität stellen, ein Horoskop aus Tag, Stund und Ort eurer Geburt. Dafür ist hier in dieser Schenke nicht der rechte Platz. Und was ihr tun wollt, das muß aus euch kommen. Ihr müßt auf euer Herz hören und euch dann für das entscheiden, was es sagt.«

Was mein Herz sagt, weiß ich doch noch gar nicht, dachte Thomas. Vor zwei Wochen hätte mein Herz mir noch gesagt, ich sollte in solcher Lage zurückgehn zum Kloster und nach dem Vater Abt suchen. Vor einer Woche hätte mein Herz verlangt, ohne Ziel und Ende durch das Land zu streifen und die Geheimnisse der Schöpfung zu erkunden. Und was ich jetzt tun soll, da sagt mein Herz mir nichts.

»Sagt mir, Herr Dr. Faustus, wohin seid ihr des Wegs? Wo ist euer Ziel?«

Der Magister schwieg noch einige Atemzüge lang, bevor er antwortete: »Ich komme gerade aus Köln und bin unterwegs in das Gebiet des Bischofs von Bamberg. Der schätzt meinen Rat und mein Wissen um den Gang der Gestirne, und in den Städten seiner Herrschaft werde ich ehrenvoll aufgenommen.«

Zu jener Zeit hatte Thomas Dornblüth es nicht gewagt, den Meister zu fragen, warum er die Stadt Köln verlassen hatte, obwohl die doch um vieles größer und schöner sein mußte als Bamberg. Hatte nicht schon damals Dr. Faustus insgeheim den Plan gehegt, ins reiche Nürnberg zu kommen, und dazu Bamberg nur als Zwischenstation angesehen? Der nun heimatlose Klosterschüler hatte sich ein Herz gefaßt und gefragt, ob er den gelehrten und so zauberisch begabten Mann bis Bamberg begleiten dürfe; unterwegs könnte er sich dann klar werden über seine weiteren Pläne. Dr. Faustus hatte zugestimmt. Hatte er in diesem Augenblick nicht schon gewußt, daß eine Woche später der ehemalige Alumnus der Abtei von Aura, darum bitten würde, ihn als Schüler und Famulus anzunehmen?

Langsam, zu Fuß in Begleitung eines Packpferdes und des großen Hundes Junker Volland, von dem sein Herr behauptete, er sei ein Dämon in Hundegestalt, waren sie am nördlichen Ufer des Mains dahingezogen, immer vorsichtig die Orte meidend, wo Aufruhr und Kampf herrschten, da und dort eine längere Rast einlegend, die Dr. Faustus oft dazu nutzte, mit dem jungen Mann Gespräche und praktische Unterweisung über dessen Lieblingsthema zu halten, über die Kräfte der heilenden Kräuter. Bei Zeil schließlich hatten sie den Main überquert, um unter den waldigen Ausläufern des Steigerwaldes am Südufer des Stroms den letzten

Abschnitt des Weges zurückzulegen. Als dann die Türme des Bamberger Doms und der Altenburg am Horizont sichtbar wurden, hatte Thomas Dornblüth sich ein Herz gefaßt und den Doktor, dessen umfassende Kenntnis und magische Kraft er in den letzten Tagen mehr und mehr zu bewundern gelernt hatte, gefragt, ob er bereit sei, ihn als Schüler bei sich zu behalten und ihn alles zu lehren, was er wüßte, und ihn in alle Geheimnisse einzuweihen, die er kannte.

Wieder hatte der Magier einige Atemzüge lang geschwiegen und Thomas mit seinem Blick fixiert. Schließlich hatte er mit seiner dunklen, heftigen Stimme gesagt: »Gut, Thomas Dornblüth von Kreuzthal und Aura, ich nehm dich an als meinen Schüler und Famulus in den geheimen Künsten und Wissenschaften. Und wisse, daß du jetzt gebunden bist, sieben Jahre mein Leben zu teilen und mit mir zu reisen, wohin ich gehe. Erst nach sieben Jahren wirst du wieder frei sein!«

Mit einem Handschlag hatten sie den Vertrag besiegelt und waren dann hinabgestiegen zu der Bischofsstadt an der Regnitz.

Sieben Jahre! Thomas Dornblüth blieb stehen auf dem schmalen Grasstreifen am südlichen Pegnitzufer, zwischen Erlen und Schilf. Sieben Jahre? Hatte er diesen Vertrag mit dem Meister nicht auch an einem 10. Mai geschlossen, als sie nach Bamberg gekommen waren? Waren nicht heute die sieben Jahre voll, und ging es ihm nicht heute genauso wie damals, daß er sich entscheiden mußte, wie es weitergehen sollte mit ihm und dem Meister?

Seine Füße begannen zu schmerzen, und die Knie zitterten leicht. Er wollte eine Weile ausruhen. Er streifte Schuhe und Strümpfe ab, ging an das plätschernde Strömen des Flusses heran, setzte sich an den unteren Rand der Uferböschung, streckte die Füße ins Wasser und ließ sich dann auf den Rücken sinken. Seine Hände und Arme nahm er als Unterlage für den Kopf, schloß kurz die Augen und blickte dann zum Himmel, wo große bauschige Wolken langsam nach Westen zogen.

Er versuchte, in den Wolken Formen zu erkennen, die er als Figuren oder Bilder deuten könnte. Denn der Meister hatte ihn gelehrt, im Herzen des Menschen wohne ein gewaltiger Geist oder Dämon, den er mit einem griechischen Wort den ›Archon‹, den Herrscher, nannte. Dieser Archon könne alles und wisse alles; ihn zu wecken, dienstbar zu machen und dann Eins mit ihm zu sein, das sei das tiefste Geheimnis der Magie.

Aber schon vorher könne der Zauberschüler hilfreiche und nützliche Botschaften von dem Archon erhalten, wenn er nur versuche, seine Gedanken abfallen zu lassen und die geheimnisvollen Bilder zu sehen, die in den Wolken, in den Formen von Steinen und Felsen oder auf den Wellen der Flüsse sichtbar würden.

Diese Übung war eine der Grundlagen der Magie, sie gehörte zu dem, was der Meister ›die Kunst des Lebens‹ nannte. Ein Zauberer mußte in der Lage sein, das wirre Getriebe der Welt und der Natur tiefer zu durchschauen, als die gewöhnlichen Menschen – dadurch war er ihnen schon weit überlegen.

Thomas hatte diese Kunst mit Begeisterung gelernt. Schon beim Sammeln der Heilkräuter mußte man ›lesen‹ können, denn durch Standort und Nachbarschaft gaben die Pflanzen zu erkennen, auf welche Organe des Körpers sie wirkten, welche Krankheiten sie heilten und welches Übel sie hervorriefen bei übermäßigem Gebrauch. Thomas hatte gelernt, in Häusern und Städten, in Wald und Feld gute, hilfreiche Plätze von gefährlichen, bedrohlichen zu unterscheiden. Ebenso wichtig war, die Zeichen zu erkennen, die das Herannahen von Gefahr oder das Aufkeimen segensreicher Entwicklungen verrieten. Er war unterwiesen worden, gute und schlechte Tage schon am frühen Morgen zu erkennen und dann die Maßnahmen zu ergreifen, die der vorherrschenden Kraft des Tages entsprachen.

Vor allem hatte der Meister ihn unterrichtet, das Wesen der Menschen zu erkennen, ihre Charaktere lesen zu können, an den Linien der Hand, dem Ausdruck des Gesichts, ihrer Kleidung und ihren Bewegungen, und an den geheimen Strahlungen, die ihr Archon ausschickte. So konnte der Zauberer sein Verhalten der jeweiligen Situation anpassen und war in der Lage, die Schwächen der Menschen zu sehen und auszunutzen. Der Meister konnte blitzschnell erkennen, welcher Mensch unter seinen Zuhörern Angst vor ihm hatte, und kannte raffinierte und subtile Vorkehrungen, diese Angst zu steigern und zu steuern. Dazu zählte vor allem sein ›starkes Auge‹: Er widerstand dem Blick eines jeden

Menschen so lange, bis der andere es nicht mehr aushielt und die Augen abwandte. Thomas hatte sein ›starkes Auge‹ eifrig geübt und immer wieder mit Befriedigung festgestellt, daß es kaum noch einen Menschen gab (den Meister natürlich ausgenommen!), den er nicht durch starken Blick verlegen und damit unterlegen machen konnte. Nur heute, daran erinnerte er sich jetzt mit Unbehagen, waren seine Augen immer abgeglitten vom Gesicht des Lazarus Spengler, das eine gesammelte Ruhe ausgestrahlt hatte, gegen die anzugehen die Kraft des Zauberschülers noch nicht mächtig genug war.

Und des weiteren hatte der Meister ihn die Kunst der Verkleidung und Verstellung gelehrt, wie man das Benehmen der Menschen genau beobachtete, um sie nachahmen und bei Bedarf ganz flink in ihre Rollen schlüpfen zu können. Binnen weniger Augenblicke konnte der Meister sich in ein altes Weib, einen jungen vornehmen Herrn oder einen behäbigen Pfaffen verwandeln. Zusammen mit dem ›starken Auge‹ und der Fähigkeit, durch unerwartete Berührung und plötzlichen Schrei einen Menschen in Angst zu lähmen, war dies die Grundlage für des Meisters Kunst, sich unsichtbar zu machen oder beliebige Geistergestalten vor die verblüfften Zuschauer zu rufen.

Immer wieder betonte er, dies alles seien nur die niederen Künste der Magie, ohne die man aber nicht zu den höheren fortschreiten könne. Der Meister hatte keine Skrupel, die Menschen zu täuschen, denn er sagte immer wieder:

»Schau, die Leut verlangen danach, getäuscht zu werden. Weshalb rennen sie sonst den Pfaffen nach und deren himmlischen Wundern? Und haben sie nicht alle Verlangen nach dem Absonderlichen, Unerhörten, Unbegreiflichen? Sie verlangen nach Angst und Schrecken, denn die sind ihnen eine geheime Lust. Und vor allem wollen sie etwas haben zum Schwatzen und Tratschen, zum Aufbauschen und Weitererzählen. Deshalb muß der Magus einen Nebel von Gerüchten um sich verbreiten und selber die Legenden ausdenken, die dann seinen Ruhm in die Lande tragen und die Leute anziehen und willfährig machen. Mundus vult decipi, ergo decipiatur!* Da die Menschen Narren sind, halt ich sie zu Narren.«

---

* = Die Welt will getäuscht werden, also werde sie getäuscht!

Wie recht der Meister hatte, konnte Thomas in diesen sieben Jahren immer wieder erleben: Dem Dr. Faustus eilten die seltsamsten Geschichten voraus; wohin er kam, da waren die einfachen Leute entweder schon eingeschüchtert und fügten sich aus Angst, er könnte die Dämonen auf sie hetzen, oder sie drängten sich um ihn, um die Wunder zu sehen, die sie aus festem Glauben erwarteten.

Die vornehmen Herren und die gelehrten Männer schätzten dies zwar nicht, aber sie hatten sich zu der Überzeugung bringen lassen, der Meister sei der größte Astrologe der Gegenwart, und sie bezahlten ihn fürstlich, wenn er ihnen – nach längeren Gesprächen und umständlich-geheimnisvollen Berechnungen – ihr Horoskop erläuterte. Um das Horoskopstellen hatte Thomas sich eigentlich noch nicht recht gekümmert: Die seltsam-willkürlichen Regeln, die dabei angewandt wurden, waren ihm zu trocken, die Begriffe zu abstrakt; er liebte es viel mehr, bei Nacht die wirklichen Sterne zu betrachten und seinen Archon zu bitten, unmittelbar die Botschaft der Gestirne aufzunehmen. Aber vielleicht lag die Kunst des Horoskopberechnens auch in geschickter Anwendung des ›Lesens‹? Der Meister hatte darüber nie einen Aufschluß gegeben, aber Thomas vermutete, er lese in den Gesichtern der Menschen ihre Erwartungen und Sehnsüchte, und er spüre das Schicksal ihrer Leiber und Seelen und forme danach das Horoskop, dessen komplizierte mathematische Formeln dann die wahre Quelle des Wissens verschleierten.

All das, was Thomas bisher gelernt hatte, waren ›Künste für die Reise‹, wie der Meister sagte, also Fähigkeiten und Fertigkeiten, die dem Magier den Weg ebnen sollten, seine wahren Ziele zu erreichen, die über das Leben gewöhnlicher Menschen hinausgingen. Er, der Schüler, hatte in diesen Reise-Künsten schon ziemliche Gewandtheit erreicht, und zweifellos war dadurch sein Leben schon sehr vielfältig und abwechslungsreich geworden (auch durch die vielen Orte und Menschen, die er beim Umherziehen kennengelernt hatte), aber wann endlich würde sein Archon voll erwachen, ihm voll zu Diensten sein und ihn zu solchen Taten befähigen, wie sie der Meister zu vollführen behauptete (aber nur im Geheimen, nie in der unmittelbaren Gegenwart des Schülers)? Das Herstellen von Gold aus unedlem Metall, das Herbeirufen der Geister großer Verstorbener, oder auch das sekundenschnelle Reisen mit Dämonenhilfe in andere Länder, ja sogar in andere Zeiten ... Der Meister erzählte davon, packend und anschaulich, aber er hielt es noch nicht für gekommen, den Schüler in den inneren Kreis der Geheimnisse einzuweihen, weil er noch nicht den Ort erreicht und vorbereitet hatte, wo solch gefährliches Unterfangen in Angriff genommen werden konnte.

Thomas erhob sich seufzend vom Flußufer. Er hatte keine hilfreichen Bilder in den Wolken gesehen, und während er seinen Gedanken nachgehangen hatte, war die Sonne schon ein großes Stück weiter nach Westen gewandert. Er mußte sich jetzt doch wohl sputen, damit des Meisters Ungeduld nicht überkochte. Am Ende könnte der Meister gar mit einem seiner Dämonen anrücken und seine Saumseligkeit hart bestrafen.

Aber auch im Weitergehen, im Dahintrotten zwischen den Weiden und Erlen, kam immer wieder die gleiche quälende Frage: Wann? Wann endlich wird es soweit sein, daß der Ort gefunden ist, an dem die höhere Einweihung stattfinden kann? Wann endlich wird er die wahren Früchte der sieben Jahre Wanderschaft ernten? Wäre er damals, nach der Niederschlagung des Bauernaufstandes, ins Kloster zurückgekehrt, so hätte man ihn inzwischen wohl zum Priester geweiht und mit der Verwaltung der sakramentalen Geheimnisse betraut. Vor einigen Wochen hatte er in Bamberg von einem Benediktiner aus dem Kloster auf dem St. Michaelsberg gehört, die Wiederherstellung des Klosters Aura sei abgeschlossen und der Bischof von Würzburg habe den neuen Altar geweiht. Als er diese Nachricht vernahm, hatte Thomas für einige Herzschläge lang ein Heimweh gespürt nach der Stille des Klosters, dem süßmilden Weihrauchduft, dem getragenen Chorgesang in den Weisen des Hl. Gregor – Heimweh nach dieser Insel des Friedens und der Weltabgeschiedenheit, die ihm früher als Vorhof zum überirdischen Frieden des Paradieses erschienen war.

Aber zur Rückkehr ins Kloster war es zu spät. Zu tief war er eingedrungen in die Vorstufe der Zauberei, zu würzig schmeckte das abenteuerliche Leben, in das ihn der Meister eingeführt hatte. Er konnte nicht mehr ein frommer Novize werden, jetzt, da er einen ›starren Blick‹ hatte und der Archon sich ungestüm in sei-

nem Innern regte. Jetzt konnte er nur noch geradenwegs voran-
schreiten, bis er den Punkt erreicht hatte, an dem er dem Meister
ebenbürtig war: Ein vollkommener Adept, ein Magus von eigener
Kraft und Willkür. War es vielleicht dies, was den Meister zögern
ließ mit der tieferen Einweihung? Wollte er ihn immer in der
Rolle des Famulus festhalten, mochte er etwa keinen gleichran-
gigen Wissenden neben sich dulden?

Während Thomas jetzt die Flußauen verließ und dem Weg zu-
strebte, der aus dem Tal hinaufführte zu der Anhöhe, wo die
Häuser des Marktfleckens Fürth um die Kirche des Erzengels
Michael geschart waren wie Küken um eine Glucke, da nahm er
sich fest vor, die heutige Gelegenheit zu ergreifen und mit Dr.
Faustus ein offenes Wort zu reden. Sobald der Meister seine Wut
über die Ablehnung durch die engstirnigen Nürnberger ausgetobt hatte, wollte er ihn klipp und klar und unnachgiebig fragen:

»Und wie geht es jetzt weiter mit uns beiden, doctissime Magister? Was wird jetzt aus mir?«

Sein Entschluß beflügelte ihn. Leichtfüßig, als habe er keinen
meilenlangen Fußmarsch hinter sich, eilte er die enge, knarrende
Treppe im Hause des Engelwirtes empor, auf das Zimmer des
Meisters zu. Beinahe wäre er über Junker Volland gestolpert; der
Hund hielt immer Wache vor der Tür seines Herrn. Er erhob
sich geräuschlos und trat zur Seite, denn er kannte Thomas und
verwehrte ihm den Zugang nicht. Obwohl der Schüler nicht
glaubte, daß das große, schwarze, zottige Tier ein leibhaftiger
Teufel sei (das war sicher nur eine der Legenden, die der Meister
ausstreute, um die Leute zu erschrecken), beschlich ihn manchmal das absonderliche Gefühl, Junker Volland müsse ein überaus
gescheiter Mensch sein, der in einen Hund verwandelt war, denn
das Tier zeigte ein kluges, verständiges Benehmen, das weit über
die Fähigkeiten eines gewöhnlichen Hundes hinausging.

Thomas klopfte das vereinbarte Zeichen an die Tür, mit dem
er dem Meister sein Kommen anzukündigen hatte. Er wartete
eine Weile, hörte aber keine Aufforderung zum Eintreten, somit
klopfte er noch einmal und trat ein, wie es der Meister mit ihm
ausgemacht hatte.

Nachdem er die Tür wieder hinter sich geschlossen hatte, erkannte er, warum der Meister sein Klopfzeichen nicht beantwor-

tet hatte. Er war ganz in ein Gespräch mit einem unbekannten Gast vertieft und hatte im Eifer des Disputs offenbar das Signal seines Schülers nicht gehört. Auch jetzt blickte er sich nur kurz nach ihm um, wies ihn mit einem knappen Kopfnicken an, sich niederzusetzen, und führte dann die offenbar erregte Unterhaltung mit dem Fremden fort.

Die beiden Männer saßen einander an dem kleinen Tisch vor dem Fenster gegenüber, links Dr. Faustus, der sich immer wieder mit den Ellbogen auf den Tisch stützte und sich in der Heftigkeit seines Sprechens nach vorn neigte, rechts der Unbekannte, der aufrecht und fast unbeweglich saß und den eingetretenen Schüler nur kurz mit einem Blick aus den Augenwinkeln zur Kenntnis genommen hatte. Auch er war in ein dunkles Gewand gekleidet, das allerdings nicht tiefschwarz war wie das des Meisters, sondern im Licht der Spätnachmittagssonne, das durch das kleine Butzenscheibenfenster fiel, bläulich-silbern und seidig-dunkelgrün schimmerte. Das Farbenspiel des Stoffes erinnerte Thomas an das Federkleid eines Kolkraben, und für einen Augenblick hatte er die Vision eines unbeweglich auf einem Felsen Wache haltenden Raben, den eine Krähe oder Dohle umtänzelte. Im Haupthaar und in dem kurzen Vollbart des Mannes zeigten sich schon feine graue und weiße Strähnen, die schwarzbraunen Augen funkelten jedoch mit schier jugendlicher Lebenskraft.

Da Thomas nicht den Gegenstand des Gespräches kannte und die beiden trotz aller Heftigkeit nicht sehr laut sprachen, versuchte er nicht sofort ihren Worten zu folgen, sondern betrachtete die Mienen der Sprechenden. Das Gesicht des Fremden war von dem milden Licht der späten Sonne überglänzt; trotz des beginnenden Ergrauens der Haare war es von einer fast kindlichen Weichheit und Glätte; die dunklen Augen blickten unverwandt auf den Gegenüber.

Auf den Zügen des Dr. Faustus lag schon der abendliche Schatten, dessen Dunkelheit durch die ungetrübte Schwärze des Haares und des Bartes noch verstärkt wurde. Die Stirn war gerunzelt zu zornigen Falten, Mund und Augenpartie waren umzuckt von unablässiger Unruhe. Thomas verwirrte das ruhelose Umherwandern der Augen des Meisters. Jetzt waren sie gar nicht mehr stark, dem festen stillen Blick des anderen hielten sie nicht stand. Jedoch – trotz aller Verschiedenheit im Aussehen der beiden glaubte Thomas zwischen ihnen auch eine Ähnlichkeit der Gesichtszüge zu sehen, als seien beide Söhne der gleichen Mutter.

»Ach, was du da predigst! Von mir wird man noch lange reden und erzählen, wenn du schon längst vergessen bist und der Wind deine Spuren verweht hat!« stieß Dr. Faustus gerade hervor, in einem trotzig-scharfen Ton, in dem aber etwas Gequältes, fast Verzweifeltes mitklang.

»Jörg, Jörg, so lange bist du schon auf der falschen Bahn. Nur der Ruhm bei den Menschen treibt dich an, Gier und Verlangen nach Macht über die anderen sind Ansporn deiner Bemühungen. Wo ist der Wunsch nach Einsicht in die Wunder der Schöpfung geblieben? Wo die Sehnsucht nach der Schau der göttlichen Vollkommenheit? Haben die Dämonen, die du zu beherrschen vorgibst, schon dein Herz umgarnt? Welches Ende soll das mit dir nehmen, wenn du in dieser Richtung weitergehst? Nur herrschen willst du und ausnützen, nicht dienen, nicht lieben. Bedenk doch den Ausgang, vermerk doch das Ziel!«

Die Eindringlichkeit, mit der der Gast den Meister beschwor, schien bei ihm nicht den entsprechenden Anklang zu finden, im Gegenteil, die Ermahnungen steigerten seine Erregung noch und er redete jetzt laut, fast schrie er:

»Beim Luzifer, willst du jetzt wohl noch anfangen, mir nach der Pfaffen Art vom Himmel oder vom Paradies oder vom Letzten Gericht zu schwatzen? Du weißt doch gut, ich hab mit der Pfaffen Lehr nichts im Sinn, nicht mit der einen, nicht mit der anderen.

Narren sind sie, wie alle Menschen, und auch du bist ein Narr, Johannes, ein sanfter Narr, und ich lach über dich. Und daß du es weißt: Ich denk schon lang an End und Ziel, und ich sag dir: Der Himmel ist mir zu langweilig, das Paradies zu fad. Ich fahr lieber zur Höll, dort ist was los, dort herrschen Kurzweil und Teufelstanz.«

Der Meister lachte auf, mit schneidendem Spott, der wohl den Gegenüber treffen sollte, aber dieser verzog kaum die Miene, nur einen leichten Anflug von Traurigkeit und Resignation glaubte Thomas auf seinen Zügen zu sehen. Doch nun sprang Dr. Faustus auf und wies mit zorniger Gebärde zur Tür:

»Ich bin es leid, Johannes, von dir belehrt und geschulmeistert zu werden. Merk dir, dies ist das letzte Mal, daß ich mir von dir die Zeit stehlen laß! Du glaubst wohl, weil du der Ältere bist, kannst du mich bis zum Ende gängeln und bekritteln? Jetzt ist Schluß damit! Heb dich hinweg und tritt mir nie mehr unter die Augen! Ich werd dem Junker Volland sagen, daß er in Zukunft dich fernhält von mir. Geh weg, geh weg, geh deines Wegs, der nicht der meinige ist!«

Der mit ›Johannes‹ angeredete Fremde erhob sich langsam; einige Augenblicke lang schien er zu zögern, ob er noch etwas sagen sollte zu dem von Zorn und Erregung fast geschüttelten Mann, den er als ›Jörg‹ angesprochen hatte. Doch er tat seinen Mund nicht mehr auf, wandte sich kurz zu dem im Hintergrund der Stube sitzenden verwirrten Schüler und warf ihm einen eindringlich-fragenden Blick zu. Dann verneigte er sich leicht, wie ziellos, zur Mitte des Raumes, wo gar niemand stand, und verschwand durch die Tür.

Dr. Faustus stand am Fenster und umklammerte mit der rechten Hand den Fenstergriff, während er mit der zur Faust geballten linken nervös gegen die Wand und gegen seinen Oberschenkel klopfte.

Thomas wartete viele Atemzüge lang darauf, der Meister werde sich umwenden und begierig nach der Botschaft fragen, die er ihm zu bringen hatte. Doch der Doktor machte keine Anstalten dazu; er schien die Anwesenheit seines Famulus völlig vergessen zu haben.

»Verzeiht, Meister«, hub der Schüler schließlich zaghaft an, »die Nürnberger …«

»Ja, ja, die wollen mich auch nicht haben in ihrer Stadt, diese elenden Pfennigfuchser und Krämerseelen!« schnitt Dr. Faustus ihm das Wort ab. »Das weiß ich schon. Ist schon gut, ist schon gut. Laß mich jetzt allein, geh in die Schenke und nimm deine Abendspeis! Und sag dem Wirt, ich eß heut abend nicht, mir ist nicht danach.«

Thomas wagte nicht zu fragen, auf welche Weise der Meister schon von der Nürnberger Zurückweisung erfahren hatte, ob durch einen Blick in die Kristallkugel oder mit Hilfe eines dienstbaren Geistes, aber eine Frage mußte er doch anbringen, denn sie lag ihm brennend heiß auf der Zunge, und er konnte sie nicht hinunterschlucken:

»Doctissime Magister, wer war der Mann, der euch hier mit solcher Widerrede traktiert hat?«

»Der? Ach, zum Teufel, das war mein Bruder, der alte Besserwisser, der stille Schleicher mit seiner pfäffischen Gesinnung. Was muß der hierher zu mir kommen! Nur um mir den gleichen Vorhalt zu machen, den ich schon seit Jahrzehnten von ihm hören muß. Ein Angsthas ist er eben, ein Weichling, eine schäfische Seel. Er ist mein Zwilling, der Ältere von uns beiden zwar, aber von gänzlich anderem Wesen als ich und deshalb der wahren Magie von klein auf abhold. Vergiß ihn! Es sei so, als hättest du ihn nie gesehen.«

Dann ließ der Meister doch die Arme sinken und setzte sich wieder am Tisch nieder, stützte die Ellbogen auf und barg das Gesicht in den Händen. Er atmete tief und heftig. Nach einer Weile blickte er zu Thomas auf und sagte:

»Ach, du bist noch da? Geh weg, geh weg! Laß mich für heut allein! Morgen wollen wir weitersehen, morgen werden mir die Sterne sagen, wie's weitergehen soll!«

Thomas verließ still die Stube, vorbei an Junker Volland, der ihn mit verständigen Augen musterte. Beim Hinabgehen über die Stiege beschloß er, nicht beim Engelwirt einzukehren; er fürchtete, einer der Gäste könnte wieder neugierige Fragen stellen über das Woher und Wohin des Dr. Helmitheus, oder der Wirt hätte etwas gehört von den letzten lauten Worten des Streitens in des Meisters Zimmer und würde wißbegierig nachbohren.

Unschlüssig trat er hinaus auf den Marktplatz, den jetzt schon der Schatten der gegenüberliegenden Häuser ganz bedeckte. Sollte er zur »Schenkstatt am Bronnen« gehen oder zum »Roten Rößlein«, das ein Stück weiter nach Westen lag, beim markgräflichen Geleithaus? Doch halt! Das »Rote Rößlein« war nürnbergisch, dort mochte vielleicht einer einkehren, der ihn heute in der Stadt gesehen hatte, und dann gleichfalls vorwitzige Fragen stellen nach seinem Herrn und dessen Aufenthalt.

Er lenkte seine Schritte langsam zu dem alten Ziehbrunnen auf der Südseite des Marktes. Eine alte Frau stand am Brunnenrand gebeugt und zog unter dem Knarren des Brunnenrades einen Kübel Wasser nach oben. Auf dem Weg, der am südlichen Ende des Platzes entlang führte, trieb ein Hütejunge eine kleine Herde von Schafen und Ziegen vorbei einem Anwesen zu, das im Osten des Ortes liegen mußte. Vor der »Schenkstatt am Bronnen« standen zwei Männer in leisem Gespräch.

Auf den Eingang des Wirtshauses zugehend, erkannte Thomas den einen der beiden, den Juden Mendel, den Sohn des Weinwirtes Symelin, der sich, aus Bamberg kommend, vor einigen Jahren hier in dem Flecken Fürth niedergelassen hatte. Er stammte eigentlich aus Nürnberg, aber die Patrizier und Kaufleute der reichen Stadt duldeten keinen Juden mehr in ihren Mauern, weil sie in ihnen unerwünschte Konkurrenten sahen, doch unter dem Schutz des Markgrafen von Ansbach und des Dompropstes von Bamberg konnten die Kinder Israels sich jetzt in dem kleinen, dreigeteilten Marktflecken niederlassen, wo man sie nicht ungern aufnahm.

Den Mendel und seinen Vater Symelin hatte Thomas schon einmal in Bamberg getroffen, als er nämlich dort versucht hatte, einen Juden zu finden, der ihm Einführung und Einweihung gäbe in die geheime Lehre der Kabbala, die ihm der Meister noch vorenthielt. Schüchterne Andeutungen über diese Bemühungen hatte der Meister mit den abschätzigen Worten abgetan: »Von den Juden kannst du da wenig Belehrung erwarten, die meisten verstehen nichts von den Tiefen ihrer eigenen Schrift, und die, so's verstehen, verraten es nicht!«

Mendel sprach offenbar mit dem anderen Manne hebräisch (zumindest nicht lateinisch oder griechisch, denn diese Sprachen hatte Thomas im Umgang mit dem Meister gut verstehen gelernt), und als Thomas den anderen ansah, war er überrascht, denn dieser war niemand anders als der Fremde, den der Meister ›Johannes‹ genannt und nachher als seinen älteren Zwillingsbruder bezeichnet hatte.

Gerade als er an den beiden vorbeigehen wollte, verabschiedete sich der Jude von Johannes Faust und ging nach Westen davon, so daß der Famulus dem geheimnisvollen Mann gegenüberstand. Der blickte ihn an und sagte mit einem Lächeln:

»Einen guten Abend euch, Herr Dornblüth! Seid ihr wieder unterwegs im Auftrag eures Meisters, brav und unermüdlich wie immer?«

Thomas erwiderte den Gruß nur sehr zurückhaltend. Woher kannte der andere ihn? Woher wußte er von seiner Arbeit für den Meister?

»Ich muß jetzt da hinausgehen!« sagte der Ältere und wies nach Nordosten, am Turm der St. Michaelskirche vorbei. »Wollt ihr mir denn nicht ein klein wenig Geleit geben, Herr Studiosus? Oder zieht es euch in die Schenkstatt hinein, zu Braten und Bier?«

Thomas schüttelte verlegen den Kopf. Er hatte jetzt kein Gelüst auf Speis und Trank, und in einer lauten, vom Essensgeruch erfüllten Wirtsstube wollte er jetzt auch nicht hocken. Und überdies hoffte er, von diesem Manne etwas zu hören über die Ursache des Streites in des Meiters Stube, und vielleicht konnte sein Archon aus diesen Worten eine Botschaft heraushören, die ihm bei der Entscheidung half, wie sein Weg weitergehen sollte.

Doch zunächst schwieg der andere, während sie zwischen den Häusern dahinschritten, und Thomas hoffte, der Meister möge nicht gerade jetzt aus dem Fenster blicken und ihn als Begleiter seines Widersachers erspähen. Sie gingen langsam den Heiligenberg hinunter und bogen dann, kurz vor einer Wendung der Pegnitz, nach links. Also war nicht die Brücke das Ziel des Älteren, und nicht der Weg zum nahen Dorfe Poppenreuth.

Statt dessen schlug er einen schmalen Fußpfad ein, der durch bucklige Wiesen hindurch zu der Stelle führte, wo die beiden Flüsse Pegnitz und Rednitz sich vereinen und als Regnitz nordwärts weiterfließen, nach Forchheim und Bamberg.

Thomas fürchtete, der andere würde den ganzen Spaziergang lang (denn darum schien es sich nach der Beschaffenheit des Ortes zu handeln) schweigen und sich des Wortes enthalten, deshalb setzte er zu einer Frage an, die ihm sofort, als die Worte verklungen waren, ungeschickt und töricht erschien: »Verzeiht, Herr Johannes, seid ihr auch ein Adept der Geheimen Kunst, wie euer Bruder, mein Meister?«

Johannes Faust hielt inne und blickte nachdenklich auf die wißbegierigen, aber von Unsicherheit überflackerten Züge des Schülers. Dann sagte er, langsam und leise:

»Hm, eine geheime Kunst mag man's wohl nennen, obgleich sie allen offensteht, die sehen und hören können und ein Verlangen nach der Heimkehr haben, dorthin, wo alles Leben seinen Ursprung hat. Ob das, was ich für richtig halte, derjenigen Ars Magna gleicht, nach der mein Bruder Jörg verlangt, das mag ich wohl bezweifeln.«

Er schwieg einige Zeit, als suche er nach Worten, mit denen er dem jungen Mann begreiflich machen könnte, was er zu sagen hatte. Dann fuhr er fort, während sie langsam auf zwei große Eichen zugingen, die zu beiden Seiten des Pfades wie zwei Wächter standen, als behüteten sie den Eingang zu der Landzunge zwischen den beiden Flüssen:

»Hört gut zu, Thomas Dornblüth, und bedenkt es wohl! Es gibt verschiedene Urwurzeln im Herzen des Menschen, daraus die Handlungen und Strebungen entstehen. Was aus der falschen Wurzel kommt, das kann nicht gut sein, wie schön und stark und groß es auch in den Augen der Welt erscheinen mag. Das Unglück meines Bruders ist, daß ihn die Ruhmsucht treibt, das Verlangen, die Menschen zu erstaunen, zu beeindrucken, gar zu erschrecken. Herrschen möchte er so über sie, über die Mächtigen und Prächtigen am allerliebsten. Wie ein Puppenspieler möcht er sein und sie an den Schnüren ihrer Ängste und Schwächen, ihrer Sehnsüchte und Lüste bewegen und herumhampeln, sie nach seinem Will und Gutdünken tanzen und hüpfen lassen. Darauf richtet sich all sein Sinnen, und alle Kunst ist ihm nur Mittel zu diesem einen Zweck. Und das führt zu keinem guten Ende, denn Mißbrauch ist es der geheimen Kräfte, und Widerkraft erzeugt er nur durch dies vom Machtwunsch und von der Ruhmgier gezeugte Streben.

Ihr seht ja schon, daß Widerstand sich regt bei denen, die er in seinen Bann zu schlagen wünscht, aber viel schlimmer ist die Widerkraft, die in seinem Innern wächst und am Ende ihn straucheln machen wird!«

Johannes Faust schwieg, als sei es zu schmerzlich für ihn, über ein unseliges Schicksal zu sprechen, das er für seinen so berühmten Bruder Georg voraussah.

Inzwischen waren sie bei den Eichen angelangt, und zu Thomas Dornblüths großer Verwunderung schlang Johannes Faust seine Arme um den größeren Stamm und legte seine Stirn auf die rissige Rinde, schloß die Augen und verharrte reglos und schweigend, eine so lange Zeit, daß es dem unruhigen Schüler schien, als würde der Mann in dem schimmernden dunklen Mantel mit dem graugrünen Stamm des Baumes verschmelzen in der langsam einbrechenden Dämmerung.

Schließlich hob Johannes Faust sein Gesicht, die Augen glänzten, und eine stille Freude und Zufriedenheit ließ sein Antlitz wie das eines glücklichen Kindes erscheinen. Leise sagte er: »Seht diese Bäume hier! Ich habe gelernt, ihre Gelassenheit gegenüber den zeitlichen Wandlungen zu fühlen. Für mich sind sie Freunde und Helfer, euer Meister aber würde nur suchen, ob in ihnen ein Geist oder Naturdämon haust, den er durch einen machtvollen Spruch sich untertänig machen kann.«

Beim Weitergehen fuhr er fort: »Auch mich verlangt, die Geheimnisse dieser Welt und der in ihr waltenden Kräfte zu erfahren, aber nicht zum Herrschen, zum Ausnützen oder zum Mißbrauchen. Ich will Eins werden mit dem großen Atem, der die Natur durchweht, auf daß ich das Leben eines wahrhaften Menschen führe, der sich durch nichts scheiden läßt von der Einen Weisheit, die alle Pfade zur Erfüllung lenkt.

Wie das Wasser will ich sein, das in seiner Sanftheit und Wandelbarkeit überall hindringt, wo keines Menschen Fuß je gelangen wird – und doch ist es kraftvoll und stark, es gibt nichts Mächtigeres auf dieser Erde als das Wasser.

Dem Wind will ich mich anvertrauen und mich von ihm tragen lassen, dorthin, wo die Welt auf mein kleines Mitwirken wartet. Wie ein Baum möchte ich werden, meine Wurzeln tief in die Dunkelheit der Erde senken zu den verborgenen Wasseradern, dann der Sonne, dem Mond und den Sternen ein reiches Laubdach entgegenrecken, allen Vögeln und Faltern, Käfern und Kerfen Gastlichkeit bieten, und meine Fruchtkerne dem Winde schenken, der sie als Samen nach seinem, nicht nach meinem Gutdünken verbreitet.«

Johannes Faust verfiel wieder in Schweigen, in ein lebendiges Schweigen, von dem Thomas sich nicht abgewiesen oder ausgeschlossen empfand. Jenseits der Weidengestrüppe gurgelten zu beiden Seiten die Wasser der zwei Flüsse, Bläßhühner ruderten geschäftig durch das schwankende Schilf, dann und wann tönte geschwätziges Geschnatter von Wildenten durch die abendliche Luft.

Die Worte des anderen hatten die Sehnsucht in seinem Herzen geweckt, eine Erinnerung an jene unbeschwerten Frühlingstage vor sieben Jahren, als er das Saaletal hinabgewandert war und nichts anderes im Sinn gehabt hatte als das Wesen der Kräuter, Sträucher und Bäume zu erkennen, ohne Gedanken an Vergangenheit oder Zukunft zu verschwenden. War das der Weg, dem er folgen sollte? Und was war mit seinem Verlangen, die große Transmutation vollziehen zu können, die Herstellung des königlichen Sonnenmetalls aus den unedlen Stoffen der Schöpfung?

»Es gibt keine unedlen Stoffe in der Schöpfung!« brach Johannes Faust das Schweigen, als könne er Gedanken lesen. »In diesem wohlgeordneten und weisen Kosmos hat alles seinen Platz. Narrheit, Torheit, sinnloses Beginnen ist's, metallisches Gold herstellen zu wollen aus anderem Rohstoff.«

Er wandte sich dem Schüler zu und lachte leise auf: »Meint ihr, ein Adept, der solches tun könnte, hätte es nötig, herumzuziehen und Fürsten und reiche Herren mit seiner Kunst zu erstaunen? Ein solcher würde doch eher in aller Stille und Verborgenheit wirken, damit niemand von seinem Reichtum erfährt oder ihm das Geheimnis raubt!

Schwätzer und leere Prahler sind sie alle, die vorgeben, Gold machen zu können, und unwissende Tölpel obendrein, denn einem falschen Verständnis der alten Worte folgen sie, von fehlerhafter Übersetzung lassen sie sich täuschen. Seit alter Zeit, noch bevor die ›Tabula Smaragdina‹ niedergeschrieben wurde, war bei den wahrhaft Wissenden das Wort ›Gold‹ der geheime Name für den einzigen Reichtum, den ein Mensch hier auf der Erde mit sich tragen kann, für die Kraft des Lebens, das in ihm pulst, für den Strom der Energie, die ihn zu allem Werk befähigt. Solches Gold wachsen zu lassen, *das* ist die wahre Ars Maxima et Ultima!

Inwendiges Gold ist es, Herr Schüler, keines, das man in Kästen und Schatullen bergen muß, sondern eines, das mit jedem Atemzug, jedem Herzschlag den Mikrokosmos des Leibes durcheilt wie das Sonnenlicht den Makrokosmos, das Große All. Nur allein nach solchem Gold strebt der wirklich wahre Adept!«

Inzwischen waren sie an der Landspitze angekommen, wo von rechts die Pegnitz heranfloß und sich mit der von links strömenden Rednitz zu einem Fluß einte, dessen Wasser sich unterscheidbar mischten und weiterströmten, um dann weit im Norden sich mit dem Main zu vereinen, der auch noch Wern, Saale und Sinn aufnahm und dann seinerseits den Rhein speiste, der wiederum in das nördliche Meer floß, das einen kleinen Teil jenes großen Ozeans bildete, der die ganze Erde umschloß. Thomas Dornblüth schwindelte fast bei der Vorstellung, durch die hier unaufhörlich fließenden Wasser verbunden zu sein mit dem Einen Wasser, das alles Land umgab. Floß nicht auch das Bächlein seines Lebens in ein solches einziges, allumfassendes Meer? Und wohin zog der Fluß seines Meisters? Wohin der Strom dieses Johannes Faust?

Die eben gehörten Worte hatten viele Fragen in ihm geweckt, aber er schob sie auf für den Rückweg. Er wollte den Zauber dieses Augenblicks zwischen den drei Flüssen nicht durch weiteres Reden stören. Sie beide standen da wie auf dem Heck eines Schiffes, als blickten sie auf schäumendes, zurückströmendes Kielwasser hinab.

Dann rührte sich Johannes Faust und sprach: »Es ist gut. Laßt uns Abschied nehmen, Herr Thomas Dornblüth! Ich bin gewiß, ihr werdet euch schon recht und klug entscheiden. Es ist Zeit, daß ich gehe. Lebt dann wohl!«

»Lebt wohl, Herr Johannes«, murmelte Thomas, ganz verwirrt, daß der andere sich schon hier, mitten zwischen den Flüssen verabschiedete statt dort hinten, wo der Pfad vor dem Marktflecken in die größeren Wege mündete. Doch Johannes Faust klopfte ihm herzlich auf die Schulter, raffte seinen Mantel zusammen und schritt hinunter zum Wassersaum.

Ohne einen Augenblick zu zögern, trat er auf die bewegte Wasserfläche und ging weiter, als sei da noch Land und nicht schon das Zusammenstrudeln der beiden Flüsse. Er wandte sich um, mitten auf den Wellen stehend, und winkte dem in Staunen erstarrten Schüler zu, dann setzte er seinen Weg fort, schlug einen sanften Bogen nach rechts ein und schritt über das Wasser, bis er das nordöstliche Ufer der frischgeborenen Regnitz erreicht hatte. Hier drehte er sich ein letztes Mal um zu einer Gebärde des Grußes, dann stieg er die Uferanhöhe empor und verschwand im dichten, dämmerigen Wald, der jene Seite des Flusses säumte.

Thomas brauchte längere Zeit, bis er sich aus seiner Versunkenheit lösen konnte. Er kehrte sich um zu der Ortschaft, deren Giebel zusammen mit dem schlanken spitzen Turm der Kirche eine schwarze Silhouette vor dem abendlichen Himmel bildeten.

Im Südwesten funkelte der Abendstern, Venus, der Planet des Goldes und der Schönheit, wie ein sprühender Diamant auf dem dunkelnden Samt des Firmaments.

Thomas Dornblüth begann langsam zurückzugehen. Er wußte, daß er sich entschieden haben müßte, bevor er das Ende dieses Pfades erreicht hätte, dort bei den Eichen, am Fuße des Hügels.

Garten zwischen Lebensbäumen

1

›Ich darf keine Zeit mehr verlieren! Ich muß zu einem Entschluß kommen! Ich darf die Entscheidung, wie alles weitergehen soll, nicht mehr länger vor mir herschieben! Ich muß endlich den Weg wählen, den ich einzuschlagen habe!‹

Immer die gleichen drängenden Gedanken. Sie folgen einander in endlosem Kreislauf. Ich kann die Sache nicht mehr vertagen: der Zeitpunkt der Entscheidung rückt unaufhaltsam näher. Heute ist schon der 6. Februar, und sobald das Wintersemester zu Ende ist, muß ich wissen, was ich weiter tun will. Da ich jetzt die Magisterprüfung bestanden habe, gibt's ab März kein Stipendium mehr. Ich verliere den Status des Studenten; ich brauche eine Stellung. Aber ich zögere halt, mich festzulegen; ich habe Angst, die Richtung, die ich einschlage, könnte die falsche sein. Wie kann ich herausfinden, was richtig ist?

War es nicht vielleicht schon falsch, bei der Wahl der Studienfächer einfach meinen Interessen zu folgen? Kunstgeschichte, Musikwissenschaft, Fränkische Landesgeschichte – was kann ich damit anfangen? Selbst wenn ich jetzt meinen Namen mit den Buchstaben ›M. A.‹ verzieren darf ...

Hätte ich nicht gleich nach dem Abitur aufs Konservatorium gehen sollen und mich voll der Musik widmen? Vielleicht wäre ich dann zwar nicht viel besser, als ich jetzt ohnehin schon bin – jeder, der mich spielen hört, sagt, ich sei durch den Privatunterricht bei Professor Wartenberg zu einem exzellenten Geiger geworden –, aber ich wäre sicher schon in einigen Konzerten aufgetreten, hätte schon die ersten Schritte zur Solistenkarriere als Violinvirtuose getan. Natürlich kann ich immer noch auf die Musikhochschule überwechseln; sicher wäre ich bald Meisterschüler. Aber ist der Erfolg als Konzertmusiker überhaupt so erstrebenswert? Das ganze Leben nur dem Geigenspiel widmen? Üben, üben und nochmals üben, und dann durch die Lande ziehen und mich vor arroganten Musikkritikern, vornehm gekleideten Banausen und exaltierten Musikliebhabern produzieren?

Oder sollte ich mich nicht viel lieber auf die Komposition verlegen? Endlich die Passacaglia in g-Moll niederschreiben, die mir schon so lange durch den Kopf geht? Doch wie lang dauert es, bis ich vom Komponieren leben kann? Soll ich mich da einstweilen mit Musikunterricht über Wasser halten? Etwa gar an eine Schule gehen? Nein, nein! Nicht einmal an ein Privatinstitut! Ich eigne mich nicht dafür. Vielleicht bin ich gar nicht fähig, meine Musikalität in irgendeiner Weise in klingende Münze umzuwandeln. Vielleicht sollte ich die Musik weiter meine private Liebhaberei sein lassen, meine geheime Leidenschaft – unbefleckt von jedem Anhauch einer Kommerzialisierung.

Professor Kleinots Angebot ist schon verlockend: nach Würzburg gehen an sein Institut und wissenschaftlicher Mitarbeiter werden, später vielleicht sogar sein Assistent ... Aber dazu muß ich eben promovieren. Mir ein Dissertationsthema suchen. Es ist doch schon fast alles abgegrast in der Kunstgeschichte, wenigstens was die Epochen anlangt, die mich interessieren. Mit den modernen Schmierereien, mit Filz und Fett und Industriemüll hab' ich ja eh nichts im Sinn, aber was kann man noch Neues schreiben über Leonardo oder Tizian, über Vermeer oder Rembrandt, über Matthias Grünewaldt oder El Greco? Die geben doch nur noch Stoff her für kleine Beiträge in den »Kunstwissenschaftlichen Studien«. Oder sollte ich eine Monographie schreiben über ein einziges Bild? Über die »Judith« von Cristofano Allori etwa, die ich so sehr liebe, daß ich extra um ihretwillen letzten Sommer nach Florenz gefahren bin und stundenlang verzückt vor ihr im Palazzo Pitti saß? Ach, über sie hat bestimmt schon irgendein Italiener geschrieben, und es wäre auch gar nicht recht, meine Liebe zu ihr zu einer Doktorarbeit gerinnen zu lassen, meine tiefen Gefühle vor der wissenschaftlichen Fachwelt zur Schau zu stellen. Dies Verhalten wäre geradezu unkeusch ...

Und überhaupt: was brächte mir denn ein ›Dr. phil.‹ in Kunstgeschichte? Natürlich das Privileg, eine Hochschullaufbahn einzuschlagen. Wozu? Um vielleicht sogar eines Tages Nachfolger von Professor Kleinot zu werden? – Aussichtslos! Da knien schon andere in den Startlöchern, mit besseren Chancen. Zum Beispiel dieser Thomas Philemon Morau, der mich heute durch das Institut geführt hat. Er sei zur Zeit Professor Kleinots Lieblingsdoktorand, munkelt man. Gegen den komm' ich nicht an.

Will ich auch nicht! Ich hasse Konkurrenz und ehrgeizige

Wettbewerbe. Eigentlich will ich doch am liebsten Ruhe und Beschaulichkeit. Soll ich nach der Promotion an ein Museum gehen? Das Germanische Museum würde mir ja gefallen, zumal ich in Nürnberg aufgewachsen bin, seit meine Mutter nach dem Krieg mit mir dorthin kam. Aber in den Museen sind ja alle Stellen restlos besetzt. Und wer braucht sonst noch einen promovierten Kunsthistoriker?

Kunstkritiker könnte ich werden, bei einer Zeitung, so wie Doris Schmidt bei der »Süddeutschen« – die imponiert mir. Das wär' vielleicht nicht schlecht: Kunstfeuilletons schreiben, daneben auch Musikkritiken, und ab und zu ein nettes Sachbuch für das gebildete Kunst- und Konzertpublikum ...

Aber – muß ich dafür promovieren? Zu einer Zeitung könnte ich doch jetzt schon gehen – je eher, desto besser. Die Stellen bei den Zeitungen sind ebenfalls sehr gefragt; da muß man rechtzeitig anfangen, wenn man einmal einen Namen haben will. Sollte ich nicht schon jetzt Bewerbungsschreiben losschicken, an alle Redaktionen, die nur irgendwie in Frage kommen?

Nein, halt! Ich kann doch auch für Zeitungen schreiben, wenn ich zu Professor Kleinots Institut gehe. Als freier Mitarbeiter, ohne Zeitdruck, ohne Existenzsorgen. Ich krieg' doch mindestens einen Dreijahresvertrag, da hab' ich genügend Zeit, mich als Fachmann aufzubauen.

Ach, ich kann mich nicht entscheiden. Aber ich muß, ich muß! Welche Richtung soll ich bloß ansteuern? Wohin mein Leben lenken?

Was spielt der Kerl da hinten wie verrückt mit seiner Lichthupe? Und blökt jetzt noch mit seiner Tröte wie ein Irrer? Okay, okay, ich weiß schon: mein R4 ist nicht so schnell wie dieser BMW, aber er hätte mich doch noch diesen Laster überholen lassen können. Jetzt kommt er immer näher ran, und ich muß schauen, daß die mich rechts wieder reinlassen.

Der Teufel ist heut' wieder los auf der Autobahn Würzburg–Nürnberg, und noch dazu liegt Schneematsch auf der Fahrbahn! Ich hasse das Fahren auf der Autobahn. Mit diesem kleinen Wagen ist das kein Vergnügen.

›Mensch, laß mich doch rechts rein, du mit deinem Riesenmercedes und deinem großkotzigen Campingwohnwagen! Du siehst doch, daß dieser Selbstmörder von BMW-Fahrer mir schon fast auf der rückwärtigen Stoßstange sitzt! Laß mich doch endlich rein!‹

Uff, gerade noch geschafft! Und das bei 120 km/h. Zugegeben, ich fahr' heut' nicht sehr konzentriert. Muß dauernd nachdenken. Am besten fahr' ich runter von der Autobahn und wechsle über auf die B 8. Sonst erwischt's mich heute noch bei dieser irren Raserei, und dann brauch' ich mir überhaupt keine Gedanken mehr über die Zukunft zu machen. Dann wär' Schluß mit allen schönen Plänen, und mein Leben wäre bloß noch Vergangenheit.

Nächste Ausfahrt Rüdenhausen-Wiesentheid. Die nehm' ich. Dann kann ich mir Zeit lassen und in Ruhe nachdenken.

2

Ich nahm in Rüdenhausen die B 286, die bei Enzlar in die B 8 mündet, aber irgendwo unterwegs mußte ich mich ganz idiotisch verfahren haben, bei Birklingen oder Ziegenbach; ich wußte es gar nicht mehr genau. Ich war zu sehr in meine Gedanken und Überlegungen versunken und bin einfach hinter einem Traktor mit Anhänger hergezockelt, langsam, ohne ihn zu überholen, denn die Straße war glatt, an manchen Stellen ganz von Schneewehen bedeckt. Als der Traktor plötzlich in einen Feldweg einbog, merkte ich, daß ich auf eine Nebenstraße geraten sein mußte. Sie war ziemlich schmal – hier wollte ich nicht wenden, sondern lieber weiterfahren bis zum nächsten Dorf. Es ging durch die verschneiten Felder, dann eine sanfte Anhöhe hinauf. Das kahle Buschwerk rückte zu der Straße vor. Ein Wegweiser: »Füllefeld 1,5 km«. Das Dorf mußte hinter dem Hügelrücken in einem Tal liegen.

Zur linken kam der winterliche Wald näher. Genau auf dem Kamm schob er eine dichte Gruppe dunkler Bäume wie eine Art Zunge oder Vorgebirge in Richtung der Straße. Da mußte eine Kuppe sein. Scharf konturiert hoben sich die zypressenartigen Pyramiden der Bäume vom Weiß der Felder und vom Blau des sonnigen Winterhimmels ab. Sie waren nur ganz leicht von Schnee wie überzuckert.

Das Bild gefiel mir so gut, daß ich auf der Anhöhe anhielt, um es in Ruhe zu genießen. Auf einmal waren alle Gedanken still. Ich war nur Auge. Dann: ›Das müßte man malen! Etwa im Stil von ..., etwa wie – die Winterbilder von Pieter Bruegel oder wie Hans Schmandts ‚Fränkisches Dorf im Schnee‘ oder so ...‹

Ach, schon wieder meldete sich der Kunstwissenschaftler in mir. Konnte ich nicht einmal eine einzige Minute etwas anschauen, ohne sofort Vergleiche ziehen zu müssen, ohne fachmännische Überlegungen anzustellen?

Ich stieg aus dem Wagen. Die frische Winterluft würde mir guttun, meine ganzen Grübeleien aufsaugen, wegblasen. Überhaupt war Zeit für eine Pause. So eilig hatte ich es nun auch wieder nicht. Ich atmete tief ein und ging hinüber auf die andere Straßenseite.

Zwischen den Bäumen dort schimmerte etwas hell, gelb oder ocker. Der Giebel eines Hauses? Ich wurde neugierig. Was für ein Gebäude mochte sich dort zwischen den schwarzen Baumpyramidern verstecken? Wer wohnte dort wohl?

Von der Straße schien ein Weg, eine schmale Fahrspur zu dem Haus zwischen den Bäumen zu führen, drei- bis vierhundert Meter etwa. Der Schnee in den Fahrrinnen war noch frisch, keine Spur von Schuhen oder Reifen. Entweder gab es noch einen anderen Zugang, vom Wald her, oder keiner der Bewohner jenes Hauses hatte sich heute schon in die Außenwelt begeben. Ein Blick auf meine Uhr: immerhin schon zehn vor zwei am Nachmittag! Vielleicht stand das Haus leer? Ich sah keinen Rauch aufsteigen.

Und schon begann ich auf die Bäume zuzustapfen. Die Bewegung machte meinen Körper warm – oder kam die Wärme von der frisch entfachten Wißbegier? Eine kindliche Lust an Entdekkungen glühte in mir. Ich mußte unwillkürlich lächeln: Wieder war ich zu dem kleinen Heinrich geworden, der so unbändig gern allem Unbekannten nachging ...

Der würzige Duft der Bäume umfing mich. Es waren hochgewachsene Wacholder und Eiben, vermischt mit Lebensbäumen. Etwas ungewöhnlich für diese Gegend, ohne Zweifel ganz bewußt gepflanzt. Denn der Wald da hinten war Mischgehölz, Tannen und Fichten mit Buchen darinnen.

Eine übermannshohe Mauer umgab das Gebäude, davor zog sich ein Graben von vielleicht drei Metern Breite, der früher mit Wasser gefüllt sein mochte, jetzt aber trocken lag, mit ein paar Flecken Schnee da und dort. Der Weg lief über eine schmale Brücke, doch ein großes schmiedeeisernes Tor verwehrte den Zutritt. Ich drückte die kunstvoll verschnörkelte Klinke: der Torflügel gab nicht nach. Ich suchte mir eine Stelle, wo die Eisenschranken einen Blick erlaubten, und äugte zu dem Haus hinüber, das durch ein etwa fünfzehn Meter breites, parkähnliches Stück Garten von der Mauer getrennt war: Ein Schlößchen oder Herrensitz im Stil der Spätrenaissance, gebaut vielleicht um die Wende vom sechzehnten zum siebzehnten Jahrhundert ...

Nach meiner Schätzung maß die Front etwa dreißig Meter in der Breite. Auf dem aus großen Sandsteinquadern gefügten Erdgeschoß saßen noch zwei weitere Stockwerke; sie waren ockergelb verputzt. Das quer verlaufende Satteldach lockerten drei Zwerchhäuser auf: in der Mitte ein breiteres mit einem hohen Giebel, an den beiden Seitenenden schmälere, dazwischen je eine Dachgaube mit einem kleinen Fenster.

Drei, vier Stufen führten zu dem Portal; oberhalb des Bogens über den beiden Türflügeln aus dunklem, eisenbeschlagenen Holz war ein Wappen angebracht: In der linken Hälfte des Schildes bäumte sich, zur Mitte blickend, ein silbernes Pferdchen auf grünem Grund, die rechte Hälfte war dunkelblau mit einem goldenen sechszackigen Stern darin, von dessen Winkeln zarte Strahlen ausgingen. An einigen Stellen war die Farbe des Wappens abgeblättert. Ob dieses Haus noch in Besitz der Familie des Erbauers war, der dieses Wappen hatte anbringen lassen?

Hinter den dicken Bleiglasscheiben in den hohen rechteckigen Fenstern konnte ich kein Zeichen von Leben ausmachen. Die Fenster spiegelten die hohen Bäume; es war nicht einmal zu erkennen, ob dahinter Vorhänge zugezogen waren. Wie stille dunkle Augen blickten sie völlig unbeweglich in den winterlichen Park.

Eine Zeitlang stand ich ruhig da, in den Anblick des stummen Baus versunken. Doch dann begann schon wieder mein regloser Geist zu arbeiten: Wer hatte wann dieses Schloß errichtet? Vielleicht Wolf Beringer, der Baumeister der Alten Universität in Würzburg? Fünf Jahre kunstgeschichtlichen Studiums hatten

meinen Intellekt gedrillt; er verlangte nach den Daten, auf denen wissenschaftliche Architekturbetrachtung aufbaut. Gab es schon Literatur über dieses Gebäude? Speckfeld, Schwarzenberg, Castell – den anderen Schlössern und Burgen dieser Gegend war ich schon in den Büchern begegnet, aber ein ›Herrensitz bei Füllefeld‹ war mir noch nie aufgefallen. Wenn ich doch jetzt nur die entsprechenden Nachschlagewerke bei mir hätte!

Plötzlich der Gedanke: Wie, wenn *ich* über diesen Bau schriebe, als erster womöglich? Wär' das nicht ein großartiges Dissertationsthema? Mein Herz begann schneller zu schlagen. Vielleicht stand die Antwort all der Fragen, die ich vorhin beim Fahren auf der Autobahn hin- und hergewälzt hatte, hier direkt vor mir?

Mit einem gierig-erregten Blick (wie ein Forscher, der im Dschungel vor einer neu entdeckten Orchidee oder einer bisher unbekannten Schlangenart steht) raffte ich noch einmal alle markanten Details der Fassade in mein Hirn, dann hastete ich zurück zu meinem Auto. Wie dumm, daß ich nicht einmal meinen Fotoapparat mitgenommen hatte. Na ja, ich würde wiederkommen, mit Blitzlicht und Stativ und allem Drum und Dran.

Jetzt war der nächste Schritt, einen ersten Informanten zu finden, vor allem: jemanden, der mir Zutritt zu dem Schloß verschaffen konnte.

Langsam ließ ich meinen Wagen die andere Seite des Hügelrückens hinabrollen, zu dem kleinen Dorf, das Füllefeld sein mußte. Wie Küken um eine Glucke drängten sich knapp zwei Dutzend kleiner Bauernhäuser um eine alte Kirche, auf deren massigem Turm eine absonderlich schmale Spitze saß.

Ah, das war die Idee: Als ersten könnte ich den Pfarrer ausfragen! Der würde sicher etwas wissen über das Haus zwischen den Bäumen.

»Warten's hier an Augenblick, der Herr Benefizjaat kummt glei!« Damit ließ mich die rundliche alte Haushälterin allein in dem Raum zurück, der eine Mischung aus Sprechzimmer und Bibliothek zu sein schien.

Benefiziat – klar, da's Dorf war zu klein für eine eigene Pfarrei; der Seelsorger war bestimmt ein alter Pfarrer im Ruhestand. Er mußte ein geruhsames Leben haben hier in dem geräumigen

Haus, das an die Kirche angebaut war und wo ich auf gut Glück geläutet hatte.

Ich war zu unruhig, mich auf das Kanapee zu setzen. Erst ging ich in dem Zimmer auf und ab und legte mir meine Worte zurecht, dann blieb ich vor einem der verglasten Bücherschränke stehen. In den Türen steckte kein Schlüssel, aber durch die Scheiben konnte ich die Titel auf den Bücherrücken lesen. Die Sammlung hier mußte ein Vermögen wert sein, schon allein nach dem, was hier so in dem ersten Schrank stand und alles nach Erstdrukken aussah, angefangen bei A: der »Libellus de Alchemia« des Albertus Magnus in der Straßburger Ausgabe von 1613, die »Vita B. Alberti Magni« des Petrus de Prussia von 1621, und – was für eine Kostbarkeit! – die 21 Bände der »Opera Alberti Magni«, von Petrus Jammy 1651 in Lyon herausgegeben. Mit den lechzenden Blicken des heimlichen Bibliomanen folgte ich weiter der alphabetischen Ordnung der Reichtümer: Hellwig Dieterichs »Eulogie der himmlischen und irdischen Planeten, des Makrokosmos und des Mikrokosmos« (1627), das »Miraculum Mundi« des Johann Rudolf Glauber und sein »De igne secreto philosophorum« (Über das geheime Feuer der Weisen), daneben Johann Baptist van Helmonts »Arbor Vitae«, die Werke des Michael Majer, die Schriften des Theophrastus Paracelsus ...

In was für eine Schatzkammer war ich da geraten? Um ein Haar hätte ich das Schloß im Wald ganz vergessen: sehnlichst wünschte ich mir, einmal diese Schränke öffnen und in all den Raritäten blättern, den milden Duft ihres ehrwürdigen Alters riechen zu dürfen.

Wie lange ich so dastand, voller Staunen und Verlangen, weiß ich nicht. Die Zeit des Wartens war verstrichen, ohne daß ich sie wahrgenommen hatte.

»Grüß Gott. – Was kann ich für Sie tun?«

Ich fuhr herum. Im Türrahmen stand ein großer, dürrer Mann in einer langen schwarzen Soutane mit weißem Priesterkragen. Seinen Schädel zierte ein schmaler Kranz weißer Haare, aus dem hageren, faltigen Greisengesicht ragte eine scharf geschnittene Nase wie ein Vogelschnabel, die dunklen Augen waren unbewegt auf mich gerichtet. Einen Herzschlag lang kam ich mir vor wie ein kleiner Käfer, den eine Amsel aufmerksam beäugt, bevor sie blitzschnell zuschnappt.

Doch der Herr Benefiziat schnappte nicht zu, obwohl ich ins Stottern und Gatzen geriet, als ich dem geduldig Abwartenden meinen Namen nannte und mein Anliegen erklärte.

»So so, ein Studiosus der Historia Artis und der Ars Musicae, will sagen ein Magister der Künste. Na, dann setzen's Ihnen amal hin, und woll'n wir red'n über d'Sach.« Er wies mit seiner schmalen, runzeligen Hand zu dem Kanapee; ich nahm Platz an einer Seite, am Ende des dunklen, bloßen Tisches.

Der Priester wandte sich um und rief in den Flur: »Geh, Marie, bring uns an Kaffee, und für den B'such an Kuchen!« Das letzte Wort schien die Haushälterin nicht mitbekommen zu haben; sie fragte zurück, und er wiederholte, dabei vollends ins Fränkische verfallend: »... fir'n B'suuch an Koung!«

Dann setzte er sich mir gegenüber auf den hohen Stuhl – er wirkte dadurch noch größer, als er eh schon war – und fragte freundlich: »Ham Sie irg'nd a Legitimation dabei, Herr Biber?« Der altmodische Ausdruck machte mich einen Augenblick stutzen, doch dann begriff ich und holte meinen Studentenausweis aus dem Anorak und schob ihn über den Tisch.

Zuerst verglich er streng (so empfand ich es zumindest) mein Aussehen mit dem schon fünf Jahre alten Paßbild, dann schien er sich von meiner Identität überzeugt zu haben und las weiter.

»So so, noch im Böhmerland gebor'n. Sudetendeutscher sagt man heut dazu, nit wahr?« Es schien ihn zu amüsieren. Dann schaute er mir überrascht ins Gesicht: »Geh schau! A Löw! Und ich hab' denkt, Sie senn a Zwilling!«

Ich wollte fragen, was für eine Bewandtnis es damit habe, doch da kam Marie herein, brachte zuerst eine große, schwere, blumenbestickte Tischdecke, dann das Tablett mit Kaffee und Kuchen. Während des Kaffeetrinkens ließ mir der Geistliche keine Zeit für Fragen. Statt dessen fragte *er* mich aus, über Studium, Examen und Berufspläne.

3

Auf einem Feldweg, der auf dem weißen Hang nur an einigen aus dem Schnee ragenden Grenzsteinen zu erkennen war, stapften wir hinauf zu der baumbestandenen Kuppe auf dem Hügelrücken. Pater Kyrcher, der Benefiziat, hatte es abgelehnt, mit dem Auto zu fahren. Insgeheim gab ich ihm jetzt recht, denn in der winterlichen Stille (vom Dorf her klang kaum ein Laut menschlicher Aktivität, ab und zu nur das kurze Aufbellen eines Hundes) und in der frischen, klaren Luft konnte einem der Lärm und der Gestank eines Automotors wie ein Sakrileg erscheinen.

Während wir langsam dahingingen, erzählte er mir in bedächtigen, offenbar wohlüberlegten Sätzen einiges über die Geschichte des Schlößchens, in das »nur einen Blick werfen« zu dürfen ich gebeten hatte. Es sei der Sitz der Freiherren von Füllefeld-Sternlein gewesen, die vom frühen Mittelalter bis zum Ausgang des Dreißigjährigen Krieges die kleine Herrschaft Füllefeld (das Dorf, seine Umgebung und noch ein paar Weiler) innegehabt hatten. Früher sei da eine Burg gestanden, die zwar im Großen Deutschen Bauernkrieg verschont geblieben war (»d'Freiherrn vo Füllefeld senn immer gout zu die Bauern gweest«, merkte der Pater an), dann aber doch den Ansprüchen der neuen Zeit nicht mehr genügt habe, und habe der kurmainzische Baumeister Georg Robin (von dem auch der Plan für Schloß Weikersheim stammte) 1590 den neuen Herrensitz gebaut. Der damalige Freiherr war mit Robin befreundet, hatten die Füllefeld-Sternleins doch immer gute Beziehungen zum kurmainzischen Hof, denn – wie Pater Kyrcher mit offensichtlicher Genugtuung vermerkte – »sie senn dem Alten Glaub'n immer treu bliem«.

»Was bedeutet denn eigentlich ›Sternlein‹?« fragte ich. Das sei der Name dieser Hügelkuppe, antwortete der Priester. Und zwar gebe es eine alte Sage, in grauer Vorzeit, noch vor der Landnahme durch die Franken, als dieser Landstrich von einer keltisch-slawischen Mischbevölkerung bewohnt war, da sei in einer Sommernacht (wahrscheinlich zur Zeit der Sternschnuppenschwärme, die im Volksmund die »St.-Laurentius-Tränen« heißen, während sie von den Astronomen »Perseiden« genannt werden) ein Stern vom Himmel gefallen, und seitdem gebe es diese Kuppe, die deshalb »das Sternlein« genannt wurde. Es müsse ein ziemlich großer Meteorit gewesen sein. In der vorchristlichen Zeit sei dort eine Kultstätte gewesen für eine erdverbundene Muttergottheit, die von einem Chronisten mit »Ceres, Proserpina, Rhea seu Tellus« gleichgesetzt worden sei. Darauf hätten iroschottische Mönche dort eine Marienkapelle errichtet, die später, als man die Dorfkirche im Tal baute, zur Burgkapelle der alten Füllefeldschen

Familienburg geworden sei. Äußere Spuren der alten Burg und Kapelle seien heute nicht mehr zu sehen, fügte der Priester an, und dann ließ er seinen Satz im Ungewissen enden: »Äußere zwar nicht, aber ...«

Er sprach nicht weiter, und irgendwie hatte ich das Gefühl, als sei es ihm nicht recht, wenn ich jetzt in diese Richtung weiterbohrte. Deshalb griff ich einen anderen Punkt auf, der mich ja ganz besonders beschäftigte: »Gibt es eigentlich irgendwelche Bücher über das Schloß, Dokumente, Forschungen, Studien?«

Pater Kyrcher antwortete nicht, als habe er meine Frage nicht gehört. Nach einem kurzen Schweigen, in dem nur unser Schnaufen zu hören war und der knirschende Schnee unter den Füßen, wiederholte ich sie, mit ein wenig Nachdruck.

Der alte Mann schaute auf, als sei er aus langem Nachsinnen herausgerissen: »Bücher – nein. Unterlagen – ja, aber nit hier, nit hier, in Salzburg vielleicht, im Archiv ...«

»Warum ausgerechnet in Salzburg?«

Der Benefiziat schnaufte tief ein, als müsse er Kraft sammeln für eine Erklärung, die langen Atem brauchen würde. Der letzte Freiherr von Füllefeld-Sternlein, der hier in den Jahrzehnten nach dem Dreißigjährigen Krieg seines Amtes waltete, sei ohne männlichen Erben geblieben; seine einzige Tochter habe alle Heiratsangebote adeliger Herren abgelehnt, und schließlich hätten die Grafen von Castell und von Schwarzenberg begonnen, sich um die Oberhoheit über die Herrschaft Füllefeld zu streiten. Da habe der Freiherr sein Amt, seine Privilegien und Rechte gegen eine stattliche Entschädigung an den Grafen von Schwarzenberg abgetreten und sei nach Salzburg übergesiedelt: offiziell, um eine Stelle als Kammerherr am Hof des Salzburger Fürsterzbischofs zu übernehmen, tatsächlich aber habe er sich vorwiegend seinen Studien gewidmet und häufige Reisen in den Süden unternommen.

Nur das Schlößchen und die Dorfkirche habe die Familie in ihrem Besitz behalten, und noch heute gehörten beide der Freiherrlich-Füllefeld-Sternleinschen Familienstiftung, die auch das Benefizium unterhalte, das dem kleinen Dorf die Stelle eines (wenn auch immer recht alten) Seelsorgers sichere.

»So bin ich alter Knorr'n g'wissermaßen a Ang'stellter von die Füllefeld-Sternlein«, sagte er mit einem verschmitzten Grinsen, als handle es sich dabei um einen zu Heiterkeit Anlaß bietenden Sachverhalt.

Die Tochter des letzten Freiherrn, fuhr er dann zu erzählen fort, habe noch einige Zeit allein auf dem Sternlein gewohnt (allein – das hieß natürlich: mit Zofe und Diener); sie sei ein recht eigenwilliges und couragiertes Frauenzimmer gewesen und habe sich in ganz ungewöhnlichem Maß (ungewöhnlich zumindest für junge Frauen ihrer Zeit) den »artibus et litteris« gewidmet, den Künsten und Wissenschaften, ja, man erzähle sogar, sie sei Adeptin der Ars Magna et Candida gewesen – auf jeden Fall habe sie tiefe und ausgedehnte Studien der Hermetischen Überlieferungen getrieben. Schließlich habe sie – zur Empörung aller Adelsfamilien des ganzen Landes – einen jungen Musikus geheiratet, einen zwar begabten, aber eben doch nur bürgerlichen Musiker, und mit ihm zusammen sei sie dann ebenfalls nach Salzburg gegangen, und die indignierten fränkischen Adeligen hätten nie wieder etwas von ihr gehört.

»Und wer wohnt jetzt im Schloß?« fragte ich.

Pater Kyrcher ging darauf nicht ein, sondern wiederholte nur, das Schlößchen sei in Besitz der Freiherrlichen Familienstiftung und stehe nach wie vor unter deren Schutz.

Unter deren Schutz? Was sollte das bedeuten? Soviel wie Denkmalschutz? Oder steckte da noch mehr dahinter?

Wir waren auf der Anhöhe angekommen, nahe bei dem Winkel, den der hochgewachsene Mischwald mit dem kleineren, vorgeschobenen Hain auf dem Sternlein bildete. Durch die Zweige der Eiben und Lebensbäume schimmerte das matte Gelb der Schmalseite des Gebäudes; der Steinflügel schien nur etwa halb so lang zu sein, wie die Frontseite breit war. Am Saum des Wäldchens standen die Wacholdersträuche wie eine dichte Barriere; von der dahinterliegenden Parkmauer war nichts zu sehen, und ich konnte auch nicht erkennen, ob es einen Zugang zum Schloß vom Wald aus gab. Wenn ja, dann mußte er wohl wie ein Tunnel in die dort besonders dicht stehenden Bäume geschnitten sein.

Wir wandten uns nach links und folgten dem Rand des Sternleinwäldchens bis zu dem Weg, den ich vor etwas mehr als einer Stunde gegangen war. Meine Fußspuren von vorhin waren die einzigen Stapfen in der Schneedecke. Unsere Schritte schallten dumpf auf der Bohlenbrücke über den Graben.

Vor dem schmiedeeisernen Tor in der Mauer zog der Benefiziat einen großen Schlüssel aus der Tasche des dicken Mantels, den er über seine Soutane gezogen hatte. Der Torflügel quietschte nur ganz leicht, als wir ihn aufschoben. Als ich auf die makellos weiße Strecke bis zu den Stufen des Portals schaute, schoß mir die Redewendung ›jungfräulicher Schnee‹ durch den Kopf, und in einem Winkel meines Herzens fühlte ich so etwas wie Gewissensbisse, daß um meiner Neugier willen jetzt diese Reinheit mit Füßen getreten wurde.

Für die große Holztür des Gebäudes holte der alte Mann einen weiteren Schlüssel hervor, nicht so groß wie der erste, aber mit einem seltsam komplizierten Bart und einem kunstvoll verschnörkelten Griff.

Die Tür knarrte leise, wir traten ein, und mit einer sachten Gebärde, als gelte es, die womöglich schlummernden Bewohner dieses Schlosses nicht zu wecken, schloß der Priester die Tür wieder mit kaum einem Geräusch.

Wir standen in einem dämmerigen Vorraum. Der Fußboden war mit großen quadratischen Steinplatten ausgelegt, die Wände weiß getüncht, jedoch bis etwa in Hüfthöhe mit dunklem Holz getäfelt; das dunkle Braun dieser Täfelung wurde von der Holzdecke wieder aufgenommen, ebenso von einigen Türen mit breiten Rahmen. Ich vermutete hinter diesen Türen Wirtschaftsräume, aber Pater Kyrcher gab dazu keine Erklärungen. Statt dessen führte er mich zu einer Treppe, die am Ende des Korridors mit einer Wendung nach rechts zum ersten Obergeschoß hinaufstieg.

Während wir langsam Stufe um Stufe nahmen – obschon er vorher recht rüstig ausgeschritten war, schien jetzt das Alter dem Benefiziaten doch Mühe zu bereiten –, fiel mir auf, daß das Innere dieses Gebäudes eine seltsam zwiespältige Stimmung vermittelte: Hier war es keineswegs so kalt, wie ich erwartet hatte, und die Luft war auch nicht abgestanden und muffig, wie man es von alten Bauwerken ganz selbstverständlich gewohnt ist, sondern angenehm zu atmen, leicht würzig, ein wenig temperiert, so an der Grenze von ›nicht mehr ganz kühl‹ und ›etwas überschlagen‹. Doch andererseits fehlte irgendwie jede Atmosphäre von Aktivität, Unruhe, Betriebsamkeit; es war, als beherbergten diese Mauern eine Ruhe und Stille, die schon seit Jahrzehnten oder

Jahrhunderten nicht mehr durch den Lärm der Wechselfälle des menschlichen Lebens gebrochen worden war. Auch wir zwei Menschen schienen mit unseren nur mäßig lauten Schritten diese Stille nicht zu beeinträchtigen, als sei sie schon so stark, daß man ihr keine Verletzungen mehr zufügen könnte. Mir war, als quelle die Stille aus den Wänden, aus den Brettern der Treppe, aus den Leisten der Decke, wie sacht doch beständig fließendes Brunnenwasser, und als führe sie ein eigenes Leben, das andere Gesetze kannte als wir Menschen mit unserem rastlosen Hin und Her und Auf und Ab. Schließlich kam es mir vor, als befände sich diese Treppe im Inneren eines riesigen Baumes von unermeßlicher Ausdehnung, der – unbeeindruckt von der Bewegung der winzigen Kerfe, die da in einem seiner vielen Hohlräume heraufkrabbelten – sein stilles und doch so kraftvolles Leben lebte, pulsierend im Rhythmus einer ganz anderen Art von Zeit, als wir, die so schnell Sterblichen, sie kannten.

Wir kamen auf eine Art großer Diele, die mit einem von Wand zu Wand reichenden, dunkel gemusterten Teppich ausgelegt war. Drei große Fenster an der Stirnseite – sie mußten zur Vorderfront gehören –, links ein offener Korridor, der gleich von der Treppe weg zu den Zimmerfluchten dieses Stockwerks führte. An den Wänden hingen Bilder, doch Pater Kyrcher ließ mir keine Zeit zum Betrachten, sondern geleitete mich zu einer mit prächtigen frühbarocken Schnitzereien verzierten Tür in der rechten Dielenwand. Wir betraten einen großen Saal – Festsaal oder Galerie?

Durch die Fenster auf der linken Seite fiel das schon abnehmende Licht des späten Winternachmittags, die gemalten Muster auf der hohen Decke verschwammen und waren kaum noch zu erkennen. Um die Bilder betrachten zu können, die an der rechten Seite aufgereiht hingen, mußte man nahe herangehen; von der Tür aus war nur zu schließen, daß es sich bei den Gemälden um Porträts handeln mußte: sicher die Ahnengalerie der Familie. In der Mitte hing eine größere Bildtafel, wohl mit einer mythologischen oder bukolischen Szene. Ich blickte zu den Fenstern hin: Die schweren Vorhänge waren zurückgezogen; so etwas wie Stores, durch deren Zurückschieben man die Lichtverhältnisse hätte verbessern können, gab es nicht. Ich schaute den alten Mann fragend an – würde er mir gestatten, weiter in den weiten Raum hineinzugehen, dessen einziges Möbel ein großer Keramikkachelofen am anderen Saalende war?

Pater Kyrcher nickte leicht und machte eine Bewegung mit der rechten Hand, als wolle er mir den Vortritt lassen. Der dicke Teppich auf dem Boden machte meine Schritte nahezu völlig lautlos (»Konnten die hier drin früher tanzen?« schoß es mir durch den Kopf), als ich an der Reihe würdiger Herren in dunkler Kleidung des 16. und 17. Jahrhunderts vorbeischritt, die da unbeweglich auf uns herabschauten. Das Bild in der Mitte hatte es mir angetan: solang das Licht noch erlaubte, wollte ich es eingehender betrachten.

Auf den ersten Blick sah ich, daß es sich dabei um eine Abwandlung von Jan Brueghels »Flora und der Blumengarten« handelte, ein Bild, das mir vertraut war, denn vor einem Jahr hatte ich ein Referat geschrieben über »Die Natur in der flämischen Genre-Malerei des 17. Jahrhunderts«. Deshalb fielen mir auch sofort einige bemerkenswerte Änderungen auf, die der Maler dieser Variante vorgenommen hatte (seine Pinselführung unterschied sich im übrigen in nichts von der Anmut und Zartheit des Stils des Flamen): Es fehlten die in der Luft herumschwebenden und am Boden herumwerkenden Puttos, bei den vielen, mit liebevoller Sorgfalt gemalten Blumen gaben nicht die Tulpen den Ton an, sondern da waren noch viel mehr Arten von Blüten, Kräutern und Gräsern als auf Brueghels Werk; die Mauer im Hintergrund, die den Garten gegen den offenen Wald und das kleine Gewässer abschloß, war höher und ging durch bis zu dem Gebäude am linken Bildrand, das nicht wie bei Brueghel in einem antikisierenden Stil, sondern eher in nüchterner Spätrenaissance gestaltet war. Es fehlten auch die Götterstatuen an der Wand des Baues, dafür schaute ein junger Mann aus einem Fenster im zweiten Stockwerk, so als beobachte er die Szene, die sich ihm da unten im Blumengarten bot: Mit graziöser Drehung des Körpers und entblößten Brüsten saß die Blumengöttin auf ihrem Thron, gehüllt in einen weit gebauschten goldgelben Mantel, auf dem Schoß einen Korb mit Früchten, in der linken Ellbeuge einen Strauß mit allerlei Blumen (Päonien waren darunter, Iris und Lilien, aber auch Kornblumen, Maiglöckchen und Klatschmohn); während eine goldblonde Nymphe mit lässig gerafftem roten Überwurf und ebenfalls bloßer Brust ihrer Herrin Reverenz erwies, flocht

234

eine andere, brünette, hinter dem Thron stehend und in ein lila Kleid gehüllt, der Göttin einen Blütenkranz ins schwarze Haar.

Ins schwarze Haar – auch das war anders als in der Version des Themas, die ich kannte. Bei Brueghel waren Floras Haarflechten von hellem Braun. Welche Absicht mochte hinter diesen wohlüberlegten Änderungen stehen? Vielleicht waren die Besitzer dieses Schlößchens die Auftraggeber gewesen und hatten auch darum gebeten, dem Gemälde Lokalkolorit zu geben? Zwischen den Buchen im Hintergrund des Bildes entdeckte ich nämlich einige Taxus und Thuja, die es auf Brueghels »Flora und der Blumengarten« nicht gab.

Die zwar maltechnisch geringste, aber für die Wirkung des Gemäldes bedeutsamste Änderung bestand darin, daß Flora den Blick nicht wie im Original auf das Kapuzineräffchen richtete, das da zu ihren Füßen spielte, sondern trotz der leichten Seitwärtsneigung ihres Kopfes ihre Augen auf den Betrachter heftete – es war, als schaue sie mit versonnen-amüsiertem Lächeln aus dem Bild heraus auf den Sterblichen, dem der Zutritt zu ihrem göttlichen Blumengarten immerwährenden Lebens verwehrt war.

Ich trat einige Schritte nach links – Floras Augen wanderten mit. Ich ging nach rechts – Floras Blick folgte mir. Ich trat ein wenig zurück – Flora lächelte nachsichtig, als wolle sie gleich sagen: »Und wenn du auch noch so weit zurückgehst – ich verlier' dich nicht mehr aus den Augen.« Ich näherte mich wieder dem Bild – ihre Pupillen schienen zu funkeln, als freue sie sich darüber, daß es ihr gelungen sei, mich in ihren Bann zu schlagen.

Das Bild schien zu leben, die Göttin atmete, die Blumen wuchsen und dufteten, die Baumkronen wogten sanft im Wind, zwischen den äsenden Hirschen am Waldrand hoppelte ein Hase auf den Weiher zu, über das Stück Himmel, das Lichtung vor dem Gewässer frei ließ, flog langsam und gravitätisch ein rotgeschopfter Kranich.

Ich blinzelte ein paarmal mit den Augenlidern, rieb mir meine schmerzenden Augäpfel, wischte mir über die Stirn. Natürlich war dies alles nur eine autokinetische Halluzination gewesen, die mir meine Augen vorgegaukelt hatten, weil das Licht in dem Saal immer ungewisser wurde. Ich wandte mich nach Pater Kyrcher um, der die ganze Zeit meiner Betrachtung regungslos hinter mir gestanden war. Ich wollte ansetzen, ihn über Zeit und Umstände der Entstehung dieses Gemäldes befragen, doch er wies mit der Hand stumm auf die Porträts, die links von der mittleren Bildtafel hingen.

Wir traten näher heran. Hingen auf der rechten Seite nur die Bildnisse männlicher Mitglieder der Familie Füllefeld-Sternlein, so waren hier offensichtlich die weiblichen Pendants dazu aufgereiht.

Pater Kyrcher deutete auf die beiden Tafeln, die »Flora und der Blumengarten« am nächsten hingen: »Das hier rechts ist Dorothea Praxedis, die letzte geborene Füllefeld-Sternlein, und hier links ihre Mutter, aus Italien gebürtig, aber der Abstammung nach eine Griechin, Nachkommin einer byzantinischen Familie aus Kappadozien. Ihr späterer Mann lernte sie in Venedig kennen, und sie hatte ihn so gern, daß sie ihm in dieses kleine Nest folgte. Sie scheint es nie bereut zu haben, aber ich glaub' schon, daß sie froh war, als ihr Mann an den Hof nach Salzburg ging. Sie hieß auch Dorothea, Dorothea Tichovlassis.«

Die sacht hereinbrechende Dämmerung ließ den an sich schon dunklen Hintergrund der beiden Frauenporträts tiefschwarz erscheinen. Es war, als träten die weiblichen Figuren aus pechdunkler Nacht in einen schmalen Lichtkegel, der nur ausreichte, ihre Gesichter, Oberkörper und Hände sichtbar zu machen. Den Füßen zu schienen die langen Gewänder in das Schwarz des Bodens überzugehen.

Das Porträt der Dorothea Tichovlassis war mit einer für Ahnenbildnisse fränkischer Landadeliger jener Epoche ganz ungewöhnlichen Eleganz und Finesse gemalt. Zu sehen war eigentlich nur ihr Antlitz, zweifach eingerahmt von einem durchscheinenden Seidenschal und dem breiten Pelzbesatz ihres Mantels. Der Schal war über das tiefschwarze Haar geschlungen, das sich über der hohen weißen Stirn bauschte, und unter dem Kinn gerafft; er verdeckte die Halspartie, ließ aber doch eine Halskette undeutlich durchschimmern. Der Silberfuchspelz reichte vom Nacken über Schultern und Brust bis zur Taille. Aus der Öffnung des Mantels glitt die rechte Hand hervor und ruhte lässig auf dem buschigen Pelz; die Fingerspitzen tauchten ins weiche, silbriggraue Haar. Diese Geste diente dazu, die beiden Ringe zur Schau zu stellen, die die Hand schmückten: am kleinen Finger ein Goldring mit einem purpurvioletten Amethyst; am Ringfinger ein silberner Ring, in einer Fassung, die kurze Blütenblätter darstellte, hielt er einen großen Almandin von tiefem, sehr stillem Rot. Beide Steine funkelten, als lasse ein verborgener Lichtstrahl sie aufleuchten.

Im gleichen Licht funkelten auch die großen, schwarzen Augen der Dorothea Tichovlassis. Ihre Schwärze fand ein Echo in der Farbe der kräftigen Augenbrauen, die dem ovalen, fast schattenlosen und jugendlich frischen Gesicht einen willensstarken und entschlossenen Ausdruck gaben, in seltsamem Kontrast zu der feinen, gerade geschnittenen Nase, dem wohligen Kinn und den vollen, weichen, sinnlich schwellenden Lippen, die einen winzigen Spalt geöffnet waren und sich in der sensiblen Kerbung der Mundwinkel trafen. Der ruhige Blick der Frau ging nicht in Richtung des Betrachters, sondern – mit einer Seitwärtsdrehung der Augen, die das Weiß der Augäpfel sehen ließ – von ihr aus gesehen nach links, als wolle sie zu ihrer Tochter schauen.

Das Bildnis des Mädchens war statischer, formeller aufgebaut als das der Mutter. Sie stand aufrecht, frontal dem Betrachter zugewandt, in einem Kleid, das eher der italienischen Renaissance als dem deutschen Landadelsbarock zu entstammen schien. Die Taille des Gewandes war sehr hoch angesetzt; vom Gürtel abwärts fältelte sich ein Rock aus schwerer Seide in der Farbe dunklen Honigs; das Oberteil war von einem stumpfen Dunkelrot, überzogen mit goldglänzender Brokatstickerei. Das Kleid hatte – ganz im Gegensatz zu der im Barock üblichen Mode – keinerlei Kragen, sondern ließ Hals und Nacken frei, samt dem Grübchen am Schlüsselbein; der spitze Ausschnitt reichte weit hinunter und ließ den Ansatz der linken Brust ahnen. Der Blick des Mädchens war still auf den Betrachter gerichtet; ihr Gesicht verriet die Ähnlichkeit mit der Mutter: die gleiche Nase, die gleiche hohe Stirn, die gleichen tiefschwarzen Augen, doch die Brauen waren feiner, die Lippen ein wenig schmäler und dazu fest aufeinander gelegt; das ganze Antlitz wirkte zierlicher und zugleich ernster als das der Mutter. Das schwarze Haar war straff gekämmt, in der Mitte streng gescheitelt und am Hinterkopf in einen geflochtenen Kranz gelegt. Dort, wo der schmale weiße Strich des Scheitels auf den Haarkranz traf, saß ein winziges Goldgespinst von Haarschmuck mit einer großen, milchig-weiß schimmernden Perle. Von den zart geschnittenen Ohren, die das hochgebundene Haar frei ließ, hingen an dünnen Silberkettchen zwei opaleszierende, tropfenförmige Geschmeide. Über der Halsborte des Gewandes lag eine Kette aus goldenen Blätterranken; sie trug ein großes, rundes, goldenes Meaillon, das seine Besitzerin wie spielerisch mit Daumen und Zeigefinger der linken Hand hielt. In der rechten Hand – sie war in der Höhe des Schoßes leicht an den Leib gelegt – befand sich ein Buch mit einem dunklen Einband. Dorothea Praxedis trug nur einen Ring, am rechten Ringfinger: einen schmalen Goldreif, rot und weiß emailliert, in der rechteckigen Fassung glitzerte ein Smaragd.

Was für ein Buch mochte das sein? Ich trat näher, um den Titel zu lesen, konnte aber keine Schriftzeichen entdecken. Statt dessen gewahrte ich auf dem Medaillon einen Kranz von fein ziselierten Lettern, die am Rand ringsum liefen. Ich strengte meine Augen an und konnte, mühselig buchstabierend in dem Dämmerlicht, entziffern:

CHI LA DURA LA VINCE!

Aus dem Anblick der beiden Bilder konnte ich mich erst losreißen, als ich hinter mir eine Tür leise knarren hörte. Ich wandte mich um. Der alte Priester stand in dem Türrahmen neben dem Kachelofen und winkte mir. Langsam, als müsse ich mich aus einer beginnenden Verzauberung lösen, folgte ich seiner Geste. Der angrenzende Raum schien eine Bibliothek zu beherbergen: Bis zur Decke reichende Schränke mit Glastüren spiegelten den letzten Rest Tageslicht, der durch das Bleiglas der Fenster drang. Der Pater entzündete einen Leuchter mit zwei Kerzen (elektrisches Licht schien es in diesem Haus nicht zu geben) und ließ mich einige Blicke auf die Rücken der Bücher tun, die da dicht an dicht gedrängt standen.

Doch meine Gedanken waren noch so sehr mit den Eindrücken beschäftigt, die ich aus den drei Gemälden entnommen hatte, daß ich mich kaum auf die Titel konzentrieren konnte, die ich da las. Als ich nachher mit dem Geistlichen zusammen wieder dem Dorf zuging – diesmal hatte er die Landstraße gewählt –, konnte ich mich nur noch an drei Namen erinnern: Da war der »Azoth« des Basilius Valentius gewesen, das »Aureum vellus vel Guldenes Vließ« des Salomon Trismosinus, und – ach ja: und die »Chymi-

sche Hochzeit Christiani Rosenkreutz anno 1495« von Johann
Valentin Andreae.

Auf dem Weg zurück zum Pfarrhaus hatte ich den Benefiziaten
gefragt, ob er eine Möglichkeit sehe, daß ich mit Erlaubnis der
Freiherrlich-Füllefeld-Sternleinschen Stiftung eine Studie über
das Schloß und die darin enthaltenen Kunstschätze anfertigen
dürfte, die ich dann als Dissertation für meine Promotion zum
Doktor der Philosophie verwenden könnte.

»Hm«, hatte er geantwortet und dann längere Zeit geschwiegen, als müsse er darüber nachdenken. Als wir schließlich bei
meinem R4 anlangten und ich sein Angebot zum Abendessen
höflich ablehnte, weil ich jetzt doch endlich weiterfahren mußte
nach Nürnberg, da sagte er, er wolle tun, was er könne; ich solle –
zu seinen Händen – ein Gesuch mit einer ausführlichen Begründung meines Antrags an die Stiftung richten. Dann würde man
schon sehen ...

Hinter Scheinfeld stieß ich endlich auf die B 8. Jetzt waren
meine Gedanken von ganz anderer Art als auf dem ersten Teil der
Fahrt: Ich schwelgte in den herrlichsten Visionen, was für eine
großartige Arbeit ich über dies bisher von der Wissenschaft über-
sehene Schatzkästlein schreiben würde. Mein Entschluß stand
fest: Ich würde mich bei Professor Kleinot bewerben und die
Laufbahn eines akademischen Kunsthistorikers einschlagen.

4

Zufrieden lehne ich mich in dem großen, alten Stuhl zurück und
schließe die Augen. Alles ist doch so gut gelaufen, wie ich es mir
nur hatte wünschen können.

Gleich an jenem Freitagabend, als ich in Nürnberg heimgekommen war, hatte ich begonnen, meinen Antrag an die Freiherrliche Familienstiftung aufzusetzen. Am darauffolgenden Montag
fuhr ich sofort wieder nach Würzburg, sagte Professor Kleinot,
daß ich bereit sei, die mir angebotene Stelle anzunehmen, und
fragte ihn bei dieser Gelegenheit ohne Umschweife, ob ich als
Dissertation eine Studie über den Füllefeld-Sternleinschen Herrensitz, das hieße: über die Anlage und Baugeschichte des Schlöß-

chens sowie die darin aufbewahrten Kunstgegenstände schreiben dürfe.

Meine Themenwahl schien ihn zu überraschen, denn er antwortete zunächst nicht, wiegte nachdenklich den Kopf und blickte versonnen an mir vorbei in die Ferne. Schließlich gab er sich einen Ruck, schaute mir direkt ins Gesicht und sagte mit einem nach meinem Empfinden unmotivierten Lächeln: »Nun gut, wenn Sie unbedingt darüber schreiben wollen, so schreiben Sie, schreiben Sie nur!« Dann fügte er noch, mit einem seltsam ironischen Unterton hinzu: »Aber beeilen Sie sich! Sie wissen ja, daß ich in fünf Jahren emeritiert werde. Und ich glaube kaum, daß mein Nachfolger – wer auch immer das sein wird – Ihnen dieses Thema überlassen würde.« Dann schrieb er sofort einen Empfehlungsbrief an die Füllefeld-Sternleinsche Stiftung, und zwar mit der Hand: er nahm sich gar nicht die Zeit, das ganze erst seiner Sekretärin zu diktieren.

Und schon im Laufe derselben Woche schickte ich meinen Antrag samt Professor Kleinots Schreiben und allen Unterlagen, die mir zweckdienlich schienen, an Pater Kyrcher, mit der Bitte, mein Gesuch mit wohlwollender Empfehlung an die Stiftung weiterzuleiten. Ein paar Tage später traf eine Bestätigung von ihm ein: In einer altmodischen und kalligraphisch feinen Handschrift teilte er mir mit, er habe mein Gesuch mit befürwortenden Anmerkungen an den im Stiftungsrat zuständigen Mann weitergeleitet, einen gewissen Altabt Ambrosius Mittnacht in Engelzell; von dem werde ich dann zum gegebenen Zeitpunkt Nachricht erhalten. Ich solle mich nur ein wenig gedulden, denn die Stiftung müsse natürlich mein Vorhaben und meine Absichten genauestens und sorgfältigstens prüfen, und da es sich bei allen Stimmberechtigten um schon recht alte Damen und Herren handle, dauere das seine Zeit. Doch ich solle guten Mutes sein: gewiß gelte für einen talentierten jungen Mann wie mich das alte italienische Sprichwort: »Chi la dura la vince«, zu deutsch: ›Beharrlichkeit führt zum Ziel‹.

Pater Kyrchers Brief stimmte mich zuversichtlich, und ich empfand den Zufall bemerkenswert, daß er zu meiner Ermutigung denselben Spruch gebrauchte, der auch als Motto das goldene Medaillon der Dorothea Praxedis, geborene Freiin zu Füllefeld-Sternlein, zierte.

›Beharrlichkeit führt zum Ziel‹ – da hatte der gute Pater recht. und ich würde – bei Gott! – Beharrlichkeit an den Tag legen, um mein Ziel, eine erstklassige Dissertation (›summa cum laude‹), zu erreichen. Als ich Anfang März nach Würzburg umgezogen war, in ein kleines, aber teures Zimmer im obersten Stockwerk eines Geschäfts- und Bürohauses direkt gegenüber dem Julius-Spital, und in der Universitätsbibliothek nach Literatur über den Herrensitz zu Füllefeld zu suchen begann, stellte ich fest, daß Beharrlichkeit vonnöten sein würde, denn auf Anhieb konnte ich nichts finden. Erst in dem einen oder anderen historischen Werk aus dem frühen 18. Jahrhundert stieß ich auf beiläufige Erwähnungen der Herrschaft Füllefeld, aber sie befaßten sich fast ausschließlich mit der Abtretung der Rechte an die Grafen von Schwarzenberg und sagten so gut wie nichts über das Schloß und sein Inventar. Nur ein Cancellarius am Reichskammergericht in Wetzlar vermerkte unter dem Jahr 1704: »Das feyn Schlößgen derer zu Füllenfeld-Sternlin (sic!) verbleybet auch in futuro in Possession dero Kaiserl. privileg. Freiherrlichen Familien-Fundation.«

Mit zwei Überlegungen tröstete ich mich über die Kargheit der Quellen: Zum einen würde ich im Sommer, auf dem Weg zu Cristofano Alloris »Judith« in Florenz, Station in Salzburg machen, um dort im Archiv nach den Unterlagen zu fahnden, von denen Pater Kyrcher gesprochen hatte; zum anderen lag ja gerade in dieser bisherigen Vernachlässigung meines Studienobjektes durch die kunsthistorische Forschung meine große Chance: Diese Dissertation würde die Fachwelt aufhorchen lassen, und in manchen Augenblicken begann ich schon verlockende Spekulationen darüber, welche Teile meiner Forschungsergebnisse ich mir für die doch sicher irgendwann folgende Habilitation reservieren sollte.

»Professor H. Biber, der Entdecker eines echten Jan Brueghel in einem fränkischen Landherrensitz« – das wäre Ruhm, der mir vergleichsweise leicht in den Schoß fiele, verglichen mit den Mühen, die eine Solistenkarriere mit der Violine mit sich brächte (man denke doch nur an die vielen jungen Talente z. B. aus Japan und Korea, mit denen ich zu konkurrieren hätte, wenn ...). Doch muß ich anfügen, daß ich trotz der Beendigung meines Privatunterrichts bei Prof. Wartenberg täglich zwei bis drei Stunden auf meiner Geige übte: die Musik war der für mich notwendige Ausgleich gegenüber dem stundenlangen Bücherstudium in der

Universitätsbibliothek. Für die Niederschrift der Passacaglia in g-Moll blieb allerdings keine Zeit.

Ich muß gestehen, daß mich im Laufe der Wochen das Warten doch hart ankam, zumal ich nicht wagte, zwischendurch einmal nach Füllefeld zu fahren, da ich fürchtete, Pater Kyrcher könnte das als Belästigung und unziemliches Drängeln auffassen. Schließlich, am Samstag nach Pfingsten (das Sommersemester hatte schon begonnen und ich war ziemlich in den Institutsbetrieb eingespannt) kam die ersehnte Erlaubnis. Ich fand in meinem Briefkasten ein großes Kuvert aus rauhem, starkem Papier, darin eine großformatige Karte aus kräftigem Schreibkarton mit wenigen Worten, geschrieben mit energischer Hand in altdeutscher Schrift und doch im Duktus an winzigen Unsicherheiten verratend, daß der Schreiber hochbetagt sein mußte:

> *Herr Magister,*
> *Ihr Vorhaben wurde gebilligt.*
> *Die notwendigen Bedingungen erfahren Sie*
> *vom Herrn Benefiziaten zu Füllefeld.*
> *Ambrosius Mittnacht, Altabt zu Engelzell.*

Erst als ich die Treppen zu meiner Bude hinaufstieg, fiel mir auf, daß der Umschlag keine Briefmarke trug. War extra wegen mir jemand nach Würzburg gekommen? Oder hatte diese Stiftung auch hier Mitarbeiter? Wo lag überhaupt dieses Engelzell? In meinem Straßenatlas konnte ich es nicht finden. Hatte ein Vertrauter dieses Ambrosius Mittnacht mich etwa schon längere Zeit aus dem Stillen beobachtet?

Ach, all diese Fragen waren jetzt letztlich belanglos. Was allein zählte, war, daß ich endlich mit dem entscheidenden Teil meiner Arbeit beginnen konnte.

Doch dann wurde ich noch einmal einige Wochen auf die Folter gespannt: Als ich sofort am Sonntag, dem 24. Mai nach Füllefeld hinausfuhr, sagte mir die Haushälterin, der Herr Benefiziat sei verreist, ich solle doch Anfang Juli noch einmal kommen. Auf der Rückfahrt hielt ich auf der Anhöhe und ging kurz zum Schloß hinüber. Ich blickte durch das verschlossene Tor: In dem Gartenstück zwischen Mauer und Frontseite blühte ein dichter Teppich Wildblumen; es gab kein Anzeichen menschlicher Gartenpflege oder Parkgestaltung. Das Wäldchen war erfüllt vom Gezwitscher aller möglichen Vögel, doch die Fenster des Schlosses schauten noch immer wie dunkle Augen still in den Park.

Am Freitag, dem 3. Juli, war es endlich soweit. Pater Kyrcher erläuterte mir die Bedingungen, unter denen die Freiherrlich-Füllefeld-Sternleinsche Familienstiftung mir erlaubte, in dem ehemaligen Herrensitz meinen Forschungsarbeiten nachzugehen:

> Erstens dürfe ich das Schloß nur an Werktagen zwischen drei und sieben Uhr nachmittags betreten.
>
> Zweitens dürfe ich keine weitere Person mit hineinnehmen – das wäre mir auch gar nicht eingefallen, denn ich hütete ja meinen geheimen Schatz eifersüchtig vor etwaiger wissenschaftlicher Konkurrenz: nur Professor Kleinot hatte ich, unvermeidlicherweise, von Füllefeld erzählt.
>
> Drittens dürfe ich nur diejenigen Räume des Schlosses betreten, deren Türen nicht verschlossen seien. (Diese Bedingung erschien mir etwas absonderlich: Unterstellte man, ich besäße die okkulte Fähigkeit, durch verschlossene Türen zu gehen? Oder dachte man gar, ich würde mich dazu versteigen, eine Tür aufzubrechen?)

Pater Kyrcher fügte hinzu, die Bedingung, ich dürfe keinen Gegenstand aus dem Schloß entfernen, habe man nicht für notwendig erachtet, denn man halte mich für einen durch und durch aufrichtigen und ehrlichen jungen Mann ...

An diesem Freitag ging er noch einmal selber mit mir hinauf zum Schloß, zeigte mir, wie die beiden Tore aufzuschließen seien und schärfte mir dabei ein, ich solle auf die Schlüssel gut achthaben, denn sie seien die einzigen, die noch erhalten waren. Da ich die Schlüssel ja immer kurz nach 19 Uhr bei ihm wieder abliefern würde, sei es nicht notwendig, mich in den Gebrauch des Leuchters einzuweisen, denn im Sommer würde ich ja auf Grund dieser Regel meine Arbeit immer vor Einbruch der Dunkelheit einstellen. Diesmal gingen wir von der Diele aus zuerst den Korridor nach links hinab: der alte Priester öffnete einige Türen und ließ mich kurze Blicke in die entsprechenden Zimmer tun, damit ich eine Ahnung bekäme von der Fülle an Kunstgegenständen, Möbeln, Tapisserien und Gemälden, die mindestens zu katalogisieren und zu datieren Teil meiner selbstgewählten Aufgabe war.

Zum Schluß betraten wir noch einmal den Großen Saal, doch schien der alte Pater es eilig zu haben und deshalb schaute ich nur von der Tür zu den drei Gemälden, die mich jetzt noch so viele Wochen, wenn nicht Monate oder Jahre, beschäftigen würden. Vor freudiger Erregung, dem Ziel meiner Wünsche so nahe zu sein, klopfte mir das Herz heiß bis in den Hals, und diese aufwallende Lust, Neues und Unbekanntes zu erforschen, war wohl schuld daran, daß es mir vorkam, als winke Flora mir mit einer einladenden Gebärde zu, ich solle in ihren göttlich-zeitlosen Blumengarten kommen. Ich schaute zu dem Bildnis der jungen Dorothea Praxedis: Während ihre linke Hand leicht mit dem runden goldenen Medaillon spielte und die rechte das Buch an ihren Leib preßte, schaute sie mich mit einem bezwingenden Blick an. Meine Augen flohen zu Dorothea Tichovlassis: unbeweglich war ihr still glänzendes Gesicht der Tochter zugewandt; sie schien das Mädchen mit einem amüsierten, befriedigten Ausdruck zu beobachten. Der Almandin und der Amethyst auf ihren Ringen funkelten ungemein lebensecht im warmen Licht der Sommersonne.

Und jetzt sitze ich also hier in der Bibliothek, und es ist schon der neunte Tag meiner Studien im Schloß. Dank Professor Kleinots Entgegenkommen kann ich meine Aufgaben im Institut immer schon am Vormittag erledigen; nach einem späten Mittagessen in der Mensa und verschiedenen Besorgungen in der Stadt fahre ich dann immer ohne alle Hast hier heraus nach Füllefeld, hole mir meine Schlüssel ab – ›meine‹ sage ich schon! – und mache mich dann ruhig an meine Arbeit.

Fotografiert habe ich noch nicht: das hebe ich mir für zuletzt auf, als krönenden Abschluß. Für die Innenaufnahmen brauche ich sowieso Blitzlicht, da bin ich von den Lichtverhältnissen unabhängig. Und was die Außenaufnahmen angeht – der Sommer ist noch lang.

Auch die genauere Untersuchung und analytische Betrachtung der drei Gemälde im Großen Saal, denen mein besonderes Interesse gilt, habe ich aufgeschoben für den Schluß – das Beste zu-

letzt! Ich trage nur manchmal den schweren Stuhl aus der Bibliothek in den Saal und setze mich vor die weibliche Trias und be-
trachte sie still. Tja, sie verdrängen – vor allem Dorothea Praxedis verdrängt – allmählich die Erinnerung an die Allorische
»Judith«, und manchmal denke ich, ich werde in diesem Sommer
doch nicht nach Florenz fahren, sondern nur bis Salzburg, und
statt im Palazzo Pitti mich Judiths leidenschaftslos unberührter
weiblicher Grausamkeit und mädchenhaft süßer Schönheit hin-
zugeben, werde ich lieber schauen, daß ich mit meiner Arbeit hier
vorankomme, denn dies hier ist Ernst und keine gefühlsselige
Tändelei.

Vorankommen! An den ersten Tagen habe ich mir einen Überblick über die offenen Zimmer verschafft: interessanterweise
gehen sie alle mit ihren Fenstern auf die Vorderseite. Was da
allein an Möbeln steht, muß ein Riesenvermögen wert sein! Und
– das ist doch etwas seltsam! – nichts ist verstaubt: alles, als werde
es noch pfleglich benutzt. Ich nehme an, es liegt an der eigentümlichen Luft im Schloß, die vielleicht irgendwie elektrisch so ge-
laden ist, daß kein Staub sich irgendwo niedersetzt. Sie ist auch
immer frisch und von angenehmer Kühle; ich habe bisher noch
kein einziges Mal die Notwendigkeit empfunden, das Fenster zu
öffnen. Nicht einmal hier in der Bibliothek, wo ich gerade dabei
bin, die Bücher zu katalogisieren. Ich meine, das gehört auch zu
der Arbeit. Und selbst wenn Professor Kleinot die Bücherschätze
als unerheblich für den Hauptteil meiner Dissertation betrachten
wird – es lohnt sich, diese Liste zu machen, schon allein für mich
selbst. Denn hier sind Dinge beisammen, nach denen man sonst
lange fahnden müßte; nur wenige Bibliotheken in Deutschland
werden so viele Originaldrucke auf dem Gebiet der Hermetischen Wissenschaft in ihren Beständen führen wie hier diese Freiherrliche Sammlung. Und das Schönste an allem: Ich kann nach
Herzenslust darin stöbern und lesen, und muß sie mit niemandem teilen. Höchstens mit dem Benefiziaten, aber der kam noch
nie hierher, wenn ich mich im Schloß aufhielt.

Ein bißchen die Arme strecken, gähnen, das Rückgrat recken
... So, jetzt kann's weiter gehen.

Ich nehme mir mal die Liste her, die ich in der letzten Stunde
aufgestellt habe und gehe nochmals durch:

Das älteste Stück aus dem Schrank, den ich heute erledigen

will, ist zweifellos der Kommentar des Macrobius über Scipios Traum, 1513 in Venedig gedruckt. Vielleicht hat den der letzte Freiherr dort erstanden, als er bei seinem Aufenthalt in der Lagunenstadt seine spätere Frau aus dem Geschlecht der Tichovlassis kennenlernte?

Fast ebenso alt ist »Coelum Philosophorum« (Der Himmel der Weisen) von Philippus Ulstadius (Paris 1544). Und ebenfalls noch aus dem 16. Jahrhundert: die »Alchemia« des Andreas Libavius, 1595. Alles aus dem gleichen Feld des Wissens!

»Novum lumen chymicum« von Michael Sendivogius, Prag 1604.

»La théotechnie ergocosmique«, Annibal Barlet, Paris 1653.

»Basilica chymica« von Oswald Crollins, Genf 1658 ...

Und – fast hätte ich gesagt: naürlich! – das »Viatorium« des Michael Majer, die Beschreibung einer Reise zu den ›Bergen der Sieben Planeten‹, und seine »Philosophische Woche«, wo König Salomon seine Geliebte, die Königin von Saba, und seinen Kollegen, König Hiram von Thyrus, über die Geheimnisse der Welt belehrt. So gut wie vollständig sind die Werke des 1680 in Rom verstorbenen Athanasius Kircher vorhanden: »Mundus subterraneus«, »Laterna Magica«, »Musurgia Universalis«, »Oedipus Aegyptiacus«, »Ars Magna Lucis et Umbrae« ...

›Die Große Kunst von Licht und Schatten‹ – hat er die auch in jener Zeit gelehrt, als er Professor in Würzburg war? Hat er die in Rom auch seinem Freund vermittelt, der ihn dort besuchte, dem von mir so geschätzten Barockkomponisten Johann Jacob Froberger?

Es gibt in den Beständen kein Buch, das später als 1670 gedruckt wurde. Ist ja auch erklärlich: um diese Zeit wanderte die Familie Füllefeld-Sternlein nach Salzburg aus. Aber warum haben sie all diese Bücher hier gelassen und nicht mitgenommen? Wollten sie wieder zurückkommen? Sind sie vielleicht einmal zurückgekommen? Gibt es irgendwelche Nachfahren der Dorothea Praxedis und jenes jungen, bürgerlichen Musikers? Kommen die gelegentlich hierher zum Stammsitz ihrer Vorfahren?

Ich gerate ins Spekulieren und Sinnieren. Vielleicht sollte ich doch einmal eine Pause machen, damit ich nicht meine Zeit hier mit Träumereien vertrödle. Kaffe kann ich mir hier nicht zubereiten, aber ich weiß etwas Besseres: Ich habe ja meine Violine dabei, ich werde ein wenig üben, das lockert mich auf und entspannt, und danach kann ich mit neuer Kraft an meiner Arbeit weitermachen.

Ich bringe den Damen auf den drei Bildern ein Ständchen. Der Große Saal hat eine vorzügliche Akustik. Ob damals, als diese beiden Frauen noch hier lebten, oft Musikdarbietungen stattfanden auf Schloß Füllefeld-Sternlein? Oder konnten sie selber Instrumente spielen? Tja, Dorothea Praxedis blinzelt mir zu – zum ersten Mal glaube ich, auf ihrem gemalten Gesicht ein feines, fast unmerkliches Lächeln zu entdecken.

Ha, Dorothea Praxedis, Letzte der Füllefeld-Sternlein, jetzt werde ich dir einmal eine Improvisation vorspielen! Ich werde dir zeigen, was ich kann!

Meinst Du nicht auch, ich sei schon konzertreif? Gut: dies sei mein erstes offizielles Konzert – für ein ganz erlesenes Publikum! Ich werde mich bemühen, Euren Geschmack zu treffen. Ich imitiere frühe Barockmusik. Natürlich wäre da eine Cembalo-Begleitung recht schön, etwa so ...

Halt – hat das nicht eben wie ein Cembalo geklungen? Nein, Unfug! Weil ich mir so lebhaft eine Cembalo-Stimme vorgestellt habe, deshalb spielte mir meine Einbildung jetzt einen Streich.

Ich nehme die Geige vom Kinn und lausche. Doch, da spielt wirklich ein Cembalo! – Mensch, das gibt's doch gar nicht: außer mir kann doch niemand im Schloß sein! Wie ich herein kam, habe ich hinter mir abgesperrt, und beide Schlüssel liegen nebenan in der Bibliothek auf dem Tisch, zwischen den alten Folianten und meinen Listen.

Ich trete zu einem der Fenster und blicke durch das Bleiglas nach draußen. Verschwommen sehe ich das Eisengitter-Tor: es ist geschlossen. Ich öffne einen der hohen Fensterflügel: jenseits des Grabens sehe ich das Weiß meines R4 durch die Zweige der Lebensbäume schimmern. Wäre jemand über die Bohlenbrücke gekommen, dann hätte ich ihn doch hören müssen, denn im Schloß herrscht immer völlige Stille, die alle Geräusche draußen noch intensiver wirken läßt. Wie eben jetzt diese Cembalo-Klänge ...

Ja, es kann kein Zweifel sein: durch das offene Fenster höre ich es noch klarer. Zusammen mit der warmen Sommerluft fließt das

Arpeggiando eines Cembalos herein in den Saal. Nicht sehr laut, aber deutlich erkennbar. Die Stücke kenne ich zwar nicht, aber ich kann heraushören, daß der Spieler ein Virtuose sein muß. Doch – wo zum Teufel spielt er? (Oder ist es vielleicht eine ›sie‹?) Es muß im Bereich dieses Gebäudes sein. Es wird doch niemand im Wald ein Cembalo aufstellen! Vom Dorf kann's nicht kommen: das ist zu weit weg. Ein Kassettenrekorder kann's auch nicht sein: die Tonqualität ist unverkennbar ›live‹.

Das ist ja ein Ding! Ohne mein Wissen, vielleicht sogar ohne Wissen von Pater Kyrcher, spielt da jemand seelenruhig auf einem alten Kielklavier, als sei dies das Selbstverständlichste von der Welt. Ich muß herausfinden, wer das ist und wo er sitzt. Ich muß ihn zur Rede stellen! Sonst kreidet man womöglich mir noch an, ich hätte gegen die zweite Bedingung verstoßen ... Wer auch immer das ist – ich muß ihn schleunigst zu Pater Kyrcher bringen. Ich möchte doch keine Schwierigkeiten bekommen, jede Scherei vermeiden! Mensch, da säße ich ja schön in der Patsche, wenn mir wegen diesem Eindringling die weitere Arbeit hier untersagt würde!

Ich habe das Fenster schon wieder geschlossen, meine Geige auf dem Stuhl vor den Bildern deponiert (›tut mir leid, Dorothea Praxedis, du Geduldige, ich muß mein Konzert unterbrechen, ich muß herausfinden, wer mir da ins Handwerk pfuscht – nachher spiele ich weiter für dich! Nur eine kleine Weile, ich komme zurück, ich komm' ganz bestimmt zurück!‹) und jetzt haste ich die Treppen hinunter. Die große Holztür ist fest versperrt. Gut, der oder die Unbekannte kann mir nicht entkommen. Nachschauen in allen Wirtschaftsräumen im Erdgeschoß – nirgendwo steht ein Fenster offen.

Wieder hoch in den ersten Stock. Alle Zimmer abklappern: Fehlanzeige. Ist ja logisch, in keinem der offenen Zimmer steht ein Cembalo. Und heimlich hinter meinem Rücken ein Cembalo hier hereinwuchten und aufstellen – nein, das wär' denn doch ein Ding der Unmöglichkeit!

Zum Teufel, warum sind auch alle Zimmer, die zur Rückseite gehen, versperrt? Ich müßte in den Hof schauen können! Ich hab' den Verdacht, das Instrument steht im Freien, hinter dem Gebäude.

Rauf in den 2. Stock. Verflucht, auch hier sind ja alle Zimmer auf der Rückseite abgesperrt. Ist das nicht ein Notfall? Dürfte ich nicht jetzt eine Tür einrennen (Wenn ich könnte, wenn ich könnte! Die sehen aber recht massiv aus)? Nein, nein, ich werde mich an die Bedingungen halten! Peinlich genau sogar! Ich will meine Hände in Unschuld waschen! Der oder die Unbekannte soll mich nicht zu unüberlegten Handlungen anstiften!

Hier geht eine Stiege ins Dachgeschoß. Vielleicht ist da eine Kammer offen. Ja, hier, endlich! Und das Fenster da muß eine der rückwärtigen Dachgauben sein. Ich reiße es auf und schaue hinunter.

Warum bin ich Narr noch nie auf die Idee gekommen, im Hof zwischen den beiden Seitenflügeln könne ein kleiner Schloßgarten sein? Jetzt sehe ich ihn, verwildert blühend, voller Heckenrosen und Brombeersträucher. Und jetzt sehe ich auch, daß das Schloß kein offenes Rechteck bildet, wie ich bislang angenommen hatte (ich hatte geglaubt, der benachbarte Mischwald stoße ganz nah an die Rückseite des Gebäudes), nein, die vierte Seite ist auch mit einem Bau ausgefüllt: doch der ist niedriger als das Hauptgebäude, ein ebenerdiger Pavillon mit einem hohen Walmdach. Der vom Dach umschlossene Raum ist wohl richtig ausgebaut, denn die Fenster der dortigen Dachgauben sind größer als dieses hier: ich entdecke hinter ihren Scheiben rote Vorhänge.

In der Mitte des kleinen Gebäudes gibt es eine große verglaste Tür: einer der Flügel steht offen, und aus der Öffnung quillt der beschwingte Klang einer Art Fantasia, in D-Dur, in D-Dur ... Der Komponist ist mir unbekannt, der Spieler wird es nicht mehr lange sein, denn ich werde ihn ...

Was werde ich? Wie komm' ich dort überhaupt hin? Von dem Teil des Schlosses, in dem ich mich befinde, führt keine unversperrte Tür in den Garten.

Und wenn ich durch das Portal hinausgehe und versuche, von rückwärts, vom Wald aus, in den Pavillon zu gelangen? Doch wer sagt mir, ob es dort überhaupt eine Außentür gibt? Muß es aber geben, wie ist sonst der Eindringling da hineingekommen? Und was, wenn die Tür versperrt ist? Wird der auf mein Klopfen antworten? Vielleicht will er mich nur dorthin locken, um dann heimlich in das Hauptgebäude überzuwechseln, während ich an der Tür poche? Nicht auszudenken, nicht auszudenken!

Hilflos irrt mein Blick in der dämmerigen Dachkammer umher. Oh, welch ein glücklicher Zufall: dort in der dunklen Ecke liegt ja ein Seil zusammengerollt – nein, kein Seil, eine Strickleiter. Nun ja, noch besser. Und wie praktisch, am oberen Ende hat sie einen Querstock aus hartem Holz: damit kann man sie in der Maueröffnung der Dachgaube festklemmen und dann hinunterklettern in den Garten.

Zum erstenmal in meinem Leben klettere ich an einer Strickleiter vom Dachboden eines Schlosses in einen verwilderten Garten. Ich komme mir vor wie in einem Historienfilm. Mensch, was tut man nicht alles für die kunsthistorische Forschung, für die ungestörte Ausführung einer wissenschaftlichen Arbeit, für die akademische Karriere ...

Zum Glück gibt's keine Brennesseln und Disteln in dem Garten. Seltsam, wie intensiv die Heckenrosen duften! Und die Menge anderer Blüten hier, die aus dem fetten Gras hervorleuchten – ich kenn' die meisten gar nicht. Eine Amsel fliegt auf – ›lieb von dir, daß du keinen Warnruf losgelassen hast!‹ Ich unterdrücke meinen Atem und schleiche mich seitlich an den Pavillon heran.

Was der unbekannte Cembalo-Spieler jetzt intoniert, kenne ich: Jan Pieterszoon Sweelincks Variationen über das Volkslied »Mein junges Leben hat ein Ende«. Hm, vielleicht waren die Fantasien vorhin vom gleichen Komponisten? Nicht gerade das Gängigste im Repertoire moderner Cembalo-Virtuosen ... Was für ein seltsamer Vogel mag wohl der Unbekannte sein?

Ganz langsam schiebe ich mich vor. Zum Glück gibt es kein Geräusch. Jetzt kann ich, an den Angeln des geschlossenen Türflügels stehend, durch die Öffnung, die der andre freigibt, hineinschauen.

Das ist kein Cembalo: das ist ein Virginal. Und der Unbekannte ist – eine junge Frau. Sie sitzt auf einem hohen Stuhl mit einer streng senkrechten, lederbespannten Lehne, mit dem Rücken zu mir. Ihr dunkles Haar ist hochgebunden zu einem dicken runden Dutt am Hinterkopf, mit einem weißen Band: die große Schleife über dem rechten Ohr wippt im Takt der Musik, den die Spielerin mit leichten Bewegungen ihres Oberkörpers begleitet. Es wippen auch die tropfenförmigen Ohrgehänge aus großen, schimmernden Perlen. Das Gewand der Unbekannten läßt den Nacken bis zum Schulteransatz frei: der Hals ist nur mit einer Perlenkette bekleidet.

Zum Braunrot der Lederlehne kontrastiert das Goldgeb des Samtjäckchens; es ist das gleiche Gelb, in dem auch das Instrument lackiert ist. Und so wie die Ränder und Kanten des Virginals von schwarzen Lackstreifen akzentuiert werden, so sind Säume und Schulternaht des Jäckchens mit einer schwarzen Paspelierung hervorgehoben. Die Ärmel reichen nur weniges über die Ellbogen; wie scheue, flinke Tiere bewegen sich die Hände der Spielenden über die Tasten. Das Manual befindet sich auf der rechten Hälfte der Längsseite: so stammt wohl das Instrument aus einer flämischen Werkstatt. Sein Klang ist weich und klar, von flötenhafter Reinheit.

Die Füße der so herrlich spielenden Unbekannten kann ich nicht sehen: sie trägt einen weiten, knöchellangen Rock aus weißer, silbrig glänzender Atlasseide. Doch halt: ihr Gesicht könnte ich vielleicht erspähen, denn über dem Virginal hängt ein schwarzgerahmter Spiegel. Er ist schräg gestellt: solange sie sich über die Tasten beugt wie jetzt, sehe ich nur das Haar; das weiße Band läßt es tiefschwarz erscheinen. Nur dann und wann hebt sich die helle Stirn ein wenig in den Spiegel, doch die Züge unterhalb der feinen schwarzen Augenbrauen bleiben mir verborgen.

Wenn sie sich doch nur einmal aufrecht hinsetzte: dann sähe ich sie en face! Aber sähe sie mich dann nicht auch? Wie würde sie sich verhalten, wenn sie sich belauscht, ertappt fände?

Die Schlußakkorde verklingen. Leise trete ich einen Schritt zurück: noch soll sie mich nicht entdecken. Sie soll ruhig noch etwas spielen, ganz unbefangen, ganz natürlich. Zu fragen, wer sie ist – dazu ist nachher immer noch Zeit.

Sie scheint zu überlegen, was sie spielen soll. Ich halte den Atem an: ›Bitte, spielen Sie ruhig weiter, lassen Sie sich noch nicht stören. Spielen Sie irgend etwas – was Ihnen gerade einfällt!‹ Hat sie meine Gedanken gespürt?

Reglos an die Tür gedrückt, höre ich, wie sie tief und entschlossen einatmet. Jetzt spielt sie wieder: eine Allemande, im *style lythé* – diese weiträumig arpeggierten Akkorde kommen mir bekannt vor. Das ist doch … Ja, richtig: das ist die Suite Nr. 2 in A-Dur von Froberger, eines meiner Lieblingsstücke aus jener Epoche. Welch ein grandioser Zufall! Nein, dieser exzellenten Virginalistin kann ich nicht gram sein! Bestimmt hat sie triftige Gründe für ihre Anwesenheit hier … Und mit welcher Anmut sie jetzt die Courante spielt! Es verlockt einen schier, im Rhythmus dieses Tanzes über glänzendes Parkett zu gleiten. Und dann mit dieser gravitätischen Sarabande einen würdevollen Abschluß anzufügen – Damen in Reifröcken, Herren in den Gewändern edler Cavaliere ...

Sie hat aufgehört. Vielleicht kann ich jetzt einen Blick ihres Gesichts erhaschen? Zwei Schritte nach vorn!

Da sitzt sie leicht umgewandt und schaut mir direkt ins Gesicht. Himmel, was soll ich bloß sagen?

»Das ist aber schön, daß du zu mein' Geburtstag kommen bist!«

Zu ihrem Geburtstag? Das wußte ich doch nicht! Und warum duzt sie mich? Sie muß mich wohl verwechseln ...

»Geh, tu nit so scheu, sei nit timid, tritt nur herein, ich grüß dich schön!« Sie steht auf und macht einen graziösen Knicks.

Lieber Gott, was soll ich bloß tun? Ich trete über die Stufe und verbeuge mich stumm. Wie lächerlich ich aussehen muß in meinen Bluejeans und dem Flanellhemd! Meine weißen Turnschuhe werfen einen hellen Schimmer auf das blanke Parkett.

Ein Königreich für ein geistreiches Wort! Meine Zunge steckt wie ein Kloß im Hals, statt Hirn scheint Sülze hinter meiner Stirn zu sein. Ha, lieber was Blödes sagen, als stocksteif und stumm dastehen wie ein Ölgötze: »Sie, nein ... ehem, du hast wirklich sehr gut gespielt. Das hat mir großartig gefallen. Das war doch die Suite in A-Dur von Froberger, nicht wahr?«

Sie nickt leicht und lächelt – wohlwollend, nicht spöttisch. Sie hat gemerkt, daß ein Fachmann vor ihr steht. Das gibt mir Sicherheit, gibt Auftrieb.

»Kannst du auch was von Bach spielen?« Ich werde kühn.

Sie schaut mich verständnislos an: »Bach? Wer ist das denn?«

Stellt sie sich absichtlich dumm? Spielt Froberger, doch weiß nicht, wer Bach ist – das gibt's doch nicht!

»Bach war – nein, wart mal! Händel hat so schöne Sachen für Virginal geschrieben. Die kennst du sicherlich!«

Sie zuckt verneinend mit den Schultern.

»Georg Friedrich Händel!« insistiere ich.

»Nein, den kenn' ich nicht!« Ganz ernsthaft schüttelt sie den Kopf. Oder spielt sie so raffiniert? Will sie mich zum Narren halten? Und wenn: was hätte sie davon?

»Domenico Scarlatti?«

Wieder nur unwissendes Kopfschütteln.

»Ja, welche Komponisten kennst du denn überhaupt außer Sweelinck und Froberger? Sind das die einzigen, die du spielen kannst?«

»Mais non! Ich kenn' den Girolamo Frescobaldi, den Michael Praetorius, den Samuel Scheidt, den Franzosen Couperin und . . .«

»Schon gut, schon gut! Aber kennst du denn keine neueren, aus letzter Zeit?«

»Neuere? Ach so, du meinst den Johann Rosenmüller, oder den Dietrich Buxtehude, den Monsieur Jean-Baptiste Lully, und . . .«

»Aber die sind doch längst schon tot!«

»Schon tot? Wie meinst du das? Der Buxtehude ist doch erst das viert' Jahr Werkmeister zu Lübeck, an der Marienkirch'. Und ich glaub' certainement, daß es dem Herrn Lully recht gut noch geht am Hofe des Franzosenkönigs. Tot ist doch nur der Froberger, der ist gestorben vor vier Jahr', am siebenten des Mai.«

Aha, jetzt weiß ich schon, was hier gespielt wird. Nun ja, mir soll es recht sein, ich hab' Zeit. Dann spiel' ich eben mit. Was du schlaues Frauenzimmer kannst, kann ich schon lang. Auch wenn mein Aufzug nicht ganz stilgerecht ist, anders als der deinige!

Ich trete an das Virginal heran. Auf einem solchen Instrument hab' ich noch nicht gespielt. »Gibt's hier in diesem Haus auch ein richtiges Cembalo?«

»Du meinst ein Klavizimbel? Nein, das hat der Herr Vater schon nach Salzburg fahren lassen.«

Ich schaue sie befremdet an. Sie spielt die Rolle gut. Man hat sie treffend dafür ausgewählt: Ihr Gesicht hat, wenn man genau hinschaut, eine frappierende Ähnlichkeit mit dem Antlitz auf dem Bildnis im Großen Saal. Nur nicht so ernst ist es: ich glaube einen Schimmer von Verschmitztheit in den Augenwinkeln zu entdecken. Was immer die Freiherrliche Stiftung mit diesem Theater bezwecken mag – ich habe nichts dagegen, solange alles so charmant läuft wie bisher.

»Paß auf, jetzt spiel' ich dir mal was von Bach vor!« Ich setze mich, präludiere kurz, um mich mit der Tastatur vertraut zu machen. Was für ein herrlicher Klang! Auf der Innenseite des hochgeklappten Deckels sind zierliche Intarsien in Schwarz und Rot, stilisierte Blumenranken, und eine lateinische Inschrift in statuarisch ruhiger Antiqua:

»MUSICA LAETITIAE COMES
MEDICINA DOLORIS MUSICA«

›Musik: die Begleiterin der Freude. Heilmittel für den Schmerz: Musik‹ – ein Glück, daß es jetzt keinen Schmerz zu heilen gibt. Laetitia: die wünsch' ich uns – beiden.

Ich will die 5. Französische Suite spielen, die in G-Dur. Die Anfangstakte der Allemande, und jetzt – zum Teufel, ich weiß nicht mehr weiter. Noch einmal von vorn – ja, was spiel' ich Idiot denn da? Das ist nicht G-Dur, sondern g-Moll. Ach was, sei's drum: dann spiel ich eben meine Passacaglia, soweit ich sie schon im Kopf fertig habe ...

»War das von Bach?«

»Nein«, ich schüttle verlegen den Kopf. »Das war von mir. Ist aber noch nicht fertig. Und soll eigentlich für Violine sein. Klingt viel besser auf der Violine!«

»Das ist von dir? Dann bist du also wirklich so ein großer Magister Musicae, wie der Gevatter gesagt hat?«

Der Gevatter? Wer soll das sein? Ist mir egal – Magister bin ich schon. Jetzt hab' ich Oberwasser! »Schade, daß ich meine Violine oben im Saal liegenlassen hab', sonst könnten wir zu zweit spielen.«

»Das können wir auch so, schau her!« Sie zieht aus der linken Seite des Instrumentenkorpus eine Lade: aha, das ist ein Zwillingsvirginal. Zwei Manuale – wir können also doch zu zweit spielen! Eine Introduktion – sie antwortet eine Oktav höher. Sie ist sehr einfühlsam im Eingehen auf meine Improvisationen. Und wir verstehen uns ohne Worte so gut. Noch ein wenig Übung, und bald haben wir eine Fuge ...

Wie lange haben wir gespielt? Die Schatten im Garten sind länger geworden. Musik hebt die Zeit auf ...

»Bist du schon hungrig? Wart a kleine Weil', ich richt' etwas zum Essen!«

Aus einer Truhe an der Wand holt sie eine schwere, blumen-bestickte Decke und breitet sie über den runden Tisch in der Mitte des Raumes. Erst jetzt schau' ich mich in dem großen Zimmer um. Die Truhe steht neben einer braunen Holztür gegen-über der Tür zum Garten. Durch diese Tür ist das Mädchen ge-rade hinausgegangen. Auf der anderen Seite von der Tür: ein Schrank, der einem Büffet ähnelt. Zwischen ihm und dem Virgi-nal auf einem hohen schmalen Tisch ein weiteres Instrument: ein Clavichord, vermute ich aufgrund der Form. Auf der Garten-seite, gegenüber dem Virginal, steht vor dem Fenster eine Art Sekretär. Bücher liegen darauf. Neugierig trete ich näher. Bücher ziehen mich immer magisch an.

Du lieber Himmel! Das Mädchen muß ja ganz schön sprachbe-gabt sein – wenn sie das alles wirklich liest. Es sind drei Bände, in allen dreien stecken Lesezeichen. Ich nehme den zur Hand, der in dunkelblaues Tuch eingeschlagen ist: »Oraculo manual y arte de prudencia« von Lorenzo Gracian, Madrid 1655. Über dem ge-druckten ›Lorenzo‹ ist mit einer femininen Schrift ein anderer Vorname geschrieben: ›Baltasar‹. Ich schlage beim Lesezeichen auf: 20. Kapitel. Die letzten drei Zeilen sind unterstrichen, am Rand daneben steht mit dunkelblauer Tinte in der gleichen weib-lichen Handschrift wie auf dem Titelblatt eine Übersetzung:

> *Jedoch hat der Weise ein Vortheil: nemlich dies, dasz er unsterblich sey. Und wenn dies nicht sein Jahrhundert ist, so werden's viele andre seyn.*

Da ich kaum spanisch lesen kann, klappe ich das Buch wieder zu. Daneben liegt ein Oktavbändchen mit himmelblauem Sei-denumschlag: lateinische Gedichte. Von wem? Das Titelblatt verrät: »Carmina de suaviis terrae – zu teutsch: Gesänge von der Erden Küsze, des hochl. Herrn Adam Julius Herbort Rosengast, adhuc Stadtrichter zu Öls, welche er verfertiget in lateinischer Sprach. Gedruckt zu Breslau im Jahre des Heils 1669 in der Ty-pographia des Maurizius Tschichoflos.« Du lieber Himmel! Liest das Mädchen wirklich Gedichte des schwülstigen schlesischen Barockpoeten? Nun ja, in seinen Jugendwerken soll er sich durch vollendete Beherrschung schwieriger Versmaße ausgezeichnet haben. Mal sehn, wo sie gerade ist.

Dort, wo das Lesezeichen steckt, hat sie zwei Zeilen unterstrichen, die über einem ›Carmen‹ als Motto stehen:

Tempus anima mundi.
Remedium animi tempus.

›Zeit ist die Seele der Welt. Arznei des Geistes ist die Zeit‹. Tja, das Mädchen scheint es mit der Zeit zu haben – nicht unpassend bei der Schauspielerei, zu der man sie hier engagiert hat.

Das dritte Buch könnte ich am leichtesten lesen: es ist italienisch geschrieben. Doch den Autor kenne ich nicht: Paolo Gargano die Valmattina – nie gehört. Auch der Titel ist mir völlig unbekannt: »La storia del amore di Antea ed Aganrico«. In dem weitschweifigen, langatmigen Vorwort legt der Verfasser dar, er habe den Roman »Antheia und Habrokomes« eines gewissen Xenophon von Ephesus neu erzählt: »per il tempo moderno«. Nun gut, von dem antiken Dichter hab’ ich auch noch nie gehört. Das Lesezeichen steckt weit hinten, beim letzten Kapitel. Das ist überschrieben: »Il fine fortunato«. Ich fange an zu lesen:

Nel folto delle siepaglie fronzute si nascose un giardino,
nel mezzo degli alberi della vita …

Ihre Schritte klingen vor der Tür. Ich lege das Buch weg.

Sie hat sich umgezogen – echt Weib! Und beschämt mich, der ich immer noch in Bluejeans und Turnschuhen dastehe. Sie trägt ein hellrotes Atlaskleid, das bis zum Boden reicht; die Ärmel des Miederjäckchens aus Goldbrokat reichen nicht bis zur Ellbeuge: kurze Spitzenrüschen bedecken die Ellbogen. Die lachsrote Seide reicht nur bis knapp über die Schultern: der schlichte Kragen eines Leinencamisols geht schneeweiß bis zum Hals. Das Haar ist auf die gleiche Art gebunden wie zuvor, doch jetzt mit einem Band von tiefem Rot – das gleiche Rot wie das der winzigen Stoffquasten, die statt der Perlen von den Ohren baumeln.

Und welche Anmut ist in ihren Bewegungen! Wie unaufdringlich elegant hantiert sie am Tisch, stellt die Sachen von dem Tablett auf das Blumenmuster der Decke. Zu einem adäquaten Mahl scheinen ihre Mittel nicht mehr gereicht zu haben (kein Wunder, bei dem Luxus mit den Kleidern!), aber die Art, wie sie den Tisch bereitet, wird auch dies frugale Abendessen zu einem Festmahl machen: Brot und Käse, Obst und Wein – das ist alles. Nein, darin ist Alles – Alles ist jetzt darin für mich! – Sie bedient mich, und doch ist in ihrer Art nichts Unterwürfiges, Bedientenhaftes. Sie setzt sich mir gegenüber. In den Gläsern ist schon Wein.

»Mög' dir der Trunk munden!« Wir stoßen an; das zarte Klirren der Gläser verebbt nur langsam. Der Wein ist süß und schwer, das Brot duftet frisch, der Käse schmeckt würzig, von den Birnen tropft der Saft, das Fleisch der Äpfel ist herb, von angenehmer, erquickender Sauersüße. Wir konzentrieren uns mit fast feierlicher Aufmerksamkeit auf das Essen, als wollten wir das Sprechen noch aufschieben, ihm noch ausweichen. Das einfache Abendmahl bekommt dadurch die Bedeutung einer rituellen Handlung. Bei der Vorstellung, hier so etwas zu vollziehen wie ein Sakrament, läuft mir Erregung kalt und heiß über den Rükken.

Der bauchige weiße Weinkrug ist leer. Sie geht hinaus, um nachzufüllen ... kommt zurück, einen Leuchter in der Hand: mit fünf brennenden Kerzen, stellt ihn auf den Tisch.

Mir wird erst jetzt bewußt, daß schon die Dämmerung hereingebrochen ist. Sie gießt mir Wein nach: er funkelt golden im Glas. Die Flammen flackern ganz sacht: ein kaum spürbarer Luftzug kommt durch die offene Tür von draußen, aus dem Garten. Jetzt gibt die Amsel Laut und flötet vom First des Daches drüben: Abschied dem Tageslicht ...

Der warme Kerzenschein läßt die Wangen des Mädchens glühen. Er gibt dem Raum eine schmerzlich-schöne Stimmung von Geborgenheit, Vertrauen, Nähe ...

Ich weiß noch nicht einmal, wie mein Gegenüber heißt – wirklich heißt! –; ich wage auch nicht, sie jetzt schon danach zu fragen. Und doch ist mir, als kennte ich sie schon seit Jahrhunderten.

Brot und Käse sind zu Ende. Vom Obst sind wir satt, doch am Wein haben wir noch nicht genug. Wir trinken wieder, und wieder ...

Sie hebt den Leuchter und geht zum Clavichord: »Möchst eine Weis auf dem hier hör'n?« Ich nicke nur und trinke wiederum mein Glas leer.

Die Saiten des Instruments klingen im weichesten Pianissimo.

Ich kenne die Melodie nicht: sicher improvisiert, phantasiert sie. Immer wieder ziehen sich Töne in langem Vibrato. Sie moduliert den Klang, als sei es ihre eigene Stimme. Ja, sie singt in den Saiten! Soviel Gefühl, Empfindsamkeit, Wehmut, verhaltene Melancholie, ungestüme Sehnsucht – ganz anders als der immer gleich beherzte, gleichbleibend kräftige Klang des Virginals heut nachmittag.

Heut nachmittag – ja wirklich, es ist schon Abend. Und die ganze Nacht könnt' ich hier sitzen und lauschen. ›Spiel nur so weiter, spiel immer weiter, hör nie auf! Bitte, hör nie auf!‹

Stille. Sie hat sich zu mir gewendet, ihr Gesicht ist dunkel, da der Leuchter ihr im Rücken steht. Das Licht sprüht nur um ihre Haare. Aber die Augen funkeln.

»Du weißt doch, daß heut Vollmond ist. Willst ihn mit mir zusammen anschaun?«

Heut Vollmond? Sie irrt sich: Vollmond war am Samstag. Das weiß ich ganz genau! Ich saß in Würzburg mit ein paar Kommilitonen vom Institut im Garten eines Weinlokals und sah den Vollmond über der Stadt. Das war vor drei Tagen! Jetzt nimmt er wieder ab. Sie täuscht sich!

»Du glaubst mir nit? Dann komm und schau!« Sie steht auf und nimmt den Leuchter mit der rechten, geht auf mich zu und greift mit ihrer linken nach meiner rechten Hand. Die erste körperliche Berührung – mir ist, als ströme von ihr ein magnetisches Fluidum in mich. Sie zieht mich hoch. Jetzt spüre ich den Wein in den Gliedern. Ich lasse mich willig von ihr führen: durch die Holztür, eine Treppe hinauf, eine Kammer.

Das Fenster ist weit offen. Der Hauptbau des Schlosses steht wie eine schwarze Mauer. Über dem Dach schwebt der Mond: vollkommen rund, wie aus makellosem Silber getrieben.

Ich muß betrunken sein. *Ich* muß mich täuschen! Was ich da sehe, kann nicht sein. Oder trügt mein Gedächtnis? Vielleicht war das im Weinlokal nicht letzten Samstag, sondern . . . Sondern wann? Vor einem Monat? Ich weiß es nicht mehr. Nichts weiß ich mehr.

Ich weiß nur: Zwar ist mir das Blut warm vom Wein, aber trunken bin ich nicht. Und wenn je auf der Welt ein Mond vollkommen rund war, so dieser. Die Amsel ist längst verstummt. Draußen mischen sich linde Nachtluft und Stille zu einer ununterscheidbaren Substanz. Wir zwei Menschen stehen hier wie auf dem Grund eines verwunschenen Sees und schauen hinauf zu Luna, der Gleichmütigen.

Noch immer hält sie meine Hand – mit warmen, zarten Fingern. Jetzt drückt die ihre leicht die meine. Ich wende mich zu ihr und schau ihr in die Augen: sie sind still und tief wie ein Brunnenschacht. Ein Zauber geht von ihnen aus; noch wehr' ich mich dagegen. Ich muß den Bann brechen, indem ich etwas sage: »Sag, wie alt bist du heut eigentlich geworden?«

»Dreiundzwanzig Jahr.« Sie schweigt einige Atemzüge lang. Dann fügt sie leise an: »Hast du das nit gewußt, daß ich in jenem Jahr geboren bin, wo der Große Fried' geschlossen wurd, nach dreißig Jahren schlimmen Kriegs? Die Mutter hat zu mir gesagt: ›Du bist ein Friedenskind‹, und sie wollt mich Irene heißen, doch hat der Vater gmeint, das kläng zu welsch für unserein, und so heiß auch ich Dorothea, wie die Mutter.«

»Und warum noch dazu ›Praxedis‹?«

Sie muß leicht lachen: »Ach geh, du kennst wohl den Kalender nit? Weil heut St. Praxedis ist. Das ist doch die Schutzheilig' vom Tag.«

Vielleicht schau' ich dumm drein, aber trotzdem muß ich fragen: »Und wann ist dann St. Dorothea?«

Mit glockenhellem Lachen: »Das weißt du aber ganz gewiß. Am 6. Februar – da bist du doch zum ersten Mal gekommen!«

Sie steht nah neben mir. Sie läßt meine Hand nicht los. ›Ich dank dir vieltausendmal dafür!‹ Absichtlich-unabsichtlich streifen unsere nackten Unterarme sich. Ein Duft von Frische geht von ihr aus. Etwas Sanft-Süßes hüllt sie ein, wie Flora in dem Blumengarten ...

Wir haben uns geküßt. Das war der erste Kuß der Welt. Beim zweiten treffen sich zum ersten Mal zwei Zungen. Sie schmeckt so herb, so wild, so zärtlich. Wir halten uns umschlungen – schon seit Jahrhunderten sind wir wie miteinand' verwachsen. Ich spüre ihr Herz klopfen, durch weißes Leinen, rote Seide und Goldbrokat hindurch. Ihr Atem fächelt meinen Hals.

Äonen sind vergangen, da führt sie mich zu einem Himmelbett im Hintergrund der Kammer. Sie läßt sich niedersinken, rutscht zur Wand, zieht mich zu sich.

»O meine Freundin, du bist schön!
Die Augen sind ein Falkenpaar,
wie Ebenholz umrahmt das Haar
die Stirn, wie Wald auf Gil'ads Höh'n.«

Woher kommen mir diese Verse? Ich muß sie ihr einfach ins Ohr flüstern. Und flüsternd antwortet sie:

»Mein Freund ist mir wie eine Traube Zyprerwein,
die in dem Wingert zu Engeddi wuchs.
Ich bin wie ein' Blumen zu Scharon,
wie Rosen und Lilien im Tal.
Wie ein Apfelbaum mitten im Wald,
so ist unter den Männern mein Liebster.
In seinem Schatten möcht' ich ruhn,
und seine Frucht ist meiner Kehle Süße.«

Jetzt endlich erinnere ich mich:

»Dein Haupt ist erhaben wie der Berg Karmel.
Dein Haar fließt hin wie Purpurwallen.
Eines Königs Gefallen verstrickt sich darin!«

Mit einem Ruck hat sie das Haar auf dem Hinterkopf gelöst. In nachtschwarzen Strähnen flutet es über das helle Kissen, auf dem das Mondlicht spielt. Sie setzt sich auf und öffnet den Brokat des Miederteils, knöpft dann die Leinenbluse auseinander. Sie nimmt meine Hand und führt sie zu den Zwillingshügeln.

›Jungrehe sind deine beiden Brüste, der Hindin Zwillinge, die in Lilien weiden. Dein Hals ragt auf wie ein Turm von Elfenbein. Deine Huften sind ein Geschmeide, wie von eines Meisters Hand geschnitten. Wie ein runder Becher ist dein Nabel – mög sein Würztrank nie zur Neige gehn.‹

Wir ruhen warm aneinandergepreßt. Mein Flanellhemd liegt irgendwo am Boden. Während sie mir ins Ohr murmelt, fährt ein Finger sacht über meine Lippen, die andere Hand spielt mit dem Feuer:

>Ich bin hinab in den Nußgart gegangen,
zu schaun, ob am Bach sproßt das Grün,
zu schaun, ob die Reben schon blühn,
ob am Granatbaum die Knospen aufsprangen ...«

Auch meine Hand wird kühn, doch ihre wehrt lieb und sanft ab. Dann tröstet sie und gibt ein wenig Raum, läßt ein wenig zu. Meine Hand erschauert, mein ganzer Leib zittert vor Köstlichkeit. Sie flüstert:

>Mein Liebster ist hinabgegangen
zu den Balsambeeten.
Er wird im Gartenland weiden
und Lilien pflücken.«

Ganz sacht führt sie meine kecke Hand zurück zum Nabel, dann zu den Brüsten. Schmerz und Glück durchdringen mich wie glühende Speerspitzen. Ja, es stimmt, es stimmt es stimmt: ›Stark wie der Tod ist die Liebe!‹ Nichts wird mich von ihr trennen! Mit der letzten Kraft vor der heranflutenden Müdigkeit, sage ich ihr:

>Braut, Liebste!
Du bist ein verschlossener Garten,
ein versiegelter Brunnen,
ein verriegelter Quell ...«

>Du bist doch aufgenommen in den Garten, wenn du wiederkommst!« Sie klammert sich wild und ungestüm an mich: »Gelt, du kommst wieder! Schwör mir, daß du wiederkommst zu mir!«
»Ja, ich komme wieder! Ich bleib bei dir! Du Gartenquelle: du bist für mich der Born auf dem Berg Libanon, aus dem lebendiges Wasser herniederströmt.«

Es ist die Amsel, die mich weckt. Morgenlicht und Morgenfrische dringen durch das offene Fenster.
Was habe ich bloß geträumt? Ein überirdisch schöner Traum. Traum von einem Vollmond. Traum von Liebe, die stärker ist als der Tod.
Ich richte mich auf, reibe die Augen und blicke um mich: Die

obere Kammer im Gartenpavillon. Auf dem Boden mein Flanellhemd, darunter ein Jäckchen aus Goldbrokat. Ich wende mich zur Wand: Da liegt sie und schläft noch. Atmet ruhig und unbeschwert wie ein Kind. Sie hat die Bettdecke wie schützend vor die Brust gezogen, bis zu den Schultern. Das schwarze Haar liegt in wirren Strähnen auf dem Kissen.

Also war dieser Teil des Traums kein Traum!

Ich stehe auf und ziehe mein Hemd über. Trete ans Fenster. Der Garten ist vom Sonnenlicht erfüllt. Die Sonne steht schon hoch über dem Dach des linken Seitenflügels. Die Blumen im Garten saugen das Licht wie gierig ein. Dutzende von Faltern glitzern über den Kräutern. Ein Spatzenschwarm streitet sich in einer Ecke, stiebt auf und streitet weiter auf dem Dach des mittleren Zwerchhauses. Von dem Fenster der Dachgaube rechts daneben hängt eine Strickleiter.

Ich schlage mich vor den Kopf. Meine Uhr zeigt erst zwölf vor sieben, das Datumsfeld weist die Zahl 22 – Mittwoch, der 22. Juli, kurz nach dreiviertel sieben Uhr morgens!

Ich Narr! Ich hätte gestern abend um 19 Uhr die Schlüssel abgeben müssen – die erste Bedingung!

Ich wende mich zum Bett. Sie ist wach und hat sich aufgesetzt. Mit den Fingern streicht sie sich wie kämmend durchs Haar. Die Brustspitzen schauen mich belustigt an. Das rote Unterteil des Kleides ist unter den Nabel gerutscht. Er sieht unschuldig aus, wie von einem ganz kleinen Kind.

»Liebster, was ist?«

»Weißt du nicht, daß ich bis gestern abend sieben Uhr hätt' die Schlüssel zurückgeben müssen?« Hat sie mich mit Absicht dazu gebracht, die Bedingung nicht einzuhalten? Halt – dieser Gedanke ist Narretei! Sie hat nichts damit zu tun!

»Ich muß sofort hinunter ins Dorf, zu Pater Kyrcher! Gibt es hier noch einen schnelleren Weg hinaus als dort zurück über die Strickleiter?«

Sie lächelt über meine Aufregung: »Aber ganz gewiß, die hintre Pfort'n!« Sie steht ganz ruhig und gelassen auf, zieht das Leinencamisol an, das Brokatjäckchen darüber, zuletzt zieht sie das rote Seidenkleid hoch und knöpft es langsam zu. Obwohl ihr Haar nicht gekämmt ist, sieht sie hinreißend aus. Ich liebe sie wirklich – aber jetzt muß ich zuerst das Problem mit Pater Kyrcher lösen!

Sie führt mich zu der Hinterpforte. Die rückwärtige Wand des Pavillons ist eins mit der Mauer um den Garten. Ein ganz schmaler Steg führt über den Graben.

Noch ein Kuß.

»Wenn du zurückkommen willst, brauchst nur an diese Pfort'n zu schlagen!«

»Sei unbesorgt, ich komm zurück! Leb wohl, mein Herz, leb wohl!«

Ich kämpfe mich durch das Wacholderdickicht bis zur Wiese vor. Laufe am Wäldchen entlang zum Haupteingang. Wo habe ich gestern mein Auto geparkt? Ich dachte doch: direkt vor der Bohlenbrücke ... Dort steht es nicht! Also dann an der Straße. Ich renne, was ich kann. Doch – da ist keine Straße, keine geteerte Kreisstraße 1. Ordnung. Nur ein besserer Feldweg. Das gibt's doch nicht! Wo ist denn die Straße hin? Gestern abend war sie doch noch hier – ganz gewiß! Ich stehe doch in der richtigen Distanz zum Schloß.

Ich wende mich zu dem Bau um: Hell leuchtet er durch die Eiben und Lebensbäume. Was, waren die immer schon so niedrig? Konnte man immer schon so viel von der Fassade sehen?

Ich laufe ein Stück in die Wiese, um zum Dorf hinunterschauen zu können: Da liegt es noch – aber mir scheint, es seien ein paar Häuser weniger als gestern nachmittag. Ja, ganz sicher: der Neubau dort am östlichen Dorfende fehlt! Jetzt eine Bewegung am Dorfeingang: auf einem Rappen kommt gemächlich ein Mann geritten, den Weg auf den Abhang zu; auf seinem breitkrempigen Hut schwankt ein bunter Federbuschen.

Mir zittern die Knie. Mit fliegendem Atem jage ich zum Gittertor. Ich klammere mich an den schmiedeeisernen Ranken fest. Ich Narr! Auf diesem Weg kann ich ja gar nicht hinein: ich habe die Schlüssel auf dem Tisch in der Bibliothek liegenlassen! Wie erstarrt hänge ich am Tor und starre zu dem Wappen über dem Portal.

Warum habe ich bisher übersehen, daß über dem Wappen ein Schriftband gemeißelt ist? Mit einem lateinischen Motto ... Mein Mund ist ausgetrocknet; mit bebender Stimme lese ich, krächzend:

NULLUM ERIT TEMPUS HOC AMISSO

O ja, jetzt habe ich Dich endlich verstanden, Dorothea, mein Lieb! Jetzt glaube ich Dir!

Wie von tausend Hunden gejagt eile ich zurück zur Pforte. Hämmere wie wild gegen die schmale Holztür.

Sie öffnet sich prompt. Dorothea lächelt spitzbübisch: »Hab' nit denkt, daß du so flink wieder da bist!«

Nachdem ich mich ein paar Atemzüge lang verschnauft habe, sage ich: »Aber trotzdem hab' ich's dem Pater Kyrcher versprochen. Und einiges muß ich schon noch regeln, bevor ich für immer wiederkomm'.«

Sie nickt: »Ich weiß!« Während ich draußen war, hat sie ihr Haar gekämmt und wieder hochgebunden. Um den Hals trägt sie die goldene Kette mit dem runden Medaillon. Sie nimmt es in die Hand, klappt den Deckel auf und holt einen Siegelring heraus: er paßt genau auf meinen rechten Ringfinger. Er ist golden, mit einem grün und golden foliierten Bergkristall-Intaglio: das Wappen mit dem sich bäumenden Füllen und dem kleinen Stern. Rings um das Wappen läuft die Schrift:

CHI LA DURA LA VINCE

»Mit diesem Ring an der Hand kommst immer zurück!«
»Ja, ganz gewiß, bei meinem Leben: ich komm zurück!«
Und nun ein zweiter letzter Kuß für heute.

Der Weg über die Strickleiter ist schwer. Je höher ich steige, desto schwerer werden meine Glieder, desto müder mein Kopf. Auf dem Fenstersims wende ich mich um. Die Gestalt in dem roten Kleid winkt von der Glastür des Pavillons herauf. Ich winke zurück. Dann plumpse ich wie ein Sack auf den Boden der Dachkammer.

Nach wieviel Herzschlägen bin ich wieder zu mir gekommen? Es war kein Traum! Noch trage ich den Ring an der Hand ...

Ich hole nur die Schlüssel aus der Bibliothek. Die Bücher und Zettel lasse ich liegen. Meine Geige kann ruhig im Großen Saal bleiben. Nicht wahr, Dorothea – uns stört das nicht!

Als ich vor dem Pfarrhaus aus dem Auto steige, steht der Benefiziat schon im Türrahmen.

»Verzeihen Sie, daß ich zu spät dran bin!« keuche ich. »Wenn Sie wollen, werde ich alles erklären!«

Mit einem Lächeln um Mund und Augen nimmt er die Schlüssel entgegen: »Nix braung's erklär'n. Sind nit zu spat!«

Er zeigt zur Kirchturmuhr: Der kleine Zeiger zeigt die 7, der große ruckt gerade auf die 12. Die Glocken beginnen zu läuten – Angelus. Die Kirchturmspitze schimmert im Schein der Abendsonne.

»Behüt' Sie Gott auch fürderhin, Herr Biber!« Der Priester winkt und geht ins Haus. Ich blicke auf meine Uhr: Sie beharrt darauf, es sei schon der morgige Tag, Mittwoch, der 22. Juli, 7 Uhr morgens ...

Wo muß ich zuerst meine Sachen beiseite tun? In Würzburg oder Nürnberg? Soll ich eine Reise in den Süden vortäuschen? Wem soll ich das Geld vermachen?

Ach, wenn Mutter das alles wüßte! Aber seit zwei Jahren bin ich ja ohne sie. Vielleicht weiß sie es auch – dort, auf der Anderen Seite ...

Soll ich Professor Kleinot etwas sagen? Wie mich von ihm verabschieden? Also, Würzburg oder Nürnberg? Ach, jetzt fahr' ich erst einmal auf die Autobahn zu; bei Rüdenhausen kann ich mich immer noch entscheiden, ob ich nach Westen fahren will oder nach Osten.

Und jetzt auch das noch: der Benzintank ist leer – kein Reservekanister dabei!

Ich steige aus. Es ist sommerlich warm. Die Sonne steht schon tief im Westen. In einer Stunde wird sie untergehen.

In einer Stunde komme ich von hier zu Fuß zum Sternlein.

›Du Narr, was wartest du hier noch? Was soll das alles sein, was du noch zu erledigen hast? Alles unnützer Tand! Leeres Zeug! Nur eins zählt!‹

Der kleine weiße R4 tut mir schon ein wenig leid, wie einsam und verlassen er dort drüben an der Einmündung steht. Aber irgend jemand wird sich seiner schon annehmen.

Ich werfe einen letzten Blick gen Westen. Dann gehe ich los.

Noch bevor der Mond aufgeht, werde ich bei Dir sein, meine Liebste.

Notiz aus der »Fränkischen Tageszeitung« vom 25. Juli 1970:

Das spurlose Verschwinden eines Universitätsangehörigen stellt die Ermittlungsbehörden vor ein Rätsel. Beamte der Landpolizeiinspektion Scheinfeld fanden gestern an der Einmündung der Straße von Füllefeld in die B 286 zwischen Ziegenbach und Birklingen den weißen R4 mit der Nummer WÜ-DP ... des 26jährigen Doktoranden Heinrich B. verlassen auf. Von dem Besitzer des Autos fehlt jedes Lebenszeichen. Heinrich B. war zuletzt als Wissenschaftliche Hilfskraft am Institut für Fränkische Kunstgeschichte tätig. Kollegen bezeichneten den Verschwundenen als freundlich und kollegial, doch zugleich still und introvertiert. Die Kriminalpolizei schließt Selbsttötung nicht aus. Die Personenbeschreibung lautet wie folgt: (...)

Zweckdienliche Mitteilungen nimmt die Kriminalpolizei in Kitzingen oder jede andere Polizeidienststelle entgegen. Auf Wunsch werden alle Meldungen und Angaben streng vertraulich behandelt.

Illustriert von Wolfang Zeilinger

NACHBEMERKUNG DES AUTORS

10 der in diesem Band enthaltenen Texte wurden in kleinen Literaturzeitschriften erstveröffentlicht:

1. »Archivdienst«: LITERARISCHES ARBEITSJOURNAL Nr. 5
2. »Parteiverkehr«: DAS SENFKORN Nr. 2
3. »Bundesbehörde, 12. Stock«: DAS SENFKORN Nr. 16
4. »Späte La-Tène-Zeit«: DAS SENFKORN Nr. 1
5. »Golden Delicious«: SAGITTARIUS Nr. 6/7
6. »Die unbekannte Fee«: DAS SENFKORN Nr. 3
7. »An der Straße nach Ghardaia«: DAS SENFKORN Nr. 6
8. »Nürnberger Bratwürste – spezial«: DAS SENFKORN Nr. 9
9. »In den Tälern von Nysai«: DAS SENFKORN Nr. 14
10. »Entscheidung zwischen den Flüssen«: DAS SENFKORN Nr. 4

Nr. 1 und 4 wurden auch in meinem ersten Erzählband »Die Bibliothek des Wendelin Bramlitzer« (Kanalpresse, Nürnberg/Weißenburg 1980) veröffentlicht (zeitgleich mit den Abdrucken in den beiden Zeitschriften LITERARISCHES ARBEITSJOURNAL und DAS SENFKORN). – Nr. 2, 4 und 7 wurden in den HEYNE SF STORY READERN Nr. 15, 16 und 18 abgedruckt. – Alle diese Erzählungen wurden für diesen Band nochmals durchgesehen und überarbeitet.

Die beiden Kapitel aus »Rettung von Bilil« sowie die Erzählung »Garten zwischen Lebensbäumen« sind bislang unveröffentlicht und treten hiermit erstmals vor die Augen einer größeren Leserschaft.

Die ›Préludes‹ sind Vorarbeiten zu zwei Romanzyklen: »Die Chroniken der Großen Sonne An-Râ« werden in einer Reihe von Bänden die Geschichten von Nysai, Chanawani, Bilil, aber auch Marak, Narim und Minalil schildern; in der Trilogie »Eyn unsichtbar Collegium« wird ein Roman den Geschicken des Faust-Schülers Thomas Dornblüth gewidmet sein, ein anderer handelt von einem »Bildnis einer jungen Frau von einem unbekannten Meister des 16. Jahrhunderts«, und der dritte erzählt von den Abenteuern in der »Bibliothek des Dr. Nocturnus«: dies ist niemand anderer als der Altabt Ambrosius Mittnacht in Engelzell...

M. M.

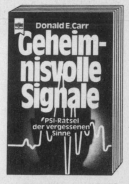

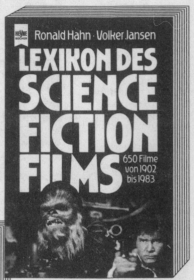